KRYSTYNA MIREK

Jabłoniowy Sad

Rodzinne
sekrety

FILIA

Wydanie I, Poznań 2016

Projekt okładki: Olga Reszelska
Zdjęcia na okładce: © Richard I'Anson / Getty Images,
© Novarc Images RM / Lara Wernet / Diomedia (twarz)

Redakcja, korekta, skład i łamanie:
SEITON, www.seiton.pl
Druk i oprawa: Abedik SA

ISBN: 978-83-8075-073-9

Wydawnictwo Filia
ul. Kleeberga 2
61-615 Poznań
wydawnictwofilia.pl
kontakt@wydawnictwofilia.pl

ROZDZIAŁ 1

Wczesna jesień była w tym roku wyjątkowo piękna, jakby starała się ze wszystkich sił zatrzeć nieprzyjemny incydent, który rodzinie Zagórskich zgotowało lato. Pod koniec sierpnia zamiast spodziewanych słonecznych dni poprawiających ludziom samopoczucie i pozwalających owocom w sadzie przyjemnie się rumienić, nadeszła burza stulecia, w niecałe pół godziny niszcząc dorobek wielu lat pracy.

Po pięknym, pielęgnowanym bez oszczędzania sił i środków sadzie Zagórskich pozostało tylko wspomnienie. Ogród też mocno ucierpiał. Jan Zagórski, ojciec czterech córek i głowa rodu, rano specjalnie nie dotykał kotar zasłaniających okna i szerokie balkonowe drzwi, żeby jak najdłużej chronić ukochaną żonę przed widokiem skutków nawałnicy.

Minęły cztery tygodnie. Przyroda zmobilizowała wszystkie siły, by naprawić to, co zostało zepsute. Połamane kwiaty wypuszczały boczne pędy, między drzewkami zieleniła się świeża trawa. Kiedy patrzyło się na sad z dużej odległości, można było odnieść wrażenie, że wszystko jest jak dawniej. Ale wystarczyło podejść bliżej, żeby pozbyć się złudzeń.

Prawie wszystkie owoce przepadły. W tym roku jabłoniowy sad miał dla swoich właścicieli zaledwie dwa kosze poobijanych, stłuczonych gradem owoców. Reszta nie nadawała się do zbioru.

Jedyne jabłko, które ocalało bez szwanku, stało teraz na biurku Jana w jego księgarni nieomal jak relikwia. Codziennie brał je do ręki i przypominał sobie, że dobro jest możliwe. Jeśli wszyscy się postarają i włożą w to odpowiedni wysiłek, za rok gałęzie jabłoni w starym sadzie znów będą się uginać pod ciężarem dorodnych jabłek, a szczęśliwa rodzina raz jeszcze zasiądzie przy zastawionym stole na drewnianej werandzie.

Jan sam już nie wiedział, co okaże się trudniejszym zadaniem: naprawienie szkód wyrządzonych przez burzę czy zebranie rozproszonej rodziny...

Mężczyzna westchnął, po czym dokończył układanie stosów książek. Ich wysokość stanowiła dla niego kolejny powód do zmartwienia. Sprzedaż nic szła dobrze. We wrześniu, jak co roku, klienci, przytłoczeni szkolnymi wydatkami i spłacaniem pourlopowych długów, oszczędzali na wszystkim. Poza tym wielu ludzi sądzi, że bez książek można żyć. Zapewne mają trochę racji. Ale co to za życie!

Jan, westchnąwszy ponownie, podszedł do szyby wystawowej. Parking pod galerią po drugiej stronie ulicy mimo dość wczesnej pory i dnia powszedniego pełen był samochodów. Co jakiś czas ktoś wychodził i pakował do bagażnika siaty zakupów.

Co w tym jest? – zastanawiał się Jan. – Jaka magia sprawia, że nawet jeśli w małym sklepie cena będzie podobna albo nawet niższa, klienci i tak wybiorą tę maszynę do sprzedawania, automat towarowy, fabrykę przerabiającą ludzkie słabości na konkretny pieniądz? Niby każdy wie, jak działa reklama, jakie sztuczki stosują sieciówki, ale i tak kupuje właśnie w nich.

Jan spojrzał na wnętrze swojej księgarni prowadzonej przez rodzinę od pokoleń. To miejsce miało swój klimat. Niepowtarzalny urok. Ale ostatnio to nie wystarczało, by skłonić klientów do wykonania tak niezwykle męczącego i wyczerpującego działania, jakim jest przejście na drugą stronę ulicy do jednego zaledwie sklepu. A gdyby nawet jakiś odważny zdecydował się na tak desperacki krok, to oszołomiony światłami, muzyką, różnorodnością wystaw dopiero co opuszczonej galerii, zapewne niczego już nie zdoła tutaj dostrzec…

Nie upadajmy na duchu – powtarzała ostatnio żona Jana, Helena. Właściwie robiła to całymi dniami. Zwracała się w ten sposób do córek, a nawet do swojej siostry Marty, która – choć zwykle stanowiła podporę rodziny – po ostatnich wypadkach straciła znaczną cześć swojej życiowej energii.

Wyglądało na to, że dom, sad i rodzina stanowiły jeden mocno zintegrowany system. Gdy w jednej jego części źle się działo, cierpiały wszystkie.

– Przestań! Nie bądź takim fatalistą – zawołał Jan, a jego głos odbił się od pustych ścian, lekko tylko stłumiony stojącymi na wysokich regałach książkami.

Wiadomo nie od dziś, że najlepszym sposobem na czarne myśli jest działanie. Jan zatarł dłonie. Przesunął na wystawie szeroką konstrukcję z „nowości", skomponowaną przez najmłodszą córkę Anielkę, tak by promienie słońca bez przeszkód mogły wnikać do starego wnętrza, które – musiał to przyznać – z natury było dość ciemne. Następnie przeszedł do tej części pomieszczenia, w której zorganizowana była mała herbaciarnia. Posprzątał. Poukładał torebeczki z osobiście komponowanymi mieszankami aromatycznych herbat. Wiedział, że to, co robi, jest dobre i wyjątkowe. Był już dostatecznie dojrzałym człowiekiem, by mieć odwagę powiedzieć to wprost: mam talent, niezwykły dar.

A jednak i to nie wystarczało. Klienci, zwłaszcza ci stali, wpadali wprawdzie na herbatę, częstowali się ciastkiem, dyskutowali, czasem kupowali książkę. Bywały dni, gdy w księgarni panował spory ruch, tak że oboje z Anielką mieli pełne ręce roboty. Ale coraz częściej zdarzały się poranki takie jak dzisiejszy. Wypełnione pustką i ciszą. Nie było nawet potrzeby, żeby córka mu towarzyszyła, obowiązków nie starczało nawet dla niego.

Jan wziął do ręki jedną z torebek herbaty. Była to kompozycja rocznicowa. Tak długo nad nią pracował. Całymi miesiącami suszył zioła i owoce, dosypywał, parzył, kombinował, myślał. Ale przede wszystkim czuł. Jego palce przekazywały płynące z głębi serca dobre emocje. Całą swoją miłość do żony. Uczucie, które przetrwało czterdzieści lat, narodziny czwórki dzieci, budowę domu i codzienność, która jest romantyczna tylko wtedy, gdy człowiek spogląda za siebie – w przeszłość. Bo trwające właśnie dni, nużąco powtarzalne w swej niezmienności, wydają się takie zwyczajne. Łatwo w ich powodzi zagubić radość życia, świeżość i entuzjazm. Wschody słońca przestają być spektaklem natury, a zaczynają się kojarzyć wyłącznie z dźwiękiem budzika, który zawsze dzwoni zbyt wcześnie.

Jan i Helena umieli pielęgnować swoje uczucie i radość życia.

A na pamiątkę wszystkich minionych przeżyć z dobrą wróżbą na przyszłość powstała rocznicowa herbata.

Ale ta mieszanka, mimo iż naprawę była niezwykła, wcale rewelacyjnie się nie sprzedawała. Nawet Jan – wieczny romantyk i humanista – teraz wyraźnie poczuł, że nie sposób tak dłużej żyć, wbrew ekonomicznym realiom. Jego mała, stara księgarnia, choć miała niezwykłą historię i była miejscem wyjątkowym, wyraźnie przegrywała z komercją galerii.

Jan poczuł ból w okolicy serca. Miał wrażenie, jakby starość bezczelnie, z zimnym uśmiechem spojrzała mu prosto w oczy. Zadrżał. W samym dźwięku tego słowa kryły się wszelkie największe lęki tego świata. Utrata kontroli nad własnym ciałem, zależność od innych, choroby, ból, ubóstwo…

Przetarł oczy i otrząsnął się nagle.

– Mowy nie ma! – powiedział głośno do niewidzialnego przeciwnika. – Tak łatwo mnie nie weźmiesz. Mam jeszcze zbyt wiele spraw do załatwienia. Muszę najpierw posprzątać moje życie. Zostawić dzieciom dobrze prosperujący biznes i czystą rodzinną historię, a nie podupadającą księgarnię i pokręconą biografię.

– Mowy nie ma! – powtórzył głośno i śmielej spojrzał w stronę galerii.

Jakby w odpowiedzi na jego słowa zaczął padać deszcz. Najpierw delikatnie stukał kroplami w szybę, jednak szybko rósł w siłę. To już nie było letnie orzeźwienie, ale ponura jesienna słota. Jakby przyroda wyraźnie chciała mu powiedzieć: nawet się nie wysilaj. Nie widzisz, że jesteś już stary? Nie masz wpływu na życie swoich córek i nic nie możesz zrobić w sprawie księgarni. Nigdy nie pokonasz potęgi, jaką jest galeria. Jej nawet deszcz nie straszny. Klimatyzowane wnętrze łagodzi odczucie chłodu, muzyka tłumi dźwięk spadających kropel, a światła z powodzeniem zastępują słońce. Nieprzerwana pielgrzymka klientów do tej świątyni współczesności trwa i nic jej nie zatrzyma.

Deszcz bębnił coraz silniej, jakby chciał wzmocnić siłę swoich argumentów i lepiej dotrzeć do serca oraz świadomości Jana. W jego księgarni bowiem od razu zrobiło się ciemniej i nie pomogło nawet zapalenie wszystkich lamp. Wilgoć ciągnęła od drzwi, a książki zdawały się drzemać na swoich regałach.

Jan wziął głęboki oddech. Był księgarzem z prawdziwego zdarzenia, nie tylko sprzedawcą. Miłość do literatury krążyła w jego żyłach pomiędzy czerwonymi i białymi krwinkami, sprawiając, że zaczynało go łączyć autentyczne pokrewieństwo z bohaterami powieści. Stawał się dzięki temu innym człowiekiem. Dojrzałym, wszechstronnym, a z czasem po prostu mądrym. Przez lata zgromadził w sercu i umyśle doświadczenia tysięcy przeczytanych historii. Nie zamierzał oddać swojej księgarni bez walki. Czymże bowiem był bez swojego ukochanego miejsca pracy? Na to pytanie nie umiał udzielić odpowiedzi.

– Jeszcze nie wszystko skończone – powiedział. – Czas pokaże, kto się będzie śmiał ostatni – zawołał głośniej, tym razem z przekonaniem.

A deszcz chyba zrozumiał. W każdym razie stracił impet i przycichł nieco.

ROZDZIAŁ 2

Helena piekła ciasto cytrynowe. Nie miała ostatnio serca do szarlotek i choć w sadzie pod drzewami wciąż leżały brutalnie otrzepane przez burzę i grad owoce, które znakomicie nadałyby się do tego właśnie celu, nawet ich nie dotykała. Zbyt mało czasu upłynęło...

Najmłodsza córka, Aniela, wstawała codziennie skoro świt, zanim jeszcze jej córeczka się obudziła, i porządkowała sad. Pewnie jej się wydawało, że nikt nie dostrzega tych wysiłków, ale to nie była prawda.

Wprawdzie Helena i Jan porzucili swój miły małżeński obyczaj i przestali pić rano kawę na swoim niewielkim tarasie, który wychodził z sypialni wprost na ogród, nie przesiadywali też wieczorami na drewnianym ganku z widokiem na sad, lecz każdą zmianę odnotowywali w sercach i umysłach. A w sadzie codziennie przybywało drzew, jak dawniej otoczonych zieloną trawą – wygrabioną rękami Anielki z liści, połamanych gałęzi i zmasakrowanych owoców.

Helena czuła wyrzuty sumienia. To była ciężka praca. Zdecydowanie nie dla jednej osoby, zwłaszcza drobnej dwudziestopięcioletniej dziewczyny o smukłej figurze, delikatnych dłoniach miłośniczki książek i długich splotach rudych włosów, które nawet wiązane w warkocz wymykały się spod kontroli i przeszkadzały w pracy.

Na razie jednak ani Helena, ani Jan nie zdołali znaleźć w sobie dość siły, żeby pomóc Anieli. Żyli, jakby nic się nie stało. Może dlatego, że zniszczony sad był teraz najmniejszym problemem…

Po pamiętnej burzy córki rozpierzchły się, zabierając swoje problemy ze sobą. Dom na jakiś czas przestał być bezpieczną przystanią, w której można złożyć dowolną ilość smutków i znaleźć pocieszenie. Teraz sam potrzebował pomocy. A ta na razie nie nadchodziła. Zamiast tego mnożyły się kłopoty.

Julia, zerwawszy tuż przed planowanymi zaręczynami i mającym zaraz po nich nastąpić hucznym ślubie swój związek z Ksawerym, poświęciła się wyłącznie pracy. Prawie nie wychodziła z przychodni weterynaryjnej, której była właścicielką. Uporządkowała faktury, wymyśliła system zmian, który miał usprawnić działanie firmy, i brała wszystkie dyżury. Ludzie mówili, że do przychodni Julii Zagórskiej można przyprowadzić cierpiącego zwierzaka o dowolnej porze, a pani doktor zawsze go przyjmie. Z uśmiechem na twarzy i niekończącą się nigdy cierpliwością.

Helena czuła ucisk w żołądku na samą myśl o tym, że jej córka wszystkie swoje uczucia, całe bogactwo swojej osobowości oddała tylko jednej dziedzinie życia. Pracy. Wiadomo, że to droga donikąd. Praca, choćby i najpiękniejsza, nie jest przecież w stanie zastąpić człowiekowi rodziny, snu, innych pasji, przyjaciół, spacerów, świeżego powietrza, wolnego czasu, a przede wszystkim i ponad wszystko miłości.

Helena westchnęła i wlała pachnącą, złociście żółtą masę do foremki. Nie miała w stosunku do jej konsystencji żadnych zastrzeżeń, a wcześniej różnie bywało. W tym cieście najtrudniejsze jest dodanie na koniec świeżo wyciśniętego soku z cytryny. Czasem wszystko wtedy się warzy i masa nadaje się wyłącznie do kosza. Dziś było jednak inaczej. Gładkie, połyskujące ciasto zostało włożone do pieca. Zaczęło właśnie wydzielać kuszące aromaty, kiedy z nieba lunął deszcz. Zawsze w takiej sytuacji Helena odruchowo odliczała członków rodziny – jak kapitan statku przed burzą.

Jan był w księgarni i pozostawało tylko mieć nadzieję, że – pozostawiony sam na sam ze swoimi myślami – nie zamartwia się za bardzo. Marylka, najstarsza córka, siedziała teraz zapewne przed biurkiem w budynku telekomunikacji, gdzie pracowała jako specjalistka od kontaktów z klientami biznesowymi. Można było się domyślić, że wykonuje swoje obowiązki, a jednocześnie myśli o swoich synach pozostawionych w przedszkolu i już planuje, jak upchnąć w zbyt krótkim dniu wszystkie konieczne do wykonania czynności. Wieczna żonglerka czasem i działaniami były codziennością jej samotnego macierzyństwa.

Gabrysia, o pięć lat młodsza, ratowała swoje małżeństwo. Szukała pracy dla siebie i męża Kornela. Próbowała zbudować życie na czymś więcej niż niekończące się starania o dziecko. Uwikłana w historię znajomości męża z Elizą, młodą dziewczyną w ciąży, znajdowała się teraz naprawdę w trudnym położeniu.

Helena nawet przez chwilę nie pomyślała, by zawracać jej głowę sprzątaniem sadu.

Julia była w przychodni – wróciła do odliczania.

A najmłodsza Anielka? Zatrzymała się gwałtownie.

– No właśnie – zastanowiła się. – Gdzie ona jest?

Pojechała rano odwieźć córeczkę do szkoły i dawno już powinna być z powrotem. Nie musiała dzisiaj pomagać ojcu w księgarni, bo ruch w tym miesiącu był niewielki. Nawet podręczniki nie szły jak dawniej, bowiem Jan nie mógł sobie pozwolić na tak duże rabaty jak niektóre księgarnie internetowe.

Ale niepokój o męża i córki to jeszcze nie wszystko.

Brat Jana po tylu latach pobytu w USA, gdy wydawało się już, że ułożył sobie życie i odniósł sukces, przypomniał sobie nagle, że budynek księgarni oraz sad należą także do niego i zażądał natychmiastowej spłaty swojej części spadku.

Helena westchnęła. Nigdy nie mieli tylu pieniędzy. Odkładali tę sprawę latami, a geograficzne oddalenie i dobra sytuacja materialna brata Jana zdawały się im sprzyjać. Ale zawsze kiedy Alfred dzwonił, wszystkim cierpła skóra. Bali się.

Tym razem nie było już żadnego pola dla spekulacji. Alfred wyraźnie zapowiedział, że przylatuje, by ostatecznie zamknąć sprawy finansowe. Cała rodzina miała świadomość, że to oznacza sprzedaż księgarni. Miejsca tworzonego przez pokolenia, które przetrwało dwie wojny, okupację i komunę. Z którym Jan był związany tak bardzo, że nie wyobrażał sobie bez niego życia. A także – patrząc praktycznie na sprawę – utrzymania domu.

Księgarnia nigdy nie prosperowała aż tak dobrze, by zapewnić licznej rodzinie dostatek, dawała jednak stabilność finansową i zabezpieczała najważniejsze potrzeby. Bez tego źródła dochodu Jan i Helena, zdani wyłącznie na swoje niewielkie emerytury, znaleźliby się w trudnym położeniu.

Można by oczywiście jeszcze sprzedać dom, ale nikt z rodziny nie odważył się wypowiedzieć na głos tej strasznej myśli.

Helena rozejrzała się wokół siebie, a widząc, jak mrok podstępnie zakrada się do jej domu, natychmiast podjęła środki zapobiegawcze. Zaczęła zapalać świece. Małe i duże. W pojemnikach, a także na świecznikach. Szybko zrobiło się naprawdę przytulnie. Ciasto pachniało, deszcz przyjemnie szumiał za oknem.

Będzie dobrze – pomyślała wbrew wszystkim obawom. Nie mogła jednak oprzeć się wrażeniu, że tym razem nie wyjdą cało z tej próby. Nie zdołają uratować wszystkiego.

ROZDZIAŁ 3

Maryla, najstarsza z sióstr Zagórskich, wyszła z biura na przerwę. Jej koleżanki całą grupką udały się do pobliskiej restauracji, żeby w przyjemnej atmosferze przekąsić coś, porozmawiać, wymienić się najnowszymi biurowymi ploteczkami lub po prostu podzielić tym, co ich aktualnie najbardziej boli czy cieszy.

Maryla zwykle uwielbiała te chwile przerwy. W czasie pracy rozmowa rzadko była możliwa. Wszystkie zatrudnione osoby były bardzo zajęte wykonywaniem obowiązków, wiedząc, że ich wydajność wciąż jest poddawana surowym kontrolom. Ale dzisiaj Maryla nie mogła sobie pozwolić na przyjemność pogaduszek z koleżankami. Półgodzinną przerwę musiała wykorzystać na zakupy. Lodówka świeciła pustkami. Rano z trudem skomponowała z resztek jakieś śniadanie dla synów, po czym, pełna wyrzutów sumienia, zaprowadziła ich do przedszkola, uspokajając się myślą, że tam niedługo chłopcy dostaną porządny posiłek.

Wbiegła do sklepu. Szybko wzięła koszyk i ruszyła wzdłuż regału. Trzydzieści minut to wcale nie tak dużo, jeśli doliczyć kolejkę przy kasie, której długość ciężko oszacować wcześniej, oraz czas potrzebny na powrót do firmy. Jak automat zdejmowała kolejne produkty ze znajomych miejsc. Już właściwie zapomniała, czym jest spokojny wybór towaru, leniwe przechadzanie się między półkami, oglądanie, szukanie. Na taki luksus nie było czasu.

Sprawnie zapełniła koszyk, planując w głowie posiłki na najbliższe dni z weekendem włącznie. Jednocześnie jej wewnętrzny kalkulator podliczał wartość towaru, która nie mogła przekroczyć kwoty, jaką miała w portfelu. Zbliżał się koniec miesiąca i Maryla w napięciu czekała na alimenty od byłego męża, po jej wypłacie został już bowiem wyłącznie wykorzystany do dna debet.

Podjechała do kasy, przepakowała towar do toreb, niecierpliwie przebierając nogami. Minuty uciekały bardzo szybko. Szkoda, że pół godziny spędzone w pracy nigdy nie miało zwyczaju mijać tak prędko. Wzięła w dłonie ciężkie siaty i znów mocno przyspieszonym krokiem ruszyła w stronę służbowego parkingu. Część zakupów wrzuciła do bagażnika, a produkty wymagające specjalnego przechowywania do turystycznej lodówki, którą specjalnie w tym celu woziła w samochodzie. Czekało ją bowiem jeszcze kilka godzin pracy. Zatrzasnęła drzwi samochodu i, potykając się na wysokich obcasach, których noszenie było w jej firmie niepisanym obowiązkiem, pobiegła w stronę schodów. Na korytarzu usłyszała wesołe śmiechy i głosy zrelaksowanych przerwą koleżanek. Otarła pot z czoła, weszła na chwilę do łazienki, aby poprawić makijaż, po czym wróciła do pokoju.

Wir pracy już się rozkręcał. Dzwoniły telefony. Szef podchodził z nowymi zadaniami. Stukały klawisze komputerów. Maryla też otwarła stosowne okienka. Jednocześnie włączyła na telefonie stronę swojego banku i sprawdziła stan konta. Nic. Żadnego przelewu nie było, a według umowy przychodził zawsze dwudziestego piątego dnia każdego miesiąca.

Co jest? – Maryla potarła znów czoło, zbierając dopiero co nałożony puder. – Marcin nigdy dotąd nie spóźniał się z płatnościami. Był wkurzający i zranił ją mocno, ale dbał o dzieci. Zabierał chłopców w wyznaczone dni i odwoził punktualnie, tak że nie musiała się martwić. Regularnie wywiązywał się też z nałożonego przez sąd obowiązku alimentacyjnego.

Szybko wpisała hasło raz jeszcze, ryzykując, że szef przyłapie ją na tym niedozwolonym regulaminem zajęciu, co mogło skutkować utratą premii, a w najgorszym razie nawet pracy. Ale nic to nie dało. Sytuacja w ciągu tych kilku minut nie zmieniła się ani trochę. Konto było puste.

Maryla wzięła się za tabelę w Excelu, mocno skomplikowaną, którą musiała koniecznie wypełnić dzisiaj. Chętnie porzuciłaby to żmudne zajęcie, ale termin wołał z kalendarza, kłując w oczy czerwonym kolorem i trzema tłustymi wykrzyknikami. Nie mogła sobie pozwolić na opóźnienie. Zaczęła powoli i w skupieniu wprowadzać dane. Jednocześnie jej mózg cały czas gorączkowo szukał sposobu na rozwiązanie prywatnych problemów.

Może poprosić Andrzeja o pożyczkę? – zastanowiła się przez chwilę, ale odrzuciła ten pomysł już na wstępie. Nie ma nic gorszego niż samotna kobieta, która prosi swojego partnera o pieniądze. Zwłaszcza w początkowej fazie związku. Nie chciała zaczynać z takiej pozycji. A sama przed sobą nie miała odwagi się przyznać, że oprócz tego boi się go wystraszyć. Andrzej był w dużo lepszej sytuacji materialnej niż ona. Miał własny piękny apartament, w którym wszystko znajdowało się na swoim miejscu, a meble i całe wyposażenie były wysokiej jakości. No i ten porządek! Natychmiast stanęło jej przed oczami wynajmowane przez nią mieszkanie, w którym chłopcy w ciągu dziesięciu minut potrafili zniweczyć efekty godzinnego sprzątania. Bała się, że Andrzej pomyśli, iż Maryla nie umie zaprowadzić ładu także w swoich finansach i oczekuje od niego pomocy w utrzymaniu siebie i synów.

To miało być prawdziwe uczucie. Szczere i romantyczne.

Tylko jak to pogodzić z prozą życia, która wielkim zerem krzyczała z pustego konta?

Tego na razie nie wiedziała. Jedynym rozwiązaniem, jakie jej przychodziło w tym momencie do głowy, była rozmowa z byłym mężem. To wyjście wydawało się bardzo proste, a jednak w tym przypadku przypominało prawdziwe pole minowe. Jeden fałszywy krok i następował potężny wybuch, najczęściej właśnie z jej strony.

Nie miała specjalnej ochoty na kolejną kłótnię, ale nie zdołała wymyślić lepszego planu. Wróciła do pracy. Zaległości to była ostatnia rzecz, jakiej teraz potrzebowała. Palce zwinnie biegały po klawiaturze, a w głowie układały się gładkie zdania, za pomocą których Maryla zamierzała przedstawić Marcinowi swoje racje. Jeśli tylko zdoła utrzymać emocje na wodzy…

ROZDZIAŁ 4

Aniela spacerowała po parku, szurając butami w jesiennych liściach, które spadły ubiegłej nocy. Od czasu do czasu kopała mocniej, wzbijając w powietrze kolorową fontannę. Mijały ją mamy spieszące jeszcze na ostatnią chwilę, by odprowadzić swe dzieci do przedszkola, gimnazjaliści zdążający do pobliskiej szkoły na drugą lekcję i kilku innych przechodniów. Zaczął padać deszcz i to sprawiło, że park szybko opustoszał. Po porannym słońcu zostało zaledwie wspomnienie. Aniela nie miała nawet tego. Nie zauważyła wspaniałego poranka, a padające na jej włosy zimne krople rejestrowała tylko niewielką częścią świadomości.

Właściwie nawet było jej to na rękę. Gdyby się jednak okazało, że się rozpłacze, łatwo mogła to ukryć. Deszcz moczył jej policzki, krople spływały z nosa i włosów, płaszcz szybko stał się ciężki od wilgoci. Ale ona nadal chodziła tam i z powrotem wśród liści, które teraz już nie wzbijały się radośnie w powietrze, lecz przyklejały nieprzyjemnie do butów. Znalazła się w takim punkcie swojego życia, którego się nie spodziewała. Wydawało jej się, że podjęła dobre, a już z pewnością rozsądne decyzje. Ale nie była szczęśliwa, chociaż nigdy się nie skarżyła. Najgorsze było jednak to, że ostatnio coraz częściej dopadała ją myśl, że popełniła błąd. Że źle wybrała.

Patrzyła na rosnącą córeczkę, tak bardzo podobną do swojego ojca, i coraz bardziej uświadamiała sobie, że coś swojemu ukochanemu dziecku odebrała. Działała oczywiście dla jego dobra, ale coraz częściej zastanawiała się, czy na pewno dobrze postąpiła, wybicrając opcję najbardziej bezpieczną. Tę, która nie pociągała z sobą żadnego ryzyka.

Czasem kobiecie łatwo jest uwierzyć, że dziecko to wyłącznie jej sprawa. Maleńka istotka rozwija się przecież w jej własnym ciele, początkowo zupełnie niewidoczna dla innych. Można się pochwalić nowiną, ale równie łatwo ją zataić. Uznać, że jest się jedyną osobą godną tego, by podejmować decyzje.

Zwłaszcza jeśli ojcem dziecka jest tak zwany nieodpowiedni mężczyzna. Taki, któremu nie można w pełni zaufać ani nie da się go z dumą przedstawić rodzicom. Co do którego nie ma pewności, czy zareaguje na wieść o dziecku radością, czy też zachowa się jak skończony palant.

Albo obudzi się taki po kilku latach i zacznie nachodzić swoją córeczkę w szkole, udając, że chciałby nadrobić stracony czas i narażając dziecko na niepotrzebny stres. Lub zaakceptuje, ale tylko w teorii. Będzie ojcem z daleka, od czasu do czasu. Takim, za którym dziecko tęskni całymi dniami i ciągle czeka.

Anielka zadrżała nie tylko z zimna, bowiem przemoczony płaszcz zaczynał jej się przyklejać do pleców, ale także na samo wspomnienie tych wszystkich za i przeciw, które wtedy dokładnie rozważyła.

Wybrała opcję najbardziej bezpieczną, kierując się przede wszystkim dobrem dziecka. Uciekła i dokładnie zatarła za sobą ślady. Uznała, że ciąża to wyłącznie jej sprawa. Myślała wówczas tylko o malutkiej rozwijającej się istotce. Postanowiła, że swoje złamane serce uleczy później. Kiedy już urodzi i życie wróci do normy. Ale nigdy nie udało jej się tego dokonać. Co więcej, coraz częściej nachodziły ją wątpliwości, a nocami dręczyły wyrzuty sumienia.

Że nie dała Ludwikowi szansy.

Zatrzymała się gwałtownie. Nagle wróciła do rzeczywistości. Deszczu, przemoczonych butów i przyklejonych do twarzy włosów. Pobiegła w stronę samochodu. Teraz wydawało jej się, że nie zniesie ani jednej minuty dłużej tego zimna. Zdjęła płaszcz i rzuciła na tylne siedzenie samochodu. Szczękając zębami, szukała kluczyków w przepastnej torebce. Była przerażona na samą myśl, że mogła wtedy podjąć złą decyzję i skrzywdzić nie tylko Ludwika, którego okłamała wiele razy, samą siebie, odbierając sobie szansę na miłość, ale przede wszystkim swoją córeczkę. Pilnie potrzebowała jakiegoś dowodu, że jest na słusznej drodze.

Dostarczyć go mógł tylko Ludwik. Nieodpowiedzialnym zachowaniem, głupim słowem, kolejnym ślubem lub rozwodem, udowadniającym bez cienia wątpliwości, że nie jest mężczyzną godnym zaufania.

Anielka zaparkowała z tyłu domu. Postanowiła wślizgnąć się cichutko bocznym wejściem. Gdyby w tym stanie pokazała się mamie, nie uniknęłaby lawiny pytań. To, przy wszelkich udogodnieniach, na jakie można liczyć, mieszkając z rodzicami, był jeden z głównych minusów takiego układu. Brak prywatności, niemożność utrzymania w tajemnicy gwałtowniejszych emocji, mocniejszych przeżyć, niektórych rozmów czy odwiedzin. Czasem była już tym zmęczona. Marzyła, by spakować walizki i wyjechać. Ale nigdy do tego nie doszło. Była przecież podporą ojca. Potrzebował jej pomocy w księgarni. Nie chciała też skazywać córeczki na samotność. W domu rodziców, odwiedzanym często przez ciocię Martę, a także innych gości, dziecko miało namiastkę życia w pełnej rodzinie.

Anielka, sama wychowana w ciepłej atmosferze kochających się rodziców i licznego rodzeństwa, początkowo z trudem akceptowała myśl, że jej dziecko będzie miało tylko mamę. Ale czas pokazał, że i w ten sposób można wychować szczęśliwe dziecko. Początkowo wszystko układało się dobrze.

Dopiero te trzy ostatnie miesiące zasiały w jej sercu wątpliwości. To, co działo się w rodzinnym domu, dało jej wiele do myślenia.

Aniela wbiegła na górę. Weszła do swojego pokoju, który zajmowała w tym domu od urodzenia, z jedną krótką przerwą na pracę w Warszawie. Zdjęła mokre ubranie, rzuciła niedbale na podłogę w łazience, zbudowanej przez tatę przy każdym pokoju dziewczynek, odkręciła kran nad wanną i zamknęła drzwi. Wiedziała, że to jedyne bezpieczne miejsce. Mama usłyszy szum wody w rurach i za chwilę zapuka do pokoju, by sprawdzić, dlaczego jej najmłodsze dziecko, w świadomości rodziców wciąż wymagające opieki i troski, tak późno dzisiaj wróciło.

Ale do łazienki nie wejdzie, a nawet nie będzie się dobijać. Na to była zbyt taktowna.

Aniela westchnęła z ulgą. Potrzebowała odpowiednich warunków, by pomyśleć. Zdecydowanie lepszych niż zalewany strugami deszczu park. Ciepła woda i pachnąca piana przywróciły jej odrobinę zwykłego spokoju i pogody ducha. Wróciła do przeglądu głównych argumentów, którymi karmiła się przez ostatnie lata, dowodzących, że jest na dobrej drodze i podjęła słuszne decyzje.

Po chwili przymknęła z ulgą oczy i odetchnęła. Poczuła się troszkę lepiej. Już nie pragnęła tak bardzo szukać Ludwika. Ból serca i mieszkająca tam stale tęsknota nieco zelżały.

ROZDZIAŁ 5

Maryla zadzwoniła do byłego męża dopiero po południu. W pracy nie miała warunków, zaraz po wyjściu z biura musiała odebrać synków z przedszkola i dopiero gdy chłopcy zajęli się na chwilę budowaniem skomplikowanego garażu z klocków, uznała, że może zamknąć drzwi, by odbyć trudną rozmowę. Nie liczyła na to, że obejdzie się bez kłótni. Z Marcinem nie dało się zamienić nawet dwóch zdań, żeby nie stracić nad sobą panowania.

Otarła spoconą nagle dłoń o materiał spodni i wybrała numer.

Szlag by to jasny trafił – zdążyła jeszcze zakląć w myślach, bo zgodnie z najgorszymi przewidywaniami usłyszała w słuchawce szczebiocący, słodki jak sztuczna beza głos nowej partnerki Marcina.

– Cześć – przywitała się wesoło złodziejka cudzych mężów. – Jak to miło, że dzwonisz.

Ta wredna, wyrachowana zołza miała obrzydliwy zwyczaj odbierania połączeń Marcina, choć przecież Maryla dzwoniła na jego prywatny numer. Zwykle wzdychała przy tym – prawie słychać było, jak się przeciąga – i mówiła takim tonem, jakby właśnie znajdowała się w łóżku w bardzo intymnej sytuacji. Z ociąganiem podawała aparat Marcinowi, który oczywiście był tuż obok, tak że Maryla słyszała jeszcze kilka gorących wyznań, jakimi ta sprytna zołza częstowała swojego partnera bez ograniczeń. To sprawiało, że zanim jeszcze Maryla zaczęła rozmowę z mężem, była już całkowicie wytrącona z równowagi.

Tak było i tym razem. Wysłuchawszy, jak bardzo ta okropna wiedźma kocha swojego cudnego misiaczka, z trudem zapanowała nad morderczymi instynktami.

– Gdzie jest kasa?! – ryknęła do słuchawki.

Doskonale zdawała sobie sprawę, że źle robi. Jej zachowanie, ton głosu i treść słów, rażąco kontrastuje z tym, co na co dzień serwowała Marcinowi Paulinka. Ale Maryla, choć tysiące razy obiecywała sobie, że zachowa spokój, za każdym razem przegrywała już na starcie. Życzyłaby sobie z całego serca mieć klasę swojej o pięć lat młodszej siostry Gabrysi, która w każdej sytuacji zachowywała się jak dama. Ale na razie ten status okazywał się dla niej nieosiągalny.

– Zapomniałeś, że masz dzieci? – krzyknęła. – Ja mam cię pilnować, żebyś się wywiązał ze swoich podstawowych obowiązków, skoro i tak większość biorę na siebie?

– Zachowaj spokój, to prosta kobieta – usłyszała w tle szczebiot Paulinki i poczuła, jak ciśnienie szybuje jej do wysokości nieznanej medycynie.

– Czy twoja panienka mogłaby choć przez chwilę nie wtrącać się w nasze życie? – zawołała. – Nie interesuje mnie jej opinia ani żadne wasze osobiste sprawy. Chcę tylko zapytać, kiedy zrobisz przelew?

Znowu błąd. Rozumiała, jak okropnie musi to brzmieć, i cieszyła się, że przezornie zamknęła drzwi, by synowie nie mogli jej usłyszeć. Ale słowa wymykały jej się z ust, zanim zdążyła poddać je jakiejkolwiek kontroli. To się jej czasem zdarzało, ale najczęściej właśnie podczas rozmowy z Marcinem.

Miał na nią niewytłumaczalny wpływ.

Kiedyś Marcin potrafił dać jej szczęście do utraty tchu, ale też doszczętnie zszarpać nerwy. Tak było od pierwszego momentu, kiedy go zobaczyła. Nad morzem, podczas urlopu. Wielki wakacyjny romans wydawał się darem niebios. Nie miała żadnych obaw. Fakt, że Marcin też mieszkał w Krakowie, odebrała jak zrządzenie losu. W przeciwieństwie do większości takich historii ta znajomość miała szansę na kontynuację i szczęśliwy finał.

Jednak ich miłość roztrzaskała się w drobny pył o zwykłą codzienność. Poranne kłótnie były dokładnie tak samo gorące jak poprzedzające je noce. Ale nie przynosiły nic dobrego. Przeciwnie, raniły coraz bardziej. W czasie jednej z nich Maryla wyrzuciła męża z domu. Kazała mu się pakować, wynosić, zniknąć z jej życia na zawsze.

A on zamiast paść na kolana, przeprosić, przekonać ją, by zmieniła zdanie, zapewnić o swoim uczuciu, po prostu wyszedł. Bez słowa. Do tej pory pamiętała to okropne uczucie utraty tchu, kiedy grunt naprawdę usuwa się człowiekowi spod stóp. Nigdy nie sądziła, że małżeństwo może się rozpaść tak łatwo.

Marcin wyszedł, a każda kolejna próba porozumienia kończyła się siarczystą kłótnią. Aż któreś dnia padło słowo „rozwód". Zawzięła się. Trzymała głowę wysoko. Postanowiła poradzić sobie sama. Ale nie była stworzona do życia w pojedynkę. Potężna wyrwa, którą w jej życiu uczynił mąż, opuszczając dom i dzieci, domagała się zapełnienia. Aby rana się zagoiła na dobre, ktoś musiał zająć puste miejsce.

Maryla w przypływie samokrytycyzmu wyrzucała sobie własną słabość. Nie umiała przyjąć samotnego macierzyństwa ze spokojem Anielki, która nikomu się nie żaliła ani nie szukała nowej miłości. To było dla najstarszej z sióstr Zagórskich za trudne.

Ojciec bibliofil dał jej imię po największej romantycznej miłości Adama Mickiewicza, Maryli

Wereszczakównie. Pierwsza córka była owocem wielkiej miłości rodziców i chcieli dla niej tego samego. Ale wróżba się nie spełniła. Maryla większość swego czterdziestoletniego życia spędziła samotnie lub w nieszczęśliwych związkach. A najwięcej cierpienia przysparzał jej były mąż. Ranił bowiem nie tylko ją, ale także jej synków.

– Posłuchaj mnie – usłyszała teraz jego spokojny głos w słuchawce. – W tym miesiącu pieniądze przeleję trochę później. Miałem właśnie dzwonić do ciebie w tej sprawie.

– Jak to później? – denerwowała się. – Dzieci nie mogą czekać.

– Wiem, właśnie z tego powodu są kłopoty. Córki Pauliny wyrosły z kurtek, do tego jest początek roku szkolnego i wszystkie związane z tym wydatki. Na moment straciliśmy płynność finansową, ale to minie.

Maryla poczuła, jak złość zaburza jej zdolność trzeźwej oceny sytuacji, na samą myśl, że teraz Marcin będzie się opiekował innymi dziećmi. Kto wie, może bardziej je kochał? – podpowiadała rozpędzona wyobraźnia. – Tak mocno, że zapomni o swoich chłopcach.

Już zdążyła prawie namacalnie poczuć ich ból.

– Co nas obchodzą córki tej baby? – wypaliła bez zastanowienia i po chwili usłyszała ciągły sygnał w słuchawce.

Opadła na krzesło. Doskonale wiedziała, że zachowała się jak idiotka, położyła kolejny rząd cegieł na murze oddzielającym ją od męża. Ukryła twarz w dłoniach, ale nie miała nawet siły płakać.

Czuła się kompletnie bezradna. Nie tylko wobec trudnego życia, ale także własnych emocji, które zdawały się rządzić swoimi prawami. Ciągnęły ją, gdzie chciały. Rzadko w dobrym kierunku. Spontaniczne romanse, złe słowa, głupie reakcje. Jak to opanować, jak zatrzymać?

Trudne życiowe pytania zawsze kojarzyły jej się z jednym. Z domem. Ale nie mogła po prostu rzucić wszystkiego i pojechać do mamy. Rodzice mieli teraz własne problemy. Poważne. Nie mogła zachowywać się nieodpowiedzialnie i wkładać im na barki jeszcze własnych zmartwień.

Masz czterdzieści lat. Kobieto, naucz się wreszcie żyć bez mamy – nakazała sobie stanowczo.

Starszy synek bez pukania wpadł do pokoju.

– Chodź – pociągnął ją za rękę. – Zobacz, co zrobiliśmy. Najlepszy garaż świata – zawołał z dumą.

Wstała i poszła za nim. Patrzyła na jego przejętą twarz, rozpalone oczy i poczuła nagłą czułość. Wiedziała, że nawet jeśli pięcioletni Kubuś dorośnie tak bardzo, że posiwieją mu włosy, to ona wciąż będzie dla niego mamą. I nigdy go nie zostawi. Odpowie na każde pytanie. Choćby miała tysiąc razy powtórzyć to samo. Tak jak robiła jej mama. I stworzy chłopcom dom. Prawdziwy. Do którego kiedyś będą mogli przyprowadzać swoje żony i dzieci.

Piękne marzenie – pomyślała, chwaląc głośno budowlę synów. – Tylko że w tym przypadku całkowicie nierealne. Nawet mama, wieczna optymistka, musiałaby przyznać jej rację.

Maryla, zmęczona pracą, przygnębiona rozmową z byłym mężem, z której nie miała powodu być dumna, otworzyła okno. Pomiędzy blokami widać było skrawki nieba. Z pobliskiego parku niósł się charakterystyczny zapach wilgotnych jesiennych liści. Miało się wrażenie, że wystarczy mocniej wytężyć wzrok, żeby zobaczyć znajome pomarańczowe ściany rodzinnego domu, brązowy dach i ogromną werandę z drewnianym stołem, na którym zwykle czekał na gości kubek wypełniony gorącą herbatą.

Jadę – postanowiła spontanicznie. – Chrzanię wszystko i jadę.

– Pakujcie klocki – zwróciła się do chłopców. – Pokażemy wasz garaż dziadkowi.

– Jak to? – oburzył się młodszy Szymek. – Nie da się go przecież przenieść.

– Ale można zbudować jeszcze raz – wytłumaczyła mu. – A z dziadkiem to zawsze większa przyjemność – kusiła. – Poza tym babcia z pewnością upiekła ciasto.

Nie wiedziała, czy mama rzeczywiście to zrobiła, ale prawdopodobieństwo było tak wysokie, że zdecydowała się zaryzykować.

– No dobra. Wkładamy wszystko do pudła. – Kuba szybko podjął decyzję. Młodszy brat jak zwykle rzucił się do wykonywania polecenia. Nie minęło wiele czasu i już stali przy drzwiach gotowi do drogi.

Maryla bez żalu porzuciła wieczorne porządki. Kolejne pranie, stertę prasowania, a nawet książkę, której fragment miała zamiar w sprzyjających okolicznościach przeczytać przed snem. Ruszyła wraz z dziećmi w stronę domu.

ROZDZIAŁ 6

Jan zaparkował samochód na podjeździe i wyszedł, by otworzyć bramę. Jeszcze dwa miesiące temu snuł plany założenia jakiegoś automatu, żeby usprawnić codzienne powroty i wyjazdy. Jednak po telefonie brata pozbył się złudzeń. Potrzebował teraz każdej złotówki, by ratować księgarnię.

Nie zamierzał rezygnować z walki. Był jednak dostatecznie rozsądny, żeby zdawać sobie sprawę, iż w tym przypadku same chęci i porywy serca mogą nie wystarczyć. To nie miała być kampania przypominająca dawne szlacheckie pospolite ruszenie, które w chaosie, ale za to z pieśnią na ustach ruszało na wojnę, lecz spotkanie dwóch braci, którzy – nie ma co ukrywać – zaniedbali wzajemne kontakty i mieli teraz stanąć naprzeciw siebie jako starsi mężczyźni, właściwie prawie dla siebie obcy.

Jan tęsknił za Alfredem, ale nie chciał go odwiedzać, bo bał się tematu wiszącej nad nim spłaty. Odwlekał spotkanie jak mógł i – trzeba przyznać – szło mu nieźle. Zdołał przeciągnąć sprawę o czterdzieści lat. Całkiem niezły wynik! Wiedział jednak, że tym razem żadne sztuczki nie pomogą. Brat był stanowczy jak nigdy.

Jak to rozwiązać? – Jan czuł, jak od nieustającego obracania tego pytania zaczyna boleć go głowa. Stanął w obliczu problemu, który go przerastał. Aby zdobyć pieniądze, coś musiał sprzedać. Księgarnię, sad albo... dom. Żadna z opcji nie wchodziła w grę.

Zmartwienie odbiło się w jego oczach i ściągnęło kąciki ust w dół. Ale nie na długo.

Otworzył drzwi wejściowe domu i od razu poczuł ciepło. Coś obłędnie pachniało. Jakby kucharz dokonał niemożliwego. Przygotował danie, które jest po męsku treściwe, a jednocześnie kusi deserową nutą. Jan wszedł do kuchni, nie zdjąwszy nawet w przedpokoju butów, pociągnięty tym niezwykłym aromatem. Szarość jesiennego popołudnia, która dominowała na zewnątrz, tutaj nie miała wstępu. Na kuchence bulgotał gulasz mięsno-grzybowy, a centralne miejsce stołu zajmowało ładnie pokrojone, żółciutkie ciasto cytrynowe, polane błyszczącym delikatnym lukrem. To było idealne połączenie, które natychmiast pobudziło kubki smakowe mężczyzny i oderwało go na chwilę od bieżących zmartwień.

Na szafkach, półkach i parapetach rozłożone były świece. Helena znów swoją zwyczajną, codzienną magią próbowała odpędzić zło od domowego ogniska. Jan usiadł przy stole. To było dość nieracjonalne, ale czuł namacalnie, jak te wszystkie sposoby zaczynają działać. Ogrzał się. Spróbował gulaszu i wzmocnił ciało usatysfakcjonowany konkretnym smakiem dobrego mięsa oraz mocnych przypraw. Potem zaparzył sobie herbaty i z przyjemnością zatopił zęby w miękkim cytrynowym cieście.

Kiedy Helena weszła do kuchni, zastała męża z wyrazem błogości na twarzy, który zupełnie nie licował z dramatyczną sytuacją rodziny.

– Wszystko zachowam – zapowiedział jej stanowczo Jan, zanim jeszcze zdążyli się przywitać. – Może to i prawda, że czas mi już na emeryturę, ale nie zostawię po sobie takich zgliszczy. Postawię księgarnię na nogi, spłacę brata i ocalę dom.

Helena tylko westchnęła. Właśnie tego obawiała się najbardziej.

– Nie chcę ci podcinać skrzydeł – odparła ostrożnie, siadając naprzeciw niego i biorąc jego ręce w swoje dłonie. – Proszę cię tylko, zauważ, że czasem jeśli chce się osiągnąć zbyt wiele, można stracić to, co najważniejsze.

– Będę pamiętał – obiecał szybko, ale trochę nieuważnie. – Ty też musisz mi coś przyrzec.

– Dobrze – zgodziła się, ale zaraz potem zapytała ostrożnie.

– Co takiego?

– Że dopóki nie wyczerpię wszystkich możliwości, które mi przyjdą do głowy, nie będziesz mi mówić, że to niemożliwe.

– Och! – Helena od razu oczyma wyobraźni zobaczyła wszystkie szaleńcze przedsięwzięcia, w które na pewno wpakuje się mąż. – Pamiętaj, że masz chore serce – powiedziała z troską w głosie. – A także, że kompromis jest ojcem chrzestnym mądrości.

– Rozumiem! – Jan zerwał się z krzesła tak gwałtownie, jakby znów był impulsywnym dwudziestolatkiem, a nie statecznym mężczyzną z dobrze obłożoną sześćdziesiątką na karku. – Myślisz, że jestem już na wszystko za stary? – zawołał z wyraźnym żalem. – Mam się wycofać, nie wtrącać w życie córek i nawet nie myśleć o tym, że mógłbym sobie poradzić w biznesie, tak? Po prostu się poddać?

Czasem człowiek naocznie przekonuje się, jak bardzo słuszna jest teoria o względności czasu. Helena wiedziała, że ma tylko kilka sekund, by się zastanowić nad odpowiedzią. W przeciwnym razie słowa przestaną mieć znaczenie, bo uraza uniemożliwi Janowi zdolność ich rozumienia.

Co mogła zrobić? Odebrać mu nadzieję, ryzykując, że – pozbawiony tego wsparcia i napędu – naprawdę stanie się stary? Zachoruje i nie znajdzie już w sobie radości życia? Tego nie była w stanie uczynić. Ale jaką miała alternatywę? Popchnąć go świadomie do walki, o której wiadomo, że jest z góry przegrana?

Helena była optymistką. Wszędzie starała się widzieć dobro i szansę, ale nie wierzyła w aż tak cudowne zbiegi okoliczności. Bo w tym przypadku prócz wygranej w totolotka albo spadku po jakimś tajemniczym krewnym, o którego istnieniu nikt dotąd nie miał pojęcia, nic nie mogło pomóc. Napad na bank z oczywistych względów nie wchodził w grę. Pożyczka u mafii również.

Tak, Helena była przekonana, że najlepsze, co można zrobić w tym przypadku, to się poddać.

Jan swoimi impulsywnymi porywami i bezsensowną walką narażał się tylko na cierpienie i ryzyko, że jego serce może zapłacić za to bardzo wysoką cenę. Kto wie, może nawet najwyższą.

Tego jednak nie mogła powiedzieć na głos. Zadrżała, ale śmiało uniosła głowę.

– Czytałam gdzieś niedawno, że człowiek tak długo jest młody, dopóki rozumie rzeczywistość wokół siebie i uznaje ją za swoją – odparła, a jej głos brzmiał spokojnie i nie zdradzał targających nią wątpliwości. – Żyje, jeśli nawet nie do końca zgodnie z regułami swoich czasów, to jednak posługuje się nimi świadomie. Ty wciąż masz się dobrze, umiesz odnaleźć się w tych realiach, do starości ci jeszcze bardzo daleko – wypowiedziała to wszystko na jednym tchu i czujnie spojrzała na męża.

Jan błyskawicznie się wyprostował.

– Masz rację – powiedział. – O nic się nie martw. Coś wymyślę. W końcu musi istnieć wyjście z tej sytuacji. Trzeba je tylko znaleźć. Nie mogę stracić księgarni ani tym bardziej domu. Ale mój brat niedługo tu będzie i coś muszę mu powiedzieć. Nie mam nawet czasu, żeby się porządnie zastanowić.

Helena bardzo się martwiła i miała wyrzuty sumienia, że nie mówi mu całej prawdy, a tylko jej optymistyczną część, resztę zachowując dla siebie. Ale nie mogła zgasić tej iskry, która paliła się teraz w oczach męża. Jedyne, co jej pozostało, to łagodzić zbyt gwałtowne porywy.

Usiadła obok niego i przytuliła się.

– To nie księgarnia jest najważniejsza. Nawet jeśli ją stracimy, damy sobie radę. Przede wszystkim musisz chronić siebie. Bo jeśli mnie kiedykolwiek zostawisz, to wiedz, że ja się po tym nie podniosę.

Czy zrozumiał? Tego nie wiedziała. Zbyt mocno pogrążony był w swoich myślach. Ale nic nie wskazywało na to, by miał zamiar skupić się na poszukiwaniu kompromisu.

ROZDZIAŁ 7

Maryla zatrzymała się na stacji benzynowej. Szymek chciał siku i oczywiście ta wysoce zaraźliwa przypadłość natychmiast dotknęła także Kubę. Nie było innej rady, jak zgodzić się na tę nieplanowaną przerwę. Maryla nie miała w związku z tym dobrych przeczuć i jej obawy szybko się potwierdziły. Obok budynku stacji postawiono plac zabaw. Kolorowy i całkiem sporych rozmiarów przylegał do parkingu razem z rzędem drewnianych ławek.

Kiedy tylko chłopcy opuścili toaletę, dwie silne rączki pociągnęły Marylę w stronę kuszącą kołyszących się huśtawek. Deszcz na chwilę ustał i zza chmur wyszło słońce.

– Tylko na jedną małą chwileczkę – prosił Kuba, podnosząc na mamę ciemne oczy – wypisz wymaluj jak jego ojciec.

– Tak, całkiem najmniejszą ze wszystkich – Szymek pomagał, jak tylko umiał.

– Dobrze – zgodziła się z westchnieniem rezygnacji. Wiedziała, że dla chłopców zabawa w takim miejscu był ulubionym sposobem spędzania czasu poza domem. Blok, w którym mieszkali, znajdował się przy ruchliwej ulicy. Nie mieli żadnego podwórka ani ogrodu, każdy metr cennej lokalizacji zajęty był przez budynki, sklepy i parkingi. Nie było nawet mowy o tym, by wypuścić dzieci same na dwór. Zabawa z bieganiem i wspinaniem była możliwa tylko w specjalnych miejscach. A tych wciąż w okolicy było za mało.

Chłopcy pobiegli, a ona usiadła na ławeczce i odetchnęła. Świeże powietrze, jeszcze wilgotne po niedawnym deszczu, dobrze jej zrobiło. Krótka chwila przerwy to było coś, czego potrzebowała.

Była teraz zupełnie spokojna. Gdyby Marcin zadzwonił w tej chwili, może umiałaby łagodnym kobiecym głosem rzeczowo przedstawić swoje argumenty. Wzięła do ręki telefon i zastanowiła się, czy jest sens podejmować jeszcze jedną próbę. Może Paulinka nie spodziewa się kolejnego telefonu? Przecież nie może podsłuchiwać każdej rozmowy. Na to Marcin nigdy by się nie zgodził. Koledzy w pracy zadręczyliby go drwinami.

Spróbowała. Po kilku długich sygnałach usłyszała na szczęście głos męża.

– To ja – przywitała się. – Próba numer dwa. Proponuję tamtą wykasować z historii – zaczęła lekkim głosem, chcą zatrzeć poprzednie nieprzyjemne wrażenie.

– Zgadzam się. – Marcin chyba odetchnął z ulgą. – To też trochę moja wina. Nie powinienem pozwolić Paulinie odbierać moich rozmów.

Marcin wypowiedział imię tej kobiety z wyraźną czułością w głosie. Marylka dobrze znała ten ton. Kojarzyła go z najlepszymi chwilami w życiu. Poczuła mocne ukłucie zazdrości.

– Zrobię przelew za kilka dni. – Marcin lepiej reagował na jej milczenie niż na pełne pretensji pytania.

Ale ona już czuła narastające zdenerwowanie.

– Nie mogę czekać tak długo – powiedziała.

Żyła z ołówkiem w ręku od jednej wypłaty do drugiej. Nie miała żadnych oszczędności. Każdy dzień zwłoki był dla niej prawdziwą katastrofą. Ale nie chciała zwierzać się mężowi z tych kłopotów. Przecież wiele razy wykrzyczała mu w twarz, że doskonale sobie bez niego radzi. Wstyd jej było korzyć się teraz przed nim, tym bardziej że racja była przecież po jej stronie. Marcin miał sądownie nałożony obowiązek alimentacyjny i powinien był się z niego wywiązywać. Przynajmniej tyle… Główny ciężar wychowywania dzieci i tak spoczywał na jej barkach.

– Spróbuj zrozumieć, to mi się zdarzyło tylko jeden raz… – tłumaczył się mężczyzna.

– Może dla odmiany choć raz ty się weźmiesz za rozumienie, zamiast ciągle wymagać tego ode mnie? – przerwała mu. Bała się, że znów zacznie mówić o Paulinie i jej córeczkach. To ją bolało bardziej niż się spodziewała. – Dzieci są najważniejsze. Twoje dzieci – podkreśliła. – Mają w terminie dostać pieniądze i kropka.

Oczekiwała sprzeciwu i nastawiła się już bojowo, szukając w głowie kolejnych celnych argumentów. Ale Marcin milczał.

– Dobrze – powiedział w końcu spokojnym, zrezygnowanym głosem. – Pożyczę i przywiozę ci kasę dzisiaj wieczorem. Nie będzie żadnych opóźnień.

Nie wiedzieć czemu Maryla poczuła się rozczarowana.

– Po dziewiątej – zdążyła jeszcze szybko dodać, bo Marcin pożegnał się i rozłączył.

Zrobiło jej się przykro. Chciała jeszcze porozmawiać, opowiedzieć o chłopcach, podzielić się nowinkami. Andrzej, jej nowy partner, miał dość chłodny stosunek do dzieci. Był wobec nich uprzejmy i szanował fakt, że Maryla jest mamą. Nie nalegał, żeby za często wyjeżdżali sami i nigdy się nie obrażał, kiedy w ostatniej chwili odwoływała randkę z powodu gorączki czy złego samopoczucia któregoś z synków. Ale też zupełnie nie angażował się w ich życie i unikał rozmów na tematy wychowawcze. Marylka wciąż nie ustawała w staraniach, żeby to zmienić.

Z Marcinem było zupełnie inaczej. W dobrych czasach wieczorami długo rozmawiali. O wszystkim. Jak im minął dzień, co słychać w pracy. Marcin nigdy nie tracił cierpliwości, kiedy Maryla zbyt długo męczyła go szczegółami składu nowej zupy dla niemowlaka czy tajemniczej wysypki na jego brzuchu.

Często też potrafił jej udzielić dobrej rady.

Jak to możliwe, że tak wspaniały facet pozwalał najgłupszej kobiecie świata mówić do siebie „misiaczku"? – zastanowiła się, kopiąc czubkiem buta żwirek obok ławki, na której siedziała.

To było wprost nie do uwierzenia. Gdzie się podziały jego inteligencja, zainteresowanie dobrą rozmową, a nawet zwykły instynkt samozachowawczy? Przecież to było niemożliwe, żeby był w tym związku szczęśliwy.

Chłopcy biegali, na parking dobiegały ich wesołe okrzyki. Ładnie im było w cienkich kolorowych czapkach i identycznych niebieskich polarach. Chciała, żeby ich ojciec mógł to zobaczyć. Poczuć dumę, że tak pięknie rosną. Zauważyć zmiany, jakie w ich wygląd i zachowanie wnosiły kolejne tygodnie.

Sporadyczne spotkania to przecież nie to samo. Piękne chwile przychodzą znienacka, nie da się ich do końca wyreżyserować. Jedynym sposobem, by ich nie przegapić, jest po prostu być obok.

Kuba właśnie udawał samolot i z rozłożonymi rękami biegał dookoła zjeżdżalni. Wokół pełno było kolorowych jesiennych liści, słońce przyjemnie grzało policzki. Było wspaniale. Gdyby jeszcze można było dzielić z kimś tę chwilę. Przytulić się do ciepłego ramienia, patrzeć sobie razem, jak dzieci rosną i cieszyć się życiem.

Ale szanse były na to niewielkie. Marcin nie dość, że urzędowo wcale już nie był jej mężem, to jeszcze musiał całkowicie stracić o niej dobre zdanie. Miał podstawy, żeby sądzić, iż jest nerwową, nieobliczalną materialistką, dla której liczy się wyłącznie wykonany w terminie przelew.

A przecież wcale tak nie było. W głębi duszy Maryla była niepoprawną romantyczką. Marzyła o wielkim uczuciu i małżeństwie tak pięknym, jak to, które od urodzenia obserwowała w domu rodzinnym. Ale jakoś się nie składało. Życie nauczyło ją bronić się przed słabościami, emocje wyrażała głównie w nerwach, a uczuciowość nadmiernie koncentrowała na dzieciach. Nawet spontaniczność, zwykle dobra cecha, w jej przypadku sprowadzała się do nieprzemyślanych impulsywnych decyzji.

Czy istniał jakiś sposób, aby wyrwać się z tego zaklętego krąg kręgu?

Na dodatek, kiedy skończyła czterdzieści lat, uświadomiła sobie, że nie ma już nie wiadomo ile czasu. Na realizację wszystkich marzeń z pewnością już go nie wystarczy.

Zawołała chłopców i nie bez trudu skłoniła, by wsiedli do samochodu. Zrobiło się późno, a nie chciała rezygnować z wizyty u rodziców. Dzisiaj szczególnie potrzebowała zastrzyku energii i spokoju, jaki zawsze aplikowała jej mama. To połączenie było możliwe tylko u niej.

Maryla pragnęła tego pilnie. Podjęła bowiem ważne postanowienie. Wielkie wyzwanie. Nie zdenerwować się dzisiaj wieczorem podczas wizyty Marcina. Może nawet zaprosić go na niezobowiązującą herbatkę i porozmawiać s p o k o j n i e o wspólnych sprawach? Wciąż przecież łączyły ich dzieci. I tego nic nie zmieni.

Wsiedli do samochodu, a chłopcy, rozbrykani zabawą na świeżym powietrzu, długo nie mogli się uspokoić. Łaskotali się nawzajem, sięgając do siebie z ustawionych blisko fotelików. Ich śmiech wypełniał wnętrze auta. Maryla od razu poczuła się lepiej. Nie sposób było popaść w pesymizm w towarzystwie takich wesołków.

ROZDZIAŁ 8

Był już wieczór, kiedy Anielka wymknęła się z domu. Pokonała dobrze znane uliczki miasta i zaparkowała niedaleko rynku. Zatrzasnęła drzwi samochodu i ruszyła w stronę księgarni. Otworzyła drzwi, wyłączyła alarm, po czym przemknęła przez rozjaśnione dyżurnymi lampkami wnętrze i znalazła na zapleczu. Tutaj nawet nie zapalała światła. Wystarczył jej delikatny półmrok. Znała każdy kąt. Wychowała się pomiędzy regałami, bawiła w dzieciństwie pod ogromnym biurkiem ojca. Wnętrze księgarni to był świat bliższy jej nawet niż rodzinny dom. To tutaj czuła się naprawdę u siebie.

Zawsze była najspokojniejszą z sióstr. Cicha i grzeczna, często prawie znikała wśród rozgadanych, wesołych, jasnowłosych córek Jana i Heleny. Ona jedna była ruda, ale tak naprawdę w mocno humanistycznym rodzinnym gronie wyróżniała ją przede wszystkim małomówność. A ponieważ rodzice nie musieli jej wciąż pilnować, bo nie sprawiała żadnych kłopotów wychowawczych, miała najwięcej swobody.

I tajemnic.

Należały do nich między innymi stare drzwi prowadzące na poddasze, zasłonięte regałem, który bez problemu dawał się odsunąć. W szczelinie swobodnie mieściła się szczupła dziewczynka, a potem kobieta. Wchodziła skrzypiącymi, zakurzonymi schodami na dawno nieużywane poddasze i ukrywała przed światem.

Wszyscy uważali ją za wyjątkowo dzielną osobę. Mieli sporo racji. Ale każdy, nawet najsilniejszy człowiek ma czasem chwile słabości. Ona także. To właśnie tutaj, schowana przed światem, radziła sobie z trudnościami.

Od kilku już dni czuła, że kryzys się zbliża. Dlatego z ulgą przyjęła fakt, że właśnie dzisiaj jej córeczka została zaproszona do swojej najlepszej przyjaciółki na nocowanie połączone z piżamowym party. Spontaniczny pomysł, na który dziewczynki wpadły, czekając pod szkołą na rodziców, bardzo jej przypadł do gustu. Pomogła się córce spakować i wymknęła z domu niepostrzeżenie. Rodzice byli zajęci rozmową, a w powietrzu unosił się nie tylko zapach ciasta cytrynowego i świeżo ugotowanego obiadu, ale także oczekiwania.

Wujek, którego wizyta była dla rodziny bardzo trudnym wyzwaniem, miał przybyć lada moment.

Anielka oddała córeczkę w dobre ręce, pocałowała na pożegnanie, życząc jej dobrej zabawy, ale nie wróciła do domu. Ruszyła w stronę księgarni, wiedząc, że nie zastanie tam już taty. Weszła na poddasze i jak zawsze usiadła pod oknem na starej zakurzonej kanapie. Wyniósł ją w to miejsce jeszcze dziadek, który nie miał zwyczaju niczego wyrzucać.

Kiedyś taka taktyka mogła się sprawdzać. Dzisiaj człowiek, który nie potrafi segregować rzeczy, utonie pod naporem niepotrzebnych, jednorazowych produktów. Ale stare rzeczy czasem się przydają. Zwłaszcza gdy jest gorszy dzień. Mają w sobie jakąś dobrą energię dawnych lat.

Anielka usiadła na kanapie, podciągnęła kolana i objęła je ramionami.

Czekała na atak, przygotowana. Chroniła przede wszystkim brzuch i serce. W jej przypadku tam właśnie znajdowały się ośrodki czucia. Ogromna tęsknota, czasem wręcz wydawało jej się, że nie do opanowania, powodowała ból w okolicach mostka i gdzieś w środku brzucha. Jedynym sposobem było mocno się skulić i przeczekać.

Nie mogła z nim być. Ten mężczyzna nie nadawał się do żadnego związku. To rozumiała od samego początku – kiedy, lecąc jak głupia ćma do światła – pakowała się w kłopoty. Właściwie porównanie do ćmy było dla owada bardzo krzywdzące. Bo Aniela miała przecież rozum, co więcej, doskonale wiedziała, co robi. To jej jednak nie powstrzymało.

Zawsze była spokojna, cicha, grzeczna, ładna i zdrowa. Jako dziecko dobrze się uczyła, regularnie przynosiła świadectwa z czerwonym paskiem i nie przeżywała buntu nastolatki. Być może właśnie dlatego, kiedy po raz pierwszy naprawdę się zakochała, był to pożar nie do ogarnięcia, prawdziwy żywioł, istne trzęsienie ziemi. Latami gromadzone emocje wybuchły z siłą, która zmiotła wszystko z powierzchni ziemi.

Nie umiała żałować tego, co zrobiła. Zyskała cudowną córeczkę i to niezwykłe poczucie, że chociaż raz w życiu kochała naprawdę. Nawet jeśli od teraz wszystkie jej dni miały być już tylko szare, warto było. Nawet jeśli co jakiś czas musiała się zwijać z bólu, schowana gdzieś przed wszystkimi na starej kanapie…

Rodzice łudzili się, że to minie. Anielka podniesie się po nieszczęśliwym uczuciu, znajdzie sobie kogoś innego i – jak to się mówi – ułoży sobie życie na nowo. Ale ona wiedziała, że to niemożliwe. Prawdziwa miłość ma swoją cenę. Kiedy raz spróbujesz smaku tego wyjątkowego połączenia dwóch osób, które niespodziewanie zaczynają tworzyć całość, już nigdy nie zapragniesz innego związku.

Są zamki, które można otworzyć na wiele sposobów. Wytrychem czy nawet zwykłą spinką do włosów, ale bywają też takie, do których pasuje wyłącznie jeden klucz. Istnieją też takie serca, do których trafić może tylko jeden człowiek. Jeśli się go straci, pozostaje już tylko samotność.

Anielka raz otworzyła swoje serce, ale oddała wszystko i już nic nie miała do podarowania.

Złamała wszystkie swoje zasady, a także każdą regułę wpajaną jej przez rodziców, ale wciąż nie umiała żałować.

Skuliła się. Tym razem ból był silniejszy niż zwykle. Tęsknota tak mocna, że odbierała jej zdolność oddychania. Anielka zerwała się z kanapy i otworzyła stare okno. Zimne powietrze przemocą wdarło się w płuca. Zroszone potem czoło sprawiło, że przez ciało przebiegł dreszcz. Zrobiło jej się słabo.

Musiała reagować szybko.

Zamknęła okiennicę i wróciła na dół. Nie mogła już dłużej kulić się tutaj w samotności. Gdyby coś jej się stało, kto wie, kiedy by ją znaleziono. Nikt przecież nie wiedział, że wymyka się na to poddasze.

W takich chwilach zawsze myślała o córeczce. Nie chciała się narażać na najmniejsze nawet niebezpieczeństwo właśnie ze względu na nią. Zbiegła po schodach i wróciła do księgarni. Musiała znaleźć inny sposób na poradzenie sobie z bólem.

Może podobnie jak Julia powinna zająć się pracą? Szlaki życiowe sióstr w sposób widoczny zaczynały się przecinać. Szczęśliwa, prosta miłość nic była im widać pisana. A może coś takiego w ogóle nie istnieje? Anielka zapaliła górne światła i zabrała się za porządkowanie księgozbioru. Zdejmowała stosy powieści ze stolików zajmujących całą środkową powierzchnię sklepu i dokładnie wycierała kurze. Potem układała stosy na nowo, obmyślając przy okazji nowe kompozycje. Serce cierpiało, ale ręce pracowały, a mózg działał z zimną precyzją. Aniela zaczęła wymyślać sposoby na podniesienie księgarni z kryzysu.

Po chwili zerwała się z kolan. Przyniosła sobie duży blok listowy i zaczęła notować pomysły. Jak podczas prawdziwej burzy mózgów na razie nie sprawdzała, czy mają sens. Po prostu pisała.

Kiedy skończyła porządkowanie, za oknami panowała już noc. Ale warto było poświęcić ten czas. Aniela znalazła sposób na swoje życie. Była związana z tą księgarnią. Z pracy czerpała siłę i optymizm – niezbędny do wychowywania dziecka. Nie mogła jej stracić.

Spojrzała w okno i postanowiła jak najszybciej wracać do domu. Wujek zapewne już przyjechał. Chciała uczestniczyć w tej rozmowie. Trzeba koniecznie przekonać ojca, żeby sprzedał sad, ewentualnie wziął jakiś kredyt pod zastaw domu, ale nawet nie myślał o rezygnowaniu z księgarni. Ogród to tylko miejsce, a księgarnia miała też duszę i na trwałe była związana z rodziną. Nie można było sobie pozwolić na jej utratę.

Włączyła alarm, pozamykała drzwi, po czym wsiadła do samochodu. Jadąc w stronę domu, minęła wejście do galerii. Spojrzała przelotnie w tamtą stronę. Przez krystalicznie czyste szyby widać było tętniące życiem wnętrze jej najgroźniejszego konkurenta.

Strach ścisnął ją za gardło. Wiedziała, że to nie będzie łatwe stracie.

A może wujek zrezygnuje? – pomyślała z nadzieją. Był dla niej w gruncie rzeczy postacią dość nierealną. Ostatni raz widziała go na swojej komunii i pamiętała to jak przez mgłę.

Docisnęła pedał gazu. Chciała już być na miejscu. Odezwać się, uczestniczyć w rozmowie, od której zależał także jej los. Wyjść wreszcie z cienia ojca i mieć wpływ na podejmowane decyzje. Rodzinne biznesy potrzebują młodych. Ich energii, odmiennego spojrzenia, nowoczesnych metod.

Anielka była idealną kandydatką na kobietę biznesu. Skończyła studia kierunkowe, miała doświadczenie i poukładane życie osobiste, w którym nie było już miejsca na miłość. Miała czas. Wychowanie córeczki potrafiła dobrze godzić z pracą. Już wielokrotnie to udowodniła.

Księgarnia musi zostać w ich rękach – postanowiła i jeszcze mocniej docisnęła pedał gazu. Bała się, że jeśli jeszcze chwilę poczeka, cała odwaga ją opuści. Bardzo potrzebowała teraz czegoś, co oderwie jej myśli od spraw prywatnych i pozwoli trochę stępić ból. A przede wszystkim odegna choć na chwilę te okropne wyrzuty sumienia i nachodzące ją coraz częściej wątpliwości.

ROZDZIAŁ 9

Alfred wylądował na lotnisku w Balicach i taksówką zmierzał w stronę domu, w którym spędził dzieciństwo. Uważnie rozglądał się wokół, ale nic nie wydawało mu się znajome. Nowoczesny budynek hali przylotów, gładkie drogi, autostrada, skomplikowane wielopoziomowe ronda, reklamy firm z całego świata ani młodzi ludzie ubrani podobnie jak w Londynie czy Brukseli. Także samochody znanych marek czy wysokie biurowce. Kiedy opuszczał kraj czterdzieści lat temu, wszystko wyglądało inaczej. Szara, siermiężna rzeczywistość, którą zostawił za sobą, tak mocno kontrastowała z realiami życia za oceanem, że na początku miał wrażenie, jakby się znalazł na innej planecie.

Krótkie wizyty w Polsce z okazji narodzin, a potem pierwszych komunii siostrzenic, pozwalały zauważyć, że w kraju wiele się dzieje. Ale prawdziwa skala zmian uderzyła go dopiero teraz.

Mężczyzna zatarł dłonie z zadowoleniem.

Wartość starego budynku księgarni rodziców i jakiegoś tam sadu jeszcze dwadzieścia lat temu, podczas jego ostatnich odwiedzin, w przeliczeniu na dolary stanowiła śmieszną sumę. A ponieważ wiedział, że dla starszego brata Jana jest to największy skarb, to kiedy słyszał nieśmiałą prośbę o przedłużenie terminu rodzinnych rozliczeń, lekkim tonem mówił: nie ma sprawy, kiedyś do tego wrócimy.

Tym bardziej że nieźle mu się powodziło. Przez chwilę życie pozwoliło mu nawet posmakować amerykańskiego snu. Miał własną, niewielką, ale sprawnie funkcjonującą firmę i dużo od siebie młodszą, atrakcyjną żonę. Ale ostatni kryzys gospodarczy był dla niego nie tylko newsem z dzienników telewizyjnych. Konsekwencje krachu mocno odczuwał każdego dnia. Firma, którą prowadził, specjalizowała się w prowadzeniu szkoleń dla pracowników. Kiedy przedsiębiorstwa zostały zmuszone do cięć budżetowych, takie dodatkowe wydatki znalazły się na pierwszych miejscach wszystkich list oszczędności.

Liczba zamówień spadła. Na początku aż tak bardzo tego nie odczuł. Miał stałych klientów i lokaty na czarną godzinę. Ale czas mijał, lata płynęły, a kryzys miał się dobrze. W przeciwieństwie do jego firmy.

Alfred czuł, że nadchodzi prawdziwy koniec. Coś się zmieniło, a on już tych nowych realiów rynku nie rozumiał. Konkurencja rosła w siłę, pojawiali się nowi gracze. Oni sobie radzili, a on nie umiał ruszyć z miejsca. Żona nie była przyzwyczajona do oszczędzania i tym samym Alfred został postawiony pod ścianą. Szukając ratunku, sprawdził w Internecie ceny domów i działek pod Krakowem i... przeżył szok. Wiele się w tej kwestii zmieniło. Miasteczko się rozrosło, a dobra lokalizacja księgarni znajdującej się tuż przy rynku oraz dokładnie naprzeciwko nowoczesnej galerii okazały się mieć znaczny wpływ na wartość nieruchomości. Podobnie było z ziemią. Cena pierwszej lepszej niewielkiej działki budowlanej pod Krakowem sprawiła, że Alfred podrapał się po głowie, zastanawiając się, ile teraz zarabia przeciętny Polak, skoro takie sumy są realne.

Nie to jednak było najistotniejsze. Ważne, że w końcu pojawiła się szansa na wyjście z kłopotów. Alfred postanowił zamknąć działalność i zająć się czymś innym, by zapewnić żonie godne życie. Potrzebował gotówki i zmierzał zebrać ją szybko i sprawnie. Lata prowadzenia działalności w amerykańskich realiach nauczyły go zdecydowania, a także myślenia wolnego od sentymentów.

– Witaj! – Głos Jana wyrwał go z zamyślenia. Nawet nie zauważył, że taksówka podjechała już pod dom. Zupełnie nie poznał okolicy. Zmieniło się tutaj absolutnie wszystko. Miał takie wrażenie, że nawet Jana mógłby minąć na ulicy, nie rozpoznając w nim jedynego brata. Dwadzieścia lat to naprawdę sporo. Czas wyczynia z ludzkimi twarzami niewyobrażalne rzeczy. Ryje zmarszczki, posrebrza włosy i zmienia kolor oczu.

Ale z bliska, patrząc na tego mężczyznę, który nie miał nawet tyle cierpliwości, by poczekać, aż gość wysiądzie, lecz otworzył drzwi i wsadził pół tułowia do samochodu, Alfred bez trudu poznał tamtego impulsywnego chłopaka, który zawsze chciał szybko dostać to, czego pragnął.

Uścisnął go mocno, a wzruszenie zablokowało mu gardło.

– No wysiadaj – Jan szybciej odzyskał rezon. – Czekamy wszyscy na ciebie.

Alfred zapłacił, nie bez trudu odliczając właściwą kwotę w obcych dla niego banknotach. Kierowca postawił jego walizkę na chodniku, po czym pożegnał się i odjechał.

Bracia zostali sami.

– Poznajesz to miejsce? – Jan z dumą rozejrzał się wokół, omijając jednak wzrokiem zniszczony burzą sad.

– Kasztan Trąbskich i ich lipy... – Alfred wskazał posesję sąsiadów po drugiej stronie. – Ale starego domu już nie ma... Jakaś willa tam stoi. To Leszka?

– Tak – przyznał Jan. – Chłopak się dorobił, dobrze sobie radzi.

– A między wami jak się układa? – zapytał Alfred. – Pogodziliście się wreszcie? Mam nadzieję, że tak. W końcu to twój najlepszy przyjaciel.

Nie było okazji – wymijająco odparł Jan.

– Jak to? – Brat stanął zdumiony na środku chodnika. – Od czterdziestu lat mieszkacie obok siebie i wciąż jesteście na siebie obrażeni? Nadal ci nie może darować, że mu odbiłeś narzeczoną?

– To nie takie proste… – Jan nie miał ochoty tłumaczyć bratu, jak bardzo te dawne sprawy wciąż były raniące. Ani zwierzać się z tego, że każda podejmowana próba pojednania była stanowczo odrzucana.

– Leszek jest zajęty biznesem – skierował rozmowę na inne tory. – Galeria w miasteczku należy właśnie do niego. To jedna z największych inwestycji w okolicy.

– Kto nie ma szczęścia w miłości, ten ma fart w grze – skomentował Alfred. – A biznes to jak planszówka. Reguły wprawdzie obowiązują, ale fuks też się przydaje. Mnie na przykład ostatnio karta zupełnie nie idzie – powiedział. Chciał od razu postawić sprawę jasno, żeby uniknąć niepotrzebnych podchodów, kolejnych próśb i rozmów.

– Wiem – spokojnie odparł Jan. – Nie obawiaj się. Wprawdzie wciąż się zastanawiam, w jaki sposób znaleźć dla ciebie pieniądze, ale nie będę cię prosił o kolejną zwłokę. Czterdzieści lat to i tak dużo.

– Sprzedasz sad czy księgarnię? – Alfred od razu przeszedł do rzeczy.

Jan lekko się zachwiał.

Brat złapał go za rękę.

– Możemy o tym porozmawiać później – zaproponował. – Jeśli tylko chcesz. Wiem, że dla was te budynki i ziemia mają szczególne znaczenie. Ja już się z tego sentymentalnego podejścia dawno wyleczyłem. To są ważne miejsca, ale... tylko miejsca. Staram się jednak ciebie zrozumieć.

– Jeszcze nie znam odpowiedzi na to pytanie – Jan mówiąc to, poczuł lekkie pieczenie w okolicy serca, ale zlekceważył je. Nie czas teraz było na jakieś zawały i inne komplikacje. Musiał znaleźć w sobie siłę.

– Przyznam szczerze – powiedział Alfred – że będę naciskał na szybkie rozwiązanie sprawy.

– Wiem.

– A jaki stosunek do sprawy mają twoje córki? – zapytał nagle Alfred. – Księgarnia to dla nich magiczne miejsce, jak dla naszych rodziców, czy po prostu sklep z książkami?

Jan tak naprawdę po raz pierwszy zastanowił się nad tym. Nie potrafił znaleźć szybkiej odpowiedzi. Anielka oczywiście na pewno lubiła swoje miejsce pracy. To było widać każdego dnia. Ale pozostałe córki wpadały tylko towarzysko, żeby porozmawiać. Nigdy nie przejawiały większego zainteresowania prawdziwym udziałem w rodzinnym biznesie. Pod względem finansowym szybko się uniezależniły i trzeba im było przyznać, że mimo iż żadnej się nie przelewało i każda zmagała się z jakimiś trudnościami, nie miały w zwyczaju podpinać się do domowego budżetu.

– Widzę, że twoje dzieci to już inne pokolenie – skomentował jego milczenie brat. – Sentymenty aż tak bardzo ich nie kręcą.

– A myślisz, że my nie należymy już do tego świata? – zdenerwował się Jan, wyrwany nagle z zamyślenia. – Że jeśli ktoś zachował jakieś ideały, to już po nim?

– Nie wiem. – Alfred nie dał się ponieść emocjom. – Ja jestem od ciebie pięć lat młodszy, a jednak coraz częściej czuję, że nie nadążam za nowymi realiami. Z jednej strony chcę założyć nową firmę, ale z drugiej strony... Może tylko postaram się przeczekać? Do emerytury niedaleko.

– A ja nie – stanowczo odparł Jan. – Ja nie mam dość tego świata i chcę wykorzystać czas, jaki mi jeszcze pozostał. Mam wielką ochotę pograć trochę według jego reguł, a już najbardziej pokonać go jego własnymi kartami. Nie wiem tylko jeszcze, w jaki sposób... – Emocje rozpaliły na jego twarzy prawdziwe rumieńce.

– Jesteś niemożliwym marzycielem – uśmiechnął się brat. – Ale bardzo równym gościem. Gdybym naprawdę nie potrzebował tych pieniędzy, nigdy bym cię nie postawił w takiej sytuacji.

– O nic się nie martw – uspokoił go Jan. – Czasem dobrze jest dostać od życia mocnego kopa w tyłek, może cię on wyrzucić na nową drogę, której sam byś nigdy nie znalazł.

Jan powiedział to bardzo pewnym tonem. Dostrzegł, że bratu zaimponowały te słowa. Ale to był tekst mocno na wyrost. Tak naprawdę nie miał pojęcia, w jaki sposób szybko i legalnie zdobyć taką górę pieniędzy. Tylko że nie zamierzał się do tego przyznawać.

Serce znowu mocno go zakłuło.

Od tego jest – pomyślał, lekceważąc po raz kolejny te ostrzegawcze sygnały. – Gorzej, jakbym go wcale nie czuł – pocieszał się. – To by oznaczało, że nie żyję. A tak przynajmniej mam pewność, że wciąż się trzymam.

– Chodźmy do domu – powiedział. – Helena już na nas czeka i pewnie się niepokoi, co tak długo.

Otworzył drzwi i szerokim gestem zaprosił brata, a potem wziął głęboki oddech i ruszył za nim.

ROZDZIAŁ 10

Maryla podjechała pod dom właśnie w chwili, kiedy mężczyźni wchodzili do środka.

– Szlag! – zaklęła pod nosem, mając nadzieję, że chłopcy jej nie słyszą. Można było bowiem w ich towarzystwie milion razy powtórzyć: przepraszam, dziękuję, dzień dobry i jakoś im się te zwroty zupełnie nie kodowały, wciąż trzeba było przypominać o konieczności ich użycia. Ale wystarczyło raz powiedzieć jakieś niecenzuralne słowo, natychmiast na trwałe zapadało w ich pamięć.

– Zapomniałam, że wujek przyjeżdża – zwróciła się do chłopców. – Nie wiedziałam w ogóle, że to dzisiaj – uświadomiła sobie. – Nie jestem pewna, może będziemy przeszkadzać... – wahała się.

– Zadzwonię do babci. – Kuba szybko podjął decyzję i zanim matka zdążyła zareagować, wziął jej telefon i wybrał dobrze znany numer. – Babciu to ja, Kuba. – powiedział. – Stoimy przed bramą waszego domu. Mama nie wie, czy możemy wejść.

Maryla w tym momencie oblała się rumieńcem.

– Babcia mówi, że nie rozumie i oczywiście – synek streścił w paru konkretnych słowach dość długą wypowiedź Heleny.

Maryla z impetem wjechała przez otwartą bramę i w ostatniej sekundzie zatrzymała samochód tuż przed drzwiami garażu.

Różne ostre słowa cisnęły jej się na język, ale powstrzymała się. Nie było czasu na wyjaśnianie synom, dlaczego koniecznie należy kogoś spytać o zgodę, zanim się zabierze za wyświadczanie mu przysługi, a przede wszystkim jeśli się chce korzystać z jego telefonu. Poza tym pojawiły się inne pilne problemy.

– Zachowujcie się… – nie zdążyła rozwinąć myśli.

W progu domu pojawiła się mama. Oczywiście mocno zaniepokojona. Gotowa do natychmiastowego rozpoznania problemu, postawienia diagnozy i ewentualnego udzielenia dobrej rady. Mogło być w salonie tysiąc wujków z Ameryki, dla niej liczyło się przede wszystkim niepewne spojrzenie jej dziecka, sygnalizujące jakieś skrywane zmartwienie.

– Coś się stało? – zapytała, podchodząc do samochodu, kiedy tylko goście wysiedli.

– Ależ nic – łagodziła Maryla. – Chciałam cię odwiedzić, a zupełnie zapomniałam, że wujek dzisiaj przylatuje.

– Nie zapomniałaś, tylko nikt nie wiedział. Alfred zadzwonił rano. Nie wiem, czemu ma służyć to zaskakiwanie nas, ale martwię się.

Maryla spojrzała przelotnie na zniszczony sad, widok nie nastroił jej pozytywnie.

– Tym razem nie uda się tego odwlec, prawda? – nawet nie czekała na odpowiedź. – A jak tata to znosi? – zaniepokoiła się.

– Mniej więcej tak, jak średniowieczny rycerz z małej zagrody informację o wojnie z imperium. Brak tarczy, miecza i konia, ale za to odwaga godna całego pułku – Helena próbowała się uśmiechać.

– Myślisz, że zrobi coś nieodpowiedzialnego?

– Jestem tego pewna – odparła Helena. – Ale chodź do domu. Dzieci zmarzną. Wieczory są już chłodne, wypijemy herbatę w salonie.

Maryla westchnęła. Gdzie te jesienne wieczory, które się spędzało na drewnianym ganku z kubkiem ciepłej imbirowej herbaty i kocem miło grzejącym plecy? Liście drzew mieniły się wtedy kolorami i szumiały uspokajająco, a widok sadu napełniał serce spokojem i dawał poczucie, że pewne sprawy są niezmienne i można czuć się bezpiecznie.

Helena położyła chłopcom dłonie na ramionach.

– Chodźcie, kochani. Dobrze, że przygotowałam ciasto.

– Zdarzyło ci się chociaż raz nie mieć w domu żadnego poczęstunku dla niespodziewanych gości? – zapytała Maryla z uśmiechem, bo nagle mocno ją to zaciekawiło.

Helena przeszukiwała zasoby pamięci.

– Nie wiem – odparła.

– A ja prawie zawsze jestem nieprzygotowana – odpowiedziała córka, dzisiaj w zdecydowanie samokrytycznym nastroju. – Czasem nawet wtedy, gdy wiem, że ktoś mnie odwiedzi.

– Każdy robi to, co lubi – szybko odparła mama. – Najważniejsze, żeby w domu było wesoło i przyjemnie. Ja piekę i gotuję, bo to mi sprawia radość. Ty pewnie gospodarowałabyś tutaj inaczej, co nie oznacza, że gorzej. Po prostu po swojemu.

Mama wypowiedziała te słowa bez namysłu, zupełnie spontanicznie, i ruszyła w głąb domu, trzymając za rączki swoje wnuki. Rozległy się powitalne okrzyki, wzajemne przedstawianie członków rodziny, pytania i przedszkolne opowieści chłopców.

Maryla stała nadal przy wejściu. Była bardzo wzruszona, jakby właśnie odbyła się w jej życiu jakaś ważna uroczystość. Odwróciła się w stronę sadu. Słońce zachodziło, malując czerwienią połamane gałęzie.

Mimo szkód, jakie wyrządziła burza, wciąż było to piękne miejsce. Teraz, kiedy wiedziała, że ojciec będzie musiał podjąć trudną decyzję, poczuła, jak bardzo wyjątkowe są te drzewa i stojący w ich przyjaznym cieniu rodzinny dom. A słowa mamy rzucone przypadkiem otworzyły w jej sercu drzwi, o których istnieniu nie miała pojęcia.

Poczuła, że kocha jabłoniowy sad i swój stary dom. Nigdy dotąd nawet nie pomyślała, że mogłaby być tą córką, która zamieszka wraz z rodzicami i przejmie po nich dziedzictwo. Jakkolwiek wikłały się losy jej sióstr i tak wszystkie one lepiej radziły sobie w życiu. Nie popełniały tylu błędów, częściej się zastanawiały przed podjęciem jakiejś decyzji. Lepiej zarządzały finansami i odważniej stawiały czoła przeciwnościom.

Teraz jednak Maryla zrozumiała, że gdyby miała szansę mieszkać właśnie tutaj, na stałe, może jej życie zyskałoby jakiś ład i porządek. I bardzo tego zapragnęła.

Ojciec nie może sprzedać sadu – uświadomiła sobie. – Księgarnia to tylko sposób na zarabianie pieniędzy, a otoczony sadem dom jest sercem rodziny. Nie można go stracić. Poza tym wartość samej ziemi i tak jest zbyt niska, żeby pokryć wszystkie zobowiązania, a o sprzedaży domu nie może być nawet mowy. Trzeba koniecznie przekonać tatę, żeby podjął odpowiednie kroki. To właśnie księgarnię należy teraz poświęcić dla dobra sprawy. I tak przecież ostatnio sprzedaż nie idzie najlepiej. Może to ostatni moment, by dostać dobrą cenę…

Zamknęła za sobą drzwi i nie zdążyła już zobaczyć Anieli, która z niedozwoloną prędkością wjechała właśnie przez otwartą bramę.

Po raz pierwszy w życiu tak eksploatowała pedał gazu. Chciała koniecznie porozmawiać z ojcem, zanim podejmie on jakąś pochopną decyzję. Za nic nie można było dopuścić do tego, by stracili księgarnię.

ROZDZIAŁ 11

Wujek, zmęczony podróżą, położył się wcześnie, a w salonie zaczęła obrady naprędce zwołana rodzina. Byli w komplecie. Po zamknięciu przychodni przyjechała Julia, zabierając po drodze Gabrysię z mężem. W domu czekały już Maryla z Anielą. Ostatni raz wszystkie siostry spotkały się tego pamiętnego popołudnia, kiedy na okolicę spadła niespodziewana burza.

Teraz za oknami królowała noc, a jesienny wiatr delikatnie kołysał gałęziami drzew. Na stole pojawiła się resztka ciasta cytrynowego i rogaliki przyniesione w ramach szybkiej pomocy przez ciotkę Martę, a także kubki z pachnącą imbirem herbatą.

Było przyjemnie. Gdyby nie powód tego nagłego rodzinnego zlotu, można by się zrelaksować i oddać przyjemnym siostrzanym zwierzeniom oraz przekomarzaniom. Ale to nie było możliwe. W pokojach słychać było beztroski śmiech dzieci, jednak dorośli zachowywali powagę.

Na dwóch odległych krańcach kanapy usiadły Maryla i Aniela. Już się zdążyły posprzeczać o to, która ma lepszy pomysł na wyjście z finansowych kłopotów. Rude włosy Anieli mieniły się kasztanowymi odcieniami, a podobnie kręcone, za to zupełnie jasne kosmyki jej starszej siostry wymykały się spod koka, nadając jej twarzy bojowego wyglądu.

Na ich tle siedząca na fotelu Gabrysia, jedyna w rodzinie właścicielka prostych włosów, prezentowała się blado i wyjątkowo spokojnie. Ten zewnętrzny obraz dobrze oddawał jej nastrój. Nie wiedziała, co myśleć o tym wszystkim, i nie była w stanie wykrzesać z siebie dość emocji, by stanąć po czyjejkolwiek stronie. To były tylko pieniądze. Dla niej nie miały aż takiej wartości. Wiedziała już, że nie dadzą jej dziecka, a małżeństwo też musiała ratować innymi sposobami. Siedziała przy stole, przysłuchiwała się dyskusji, ale myślami była gdzie indziej.

Julia, młoda energiczna pani weterynarz, rzuciwszy kilka nierealnych pomysłów zaciągnięcia potężnej pożyczki pod zastaw domu, do której nikt nie miał odpowiedniej zdolności kredytowej, lub poproszenia o pomoc bogatych znajomych, chociaż rodzina takowych nie posiadała, opadła z sił i zajęła się jedzeniem. Pracowała od kilku dni po dziesięć godzin na dobę i już zapomniała, co to smaczny domowy posiłek.

Ciotka Marta zajęła fotel w rogu pokoju. Niechętnie przyjęła zaproszenie na to spotkanie. Przekonał ją argument Jana, że jest członkiem rodziny i bardzo potrzebują teraz jej wsparcia. Przyszła, ale nie czuła się swobodnie, choć faktycznie ten dom traktowała jak własny. Wychowywała córeczki Zagórskich, kiedy jeszcze były małe, sprzątała tutaj, gotowała i robiła przetwory. Ale teraz miała wrażenie, że jest zbędna i zupełnie nieprzydatna. Ze swoimi skromnymi środkami finansowymi, dysponując tylko pracowitością i dobrym sercem, nie mogła pomóc ludziom, którzy potrzebowali gotówki. Dużo gotówki.

Alfred zawsze był konkretny. Pamiętała go dobrze z czasów wspólnej młodości. Teraz też przyjechał przygotowany. Rzeczoznawca obliczył mu wartość budynku księgarni. Kwota była bardzo wysoka. A jednak zaledwie pokrywała wartość spadku, jaki przynależał bratu Jana. Alfred latami nie miał udziału w zyskach księgarni, nikt mu nie płacił czynszu, poza tym należała mu się połowa sadu, a ziemia była w tej okolicy droga. Wszystko to, pięknie wyliczone, Alfred miał przygotowane na piśmie.

Cisnęła się na usta tylko jedna uwaga. Sprzedać księgarnię, rozliczyć się i mieć spokój. Ale wujek nie zdążył jeszcze zniknąć na dobre w swoim pokoju, a już zaczęły się komplikacje. Pomysły, sprzeczne propozycje.

Żadna z córek nigdy dotąd nie chciała przejąć odpowiedzialności za dom. Zawsze kiedy rodzice podejmowali ten temat, dziewczyny zgodnie mówiły, że żadna z nich nie da rady. Najpierw tłumaczyły się studiami, potem obowiązkami domowymi i pracą. Nie mieściła się w ich napiętym planie jeszcze opieka nad domem i sadem. A teraz nagle zgłosiła się Maryla. Rodzice wiele razy proponowali jej, żeby z nimi zamieszkała, ale ona broniła się ze wszystkich sił. Co się nagle stało, że zmieniła zdanie?

Ciotka Marta czujnie spojrzała na siostrzenicę. Znała ją nie od dziś. Wychowała od dziecka i wspólnie z nią przechodziła przez wszystkie życiowe zakręty. Widziała wyraźnie, że Marylka właśnie się szykuje do kolejnego zwrotu.

Tylko czy w dobrym kierunku? – zaniepokoiła się.

A do tego wszystkiego jeszcze Aniela…

Nikt nie podważał kierowniczej roli ojca w księgarni, wiadomo było, że to miejsce jest dla niego bardzo ważne, a teraz Anielka koniecznie chciała przejąć firmę i protestowała ogniście przeciwko sprzedaży. Nagle zrobiła się twarda i stanowcza, jakby ją ktoś zaczarował.

Ciotka Marta patrzyła ze współczuciem na siostrę. Helena bowiem próbowała łagodzić spory i wymyślać sposoby na pogodzenie sprzecznych interesów poszczególnych członków rodziny.

Jakby to w ogóle było możliwe.

Tylko Jan milczał i Marta czujnie obserwowała także jego twarz. Dobrze znała męża swojej siostry, Przyjaźnili się od lat. Umiała odczytywać znaczenie tych gwałtownych zmarszczek pojawiających się na czole, prawie niewidocznego drgania ust, zmieniającego się odcienia niebieskich oczu i spojrzenia, które gdzieś ponad głowami bliskich widziało coś dla innych niedostrzegalnego. Helena tego nie zauważała. Miała do męża zbyt emocjonalny stosunek.

Strach o jego serce mącił jej zdolność trzeźwej oceny sytuacji.

W końcu dyskusje umilkły. Siostry Zagórskie przestały się przerzucać coraz bardziej absurdalnymi pomysłami oraz zwierzeniami, która i w jaki sposób znalazła właśnie nowy pomysł na życie.

Poważna mina Jana ściągnęła spojrzenia wszystkich. W ciszy, jaka nagle zapadła, słychać było tupot biegających na górze dzieci. Helena zaniepokoiła się odruchowo o śpiącego już zapewne gościa, ale nie była w stanie opuścić teraz pokoju, by uciszyć wnuki. Z napięciem wpatrywała się w twarz męża. Czuła, że zbliża się jakaś nieodwracalna katastrofa.

– Wysłuchałem was i staram się zrozumieć wasze argumenty – powiedział powoli Jan – ale przykro mi, żadnej propozycji na razie nie przyjmę. Przepraszam, że to powiem – zawiesił głos i spojrzał na córki, wyraźnie zbierał siły, by skończyć wypowiedź. – Księgarnia należy do mnie – zaczął stanowczo – podobnie jak dom i sad. Uporządkuję sprawy po swojemu, żebyście już nigdy nie musiały w przyszłości siadać przy tym stole i kłócić się o jakiekolwiek podziały. Muszę to tak zorganizować, żeby każda z was, kiedy odwróci głowę, zobaczyła za sobą uporządkowaną rodzinną historię. Bez niedomówień, uraz i odwlekanych wiecznie rozliczeń.

To niemożliwe – pomyślała Marta, ale już wiedziała, że cokolwiek Jan postanowi, stanie po jego stronie.

Nie rób tego – prosiła bez słów ściągnięta zmartwieniem twarz Heleny, ale jej ręka mocno ściskała dłoń męża, żeby mu na wszelki wypadek dodać otuchy.

– Alfred dał mi tydzień – mówił dalej Jan. – To mało. Muszę w tym czasie nie tylko wymyślić strategię postępowania, ale też działać na bieżąco. Obiecałem mu, że wystawię na sprzedaż zarówno działkę, jak i księgarnię. Zobaczymy, jaki będzie w ogóle odzew.

– Ale co postanowiłeś? – nie wytrzymała Maryla. – Powiedz wprost.

– Chcę postawić na odwagę i na prawdę.

– To niczego nie wyjaśnia – przerwała mu Julia. – Tato, zrozum. To są tylko jakieś wielkie słowa, a my potrzebujemy konkretów. Nie da się w ten sposób w krótkim czasie postawić na nogi firmy. Wiem coś o tym.

– Zdradź przynajmniej, od czego chcesz zacząć. – Głos Anielki znów był łagodny jak zwykle. Stanęła obok siostry, żeby ją wesprzeć. – Daj nam chociaż szansę jakoś się przygotować.

Jan milczał.

– Pójdę do Leszka – powiedział w końcu, a Helena natychmiast oblała się krwistym rumieńcem. Imię jej byłego narzeczonego wciąż wywoływało emocje. Skrzywdzili go kiedyś oboje z Janem i ta stara historia ciągnęła się za nimi bez końca. Może dlatego, że mieszkali tak blisko siebie. A może z tego powodu, że Leszek, mimo podejmowanych prób, wciąż nie mógł sobie ułożyć życia.

– Po co nam teraz dodatkowe kłopoty? – Nie wytrzymała i odsunęła się od męża. Chciała, żeby ją dobrze widział i uważnie wsłuchał się w jej słowa. Miała już dość tego milczenia. Starała się wspierać Jana, ale wystawiał jej cierpliwość na zbyt wielką próbę. – To nie ma nic do rzeczy. Leszek i tak wyrzuci cię za drzwi, jak już kilkakrotnie to zrobił. A mamy teraz ważniejsze problemy.

Jan ucałował ją w czoło.

– Pozwól, że tym razem zrobię po swojemu. Czasem trzeba być odważnym i nie przejmować się aż tak bardzo opinią innych. Po prostu inaczej się nie da.

Helena już otworzyła usta, żeby zaprotestować, ale przeszkodziła jej Anielka. Wstała, a wszyscy spojrzeli na nią, nieprzyzwyczajeni do tego, że najmłodsza córka tak bardzo udziela się w rodzinnej dyskusji. Sprawiała wrażenie bardzo wzburzonej. Jej włosy rozsypały się wokół twarzy, policzki były czerwone.

– A wiesz, tato, że ty chyba masz rację – powiedziała. – Zrobię to samo. Wreszcie. Raz w życiu, no… może drugi – poprawiła się szybko. – Zrobię to, czego naprawdę ja sama chcę i nie będę się przejmować opinią innych.

– Rany boskie – wyszeptała Helena. – Ja już nie wiem, o kogo teraz powinnam się martwić w pierwszej kolejności – zwróciła się do siedzącej obok siostry.

Marta uśmiechnęła się.

– Najlepiej by było uśpić cię na kilka najbliższych tygodni albo dobrze upić twoją nalewką z dzikiej róży. Będzie się tutaj teraz działo. Spokój zalecany.

– Spokój! – oburzyła się Helena. – Teraz, kiedy wszystko się sypie, a mój mąż gada od rzeczy i nikt nie wie, co chce zrobić?

– Zwłaszcza teraz – odparła Marta.

– Ja idę do dzieci. – Maryla podniosła się z kanapy i wzięła ze stołu jeszcze jeden kawałek ciasta. – Muszę wracać, rano nie trzeba wprawdzie wstać do pracy, bo jutro sobota, ale jest już późno. Jeśli kogoś uraziłam swoją propozycją, to przepraszam. Zawsze narzekaliście, że żadna z nas nie chce osiąść na gospodarstwie, a kiedy się zgłosiłam, to jakoś nie widzę entuzjazmu.

Odgarnęła zwichrzone włosy z czoła i dumnie uniosła głowę, ale widać było, że jest jej przykro.

– Ależ, Marylko – Helena zerwała się z miejsca. Nie bez trudu oderwała wzrok od wzburzonej twarzy najmłodszej córki, by skupić się z kolei na najstarszej, której los równie mocno leżał jej na sercu. – To nie tak. Możesz się do nas przeprowadzić choćby jutro – mówiła szybko.

Jan podszedł do córki.

– Daj mi troszkę czasu – poprosił i objął żonę, chcąc jej dodać nieco otuchy. – Załatwię, co trzeba, i wrócimy do tej rozmowy. Cieszę się, że nasz stary sad znów doczekał się chwili, kiedy dla kogoś staje się szczególnym miejscem. Będę o tym pamiętał. A może zostaniesz dzisiaj na noc? – zaproponował. – Chłopcy tak dobrze się bawią. My też mielibyśmy trochę więcej czasu na spokojną rozmowę. Za dużo teraz dzieje się naraz, by zdążyć każdą sprawę omówić.

Rozejrzał się odruchowo, czy nie zobaczy gdzieś Anieli, która przypomniałaby o swoich propozycjach, ale najmłodszej córki nigdzie nie było. Zdążyła zgodnie ze swoim zwyczajem niepostrzeżenie zniknąć z pokoju. Bardzo go zaniepokoiła jej dzisiejsza reakcja.

– Może to dobry pomysł... – zawahała się Maryla. – Muszę tylko zadzwonić do Marcina, mieliśmy się dzisiaj spotkać.

Jan natychmiast się ożywił i spojrzał na córkę ze słabo ukrywaną nadzieją w oczach. Marcin był jego ulubieńcem, zdecydowanym faworytem, i wciąż nie porzucił nadziei, że to małżeństwo jeszcze kiedyś będzie szczęśliwe.

– To nie tak, tato – Maryla od razu rozpoznała charakterystyczne objawy. – Proszę cię. Jesteśmy po rozwodzie. Pokazywałam ci papier.

– Przecież nic nie mówię – obraził się Jan. Miał się za dobrego dyplomatę i nie lubił, kiedy ktoś łatwo odczytywał jego ukryte intencje.

– Ale myślisz – powiedziała córka.

– To już nawet myśleć staremu człowiekowi nie wolno? – próbował żartować, ale twarz ściągnęła mu się w wyrazie żalu. Co w tym złego, że chciał dla swojego dziecka tego, co najlepsze? Miał kłamać tylko dlatego, że Marylka obstawała przy swoim?

– Dobrze wiesz, o co mi chodzi – powiedziała stanowczo.

– Przynajmniej pozdrów go ode mnie. – Tata nigdy nie marnował okazji, by posunąć choćby o milimetr sprawę, na której mu zależało. Nawet teraz, kiedy wszystko wokół zdawało się chwiać w posadach.

– Dobrze – uśmiechnęła się, ale pokręciła z dezaprobatą głową.

Julia też wstała i zaczęła się przygotowywać do wyjścia.

– To ciekawe – powiedziała do Gabrysi. – Tak po prostu zrobić to, czego najbardziej pragniesz, nie przejmując się niczym. Co ty byś wybrała? – zapytała szeptem, choć jej słowa i tak tonęły w gwarze, jaki czynili synowie Maryli, którzy właśnie zeszli na dół. – Dałabyś Elizie w twarz za to, że się przykleja, smarkula jedna, do twojego męża?

– Chyba nie – uśmiechnęła się smutno Gabrysia. – Ja ją nawet na swój sposób coraz bardziej lubię. Jest samotna, zagubiona, ale z każdym dniem lepiej odnajduje się w roli przyszłej mamy. To, czego ja bym pragnęła, jest dla mnie niedostępne. Niezależne od mojej woli. Nie mogę mieć własnego dziecka, choć zrobiłam już chyba wszystko, co możliwe. Więc jeśli ty masz lepszą sytuację, korzystaj. Bo nie ma na świecie nic gorszego niż bezsilność.

– O czym tak szepczecie? – Maryla nadstawiła uszu.

– Próbujemy przyłożyć ideały taty do prawdziwego życia – odparła Gabrysia.

– I jak wam idzie? – roześmiała się Maryla. Dobrze wiedziała, jak bardzo trudne jest to zadanie. Czasem myślała, że dzieci z patologicznych rodzin mają jednak trochę łatwiej. Cokolwiek osiągną w życiu, będzie lepsze niż punkt startowy. To daje satysfakcję i poczucie dumy. W jej przypadku było inaczej. Domowe wzorce okazywały się czasem zbyt wysoką poprzeczką. Niewiele mogło się z nimi równać.

– Nic do siebie nie pasuje – Julia potwierdziła jej spostrzeżenia. – Sama wiesz najlepiej. Ja też – westchnęła. – Jadę do domu. Podrzucić cię po drodze? – zapytała Gabrysię.

– Chętnie. Nie będę musiała ściągać Kornela.

– A gdzie on właściwie jest? – zdumiała się Julia. – Przecież przyjechał z nami.

– Poszedł do kolegi. Wolał nas zostawić w wąskim gronie. Czuł, że szykuje się mała rodzinna burza.

– I miał rację. Nasza rodzina ostatnio się w tym specjalizuje. Po tylu latach względnej stabilizacji teraz zwroty akcji następują jak w filmie sensacyjnym. Powiem szczerze, ten dawny spokój miał swoje zalety.

Poszła do przedpokoju i zaczęła zakładać kurtkę.

– Zajrzysz jeszcze do przychodni? – Marylka oparła się o futrynę drzwi, co zwykle stanowiło jej ulubioną pozycję do długich rozmów.

– Oczywiście – odruchowo odparła. – Nie patrz tak na mnie – huknęła zaraz na Gabrysię. – Wystarczy, że mama codziennie mnie poucza o konieczności poszerzenia zainteresowań o coś więcej niż tylko praca.

– Ksawery cię nie nachodzi? – zapytała Maryla wprost, a Gabrysia spojrzała na nią z mimowolną wdzięcznością. Sama nie miałby odwagi zadać tego pytania.

– Nie – odparła Julia i zacisnęła pasek płaszcza tak mocno, że istniała obawa, iż przetnie się na pół. – Wziął dwa tygodnie urlopu i wyjechał. Nikt nie wie dokąd. To znaczy przynajmniej ja nie wiem. Jak znam życie, wróci z nową miłością.

– Nic sądzę… – Gabrysia spojrzała na siostrę poważnym wzrokiem.

– Taką mam nadzieję. – Julia położyła już dłoń na klamce, ale zatrzymała się jeszcze na chwilę. – Przynajmniej wtedy mogłabym pozbyć się wyrzutów sumienia.

– Dlaczego ja ciągle mam wrażenie, że wszyscy mówią o mnie? – Anielka stanęła tuż za nimi.

– Ależ to oczywiste, że mowa o kimś innym. Skąd ty byś wzięła wyrzuty sumienia? – Maryla spojrzała na swoją najmłodszą siostrę z czułością. Była pomiędzy nimi spora różnica wieku i zawsze traktowała ją trochę jak własne dziecko.

– No właśnie, myślę, że moglibyście się wszyscy zdziwić.

– Już się dziwimy – Julia pilnie nadstawiła uszu. – Mów, co ci leży na sercu. Jestem gotowa nawet do przychodni dzisiaj nie pojechać, jeśli tylko mogę ci jakoś pomóc. Nie duś w sobie wszystkiego.

– Jeszcze nie czas – Anielka szybko się wycofała. – Ale dorastam do zmian. Tylko nie wiem, czy one się wam spodobają.

– O nic się nie martw – Julia spoważniała. – Drogę masz przetartą. Prócz Gabrysi, która jest grzeczna jak mniszka buddyjska, każda z nas zdążyła już przyprawić rodziców o palpitacje serca.

– Nie ma buddyjskich mniszek – oburzyła się Gabrysia. – Poza tym ja też mam swoje wady.

– A właśnie, że są. – Julia pociągnęła siostrę mocno za ramię. – Nazywają je ama.

Dziewczyny pożegnały się i wyszły. Słychać było jeszcze, jak przekomarzają się na schodach. Anielka zniknęła jak duch.

Ojciec poszedł do sypialni, a mama natychmiast ruszyła za nim. Zamknęła drzwi i zapewne zamierzała użyć swoich tajnych wpływów i metod negocjacyjnych, żeby trochę załagodzić jego zapał i nakierować męża na bezpieczne drogi. Ciotka Marta jak zwykle zabrała się za sprzątanie. Nie chciała przyjąć żadnej pomocy. Tłumaczyła, że to ją uspokaja, a bałaganu jest za mało nawet na potrzeby jednej energicznej osoby. Nie jest konieczne angażowanie innych.

Maryla została sama. Chłopcy pobiegli do jej pokoju, w którym mieszkała jako dziecko, uradowani na wieść o tym, że zostają u dziadków. Mieli się naradzić, kto tym razem śpi na łóżku, a kto dostanie materac. Maryla poleciła im, żeby się zgodnie zastanowili, ale nie miała złudzeń. Zanim dojdzie do jakichkolwiek rozmów, będą skakać po jej łóżku. Zawsze to robili, lecz stary solidny mebel znosił te harce bez szwanku. Żadne współczesne sprzęty nie mogły się z nim równać.

Maryla wróciła do salonu, usiadła na kanapie i rozejrzała się wokół. Zupełnie inaczej niż zwykle. Jakby widziała swój rodzinny dom po raz pierwszy. Zobaczyła suto marszczone firanki dodające temu miejscu przytulności, szerokie kanapy, meble, dywany, kwiaty i świeczniki. Zawsze podobało jej się to wnętrze. Teraz jednak wszystko zaczęła przeliczać. Na godziny sprzątania, konieczne, by to miejsce utrzymać w dobrym stanie. Na finanse, które trzeba przeznaczyć na opłacenie rachunków.

Czy to możliwe w ogóle, by ktoś przejął pałeczkę po rodzicach? – zastanawiała się. – Dał sobie radę, nie mając zaplecza w postaci pomocy ciotki Marty, dochodów z księgarni, pracowitych rąk mamy i determinacji ojca? Czy ktoś żyjący we współczesnych realiach, uwikłany w pracę o korporacyjnym charakterze, z poplątanym życiem osobistym i wykorzystanym do dna debetem może do tego stopnia odmienić swoje życie, by odnaleźć się w realiach wiejskiego życia – sielskiego, ale przecież także mocno wypełnionego pracą?

Czy była na to przygotowana?

Tata bardzo martwił się kłopotami swoich córek. Często obwiniał siebie za ich błędne decyzje. Nie miał racji. Maryla poczuła to teraz wyraźnie. Tak, jej życie nie było proste. Ale nawet jeśli pomyliła się tysiąc razy, za każdym razem wiedziała, że robi źle. Coś ją zawsze ciągnęło, żeby się podnosić i próbować dalej. Teraz to sobie uświadomiła, iż mimo wszystko ma w sobie wbudowany jakiś tajny kompas pokazujący kierunek. I chociaż przez tyle lat ignorowała jego głos, w każdej chwili mogła wrócić na dobrą drogę, bo wiedziała, gdzie ona jest. Było jej łatwiej niż komuś, kto na własną rękę musi szukać prawdy.

Wystarczyło tylko podjąć decyzję. I jeszcze utrzymać nerwy na wodzy. Z tym był tak naprawdę największy problem.

Wzięła telefon do ręki, modląc się, by Paulinka zdecydowała się teraz wziąć jakąś odprężającą kąpiel, która sprawi, że nie będzie mogła odebrać. Maryla postanowiła odważnie, że przeprowadzi pierwszą od lat spokojną rozmowę z mężem. Chciała spróbować, jak tata, dzielnie stawić czoła problemowi. Ale obawiała się, że konfrontacja z partnerką Marcina może się dla niej okazać nie do przejścia.

Ściskała słuchawkę w dłoniach i nadal modliła się w duchu, żeby Paulina gdzieś wyszła, całą siłą woli powstrzymując się, by jej nie życzyć czegoś gorszego. Ale im dłużej wsłuchiwała się w ciągłe sygnały w słuchawce, tym mocniej podnosił jej się poziom adrenaliny. Wyobraźnia podsuwała obrazy powodujące przyspieszone bicie serca. Pewnie byli teraz gdzieś razem. Może jedli rodzinną kolację? – Na samą myśl o tym poczuła gwałtowny przypływ zazdrości.

– Słucham… – ku jej uldze rozległ się głos Marcina. – Jestem na parkingu. Zaraz do ciebie przyjdę. Chłopcy już śpią?

– Nie – Maryla ostrożnie wypowiedziała pierwsze słowo i w duchu pogratulowała sobie spokoju. – Ale mam do ciebie prośbę.

– Co znowu? – W głosie mężczyzny słychać było zniecierpliwienie.

– Jestem u rodziców. Proszę, przyjedź tutaj do nas. Powiem dzieciom, ucieszą się. – Cały czas była uprzejma dokładnie tak, jak to sobie zaplanowała.

Spojrzała w szybę dużego kredensu, w której odbijała się jej twarz, i pokiwała głową z uznaniem. To był niezły tekst, na początek.

– Inaczej się umawialiśmy. – Marcin nie docenił jej wysiłku. – Naprawdę mam tego dość. Jest późno, do was kawał drogi, a obiecałem Paulinie, że wrócę na kolację. Już dzwoniła, że czeka.

Maryla natychmiast poczuła falę gorąca. Mogłaby bardzo obrazowo i dokładnie wytłumaczyć, co sądzi o głupich zdzirach, złodziejkach cudzych mężów, które podstępnie zwabiają mężczyzn na obrzydłe kolacyjki.

Fakt, że Marcin był po rozwodzie, nie miał żadnego znaczenia. Przecież Maryla nie wyrzuciła go za drzwi po to, by się z nim rozstać. Wręcz przeciwnie, zrobiła to, by pokochał ją mocniej, zobaczył, że cierpi, zrozumiał swoje błędy. Ale Marcin nie zdążył przeprowadzić tej skomplikowanej procedury myślowo-uczuciowej, bo na jego drodze stanęła Paulina. I wszystko zepsuła.

Maryla zacisnęła z całej siły dłoń na oparciu kanapy, ryzykując, że zniszczy delikatne skórzane obicie.

– Proszę cię – wytrzymała i ukryła swoje emocje. – Zostaję tu z chłopcami do jutra. Wiesz, jak lubią bawić się z dziadkiem. Proszę cię – powtórzyła. – Przyjedź do nas.

Paznokcie wbiły jej się w dłoń.

– No dobrze – westchnął Marcin. – Zadzwonię, jak będę na miejscu. Nie mów nic chłopcom, nie będę wchodził. Jest zbyt późno. Odwiedzę ich w przyszłą niedzielę.

Rozłączył się, a Maryla opadła na kanapę. Była wściekła. Ona się tu wzbija na szczyty dyplomatycznego kunsztu, prosi, nawet dwa razy, a ten bezczelnie odmawia spotkania z własnymi dziećmi, bo spieszy się do innej.

Miała świadomość, że nie do końca jest sprawiedliwa. Sama też przecież szukała szczęścia w nowych związkach, ale nigdy kosztem dzieci. Dopóki Marcin stawiał chłopców na pierwszym miejscu, jego nowe życie wydawało się łatwiejsze do zaakceptowania, choć zawsze bolało. Teraz jednak Maryla po raz pierwszy poczuła, że to już nie są żarty. Coś w jej życiu za chwilę może skończyć się raz na zawsze. Bez możliwości powrotu. Bo to nieprawda, że los zawsze daje drugą szansę.

Maryla wstała i zaczęła szybko chodzić po pokoju. Zapomniała na dobre, że podpisała papiery rozwodowe, że sama wypędziła męża z domu. Nakręcała się tylko własnymi emocjami. Przed oczyma stawały jej wciąż wspomnienia, pełne chwil, kiedy Marcin zrobił coś nie tak. Nie pamiętał, nie rozumiał, nie domyślił się, spóźnił, powiedział za mało lub za wiele. Utwierdzała się w przekonaniu, że racja była wyłącznie po jej stronie.

To on był winien, on skrzywdził. Powinien teraz przeprosić i naprawić swój błąd, a nie kupować kurtki córeczkom obcej kobiety.

Ona nigdy nie zostawiłaby dzieci dla jakiegoś faceta. Płaciła za to wysoką cenę. Wciąż nie mogła na nowo ułożyć sobie życia. Znalezienie mężczyzny, który by ją satysfakcjonował, nie było aż tak trudne, każdy i tak z zasady był gorszy niż Marcin. Nie miała więc wysokich wymagań. Często chodziła na randki, bo samotność była jednym z jej największych strachów. Wciąż jednak nie mogła spotkać kogoś, kto byłby odpowiedni dla jej synów. W gruncie rzeczy także dla niej samej, bo wszystkie dotychczasowe zauroczenia tak naprawdę były zawsze tylko kompromisem, który zawierała sama ze sobą, nie wierząc, że jeszcze kiedyś spotka prawdziwą miłość.

A Marcin? – poczuła, jak migrena skrada się powoli, by dopaść jej skroni i uścisnąć żelazną obręczą. – Bez problemu związał się z inną i to z pewnością nie ze względu na jej iloraz inteligencji czy inne przymioty ducha.

Duch Paulinki w całości był bowiem przysłonięty obfitym biustem uniemożliwiającym przeciętnemu mężczyźnie prawidłowy osąd jej osoby. To było jasne. Tak ponoć działa męska logika. Ale przecież nie Marcina! On był inny. Inteligentny, wrażliwy, mądry. Nie należał do grona prostaków, którym może zmącić rozum czyjś biust. Przynajmniej taki był, kiedy się poznali.

Maryla otwarła drzwi balkonu i wyszła na zewnątrz. Czuła, że dłużej nie wytrzyma. To było jak rozwód po raz drugi. O wiele bardziej bolesny. Gdy patrzyła, jak rozpada się jej małżeństwo, miała przynajmniej świadomość, że chłopcy mogą liczyć na ojca. Teraz i to miało się zmienić.

– Ty głupku! – zawołała, wybiegając w ciemność. Ciepłe powietrze sadu przemieszczało się, gnane chłodniejszym wiatrem. W świetle księżyca widać było połamane burzą gałęzie drzew.

Całkiem jak moje życie – pomyślała Maryla i zatrzymała się w miejscu, w którym cztery stare czereśnie tworzyły zdecydowanie zbyt ciasną kompozycję, zahaczając o siebie nawzajem gałęziami. Tata od lat obiecywał, że zdecyduje, którą wyciąć, żeby inne miały lepsze warunki do rozwoju. Zwlekał jednak z roku na rok, a drzewa rozrastały się coraz mocniej. Pięły się do słońca, plątając się ze sobą. Ale to, co zwykle stanowiło o ich słabości, w czasie burzy okazało się siłą. Czereśnie ucierpiały najmniej. Splątane mocno, chroniły się nawzajem.

Maryla oparła się o pień jednej z nich. Patrzyła na jasno oświetlone, uchylone okno pokoju na poddaszu. Słychać było przez nie wesołe okrzyki chłopców i łagodny głos cioci Marty, która oczywiście już była na posterunku. Maryla schowała twarz w dłonie. Nie spodziewała się, że to będzie aż tak bardzo bolało.

Wydawało jej się, że już przepracowała sprawę swojego rozstania z mężcm. Wytłumaczyła sobic, żc tak głupi człowiek nie jest wart, by za nim płakać. Tę też oficjalną wersję podawała swoim znajomym. Ale to nie była prawda.

Marcin nie był głupi, choć czasem tak właśnie się zachowywał. Zwykle wtedy, gdy go sprowokowała.

Trzasnęła złamana gałązka i Maryla drgnęła przestraszona.

– Nie bój się – uśmiechnęła się Anielka. – To tylko ja. Martwiłam się o ciebie. Tak nagle wybiegłaś z domu. Coś się stało?

Najstarsza z sióstr objęła ramieniem najmłodszą, trochę po matczynemu. Zanim na świecie pojawili się jej synowie, długo opiekowała się Anielką. Wciąż wydawało jej się, że jest ona małą dziewczynką. To było jakieś nieprawdopodobne, że zakochała się, urodziła córeczkę i stała się taką dojrzałą, odpowiedzialną mamą. Teraz w świetle księżyca młodsza siostra wyglądała jeszcze młodziej niż zwykle. Jej miła twarz o łagodnych rysach wydawała się należeć do istoty absolutnie niewinnej. A jednak Aniela miała swoje tajemnice.

– Całkiem zniszczony ten sad – powiedziała. – Nie mogę na to patrzeć. Codziennie rano wstaję wcześniej i powoli sprzątam, ale zostało jeszcze dużo pracy.

– Pomogę ci jutro. Moi chłopcy dobrowolnie z łóżka nie wyjdą przed dziewiątą. Będziemy miały więc trochę czasu.

– Przydałoby się jeszcze ze dwóch silnych mężczyzn do pomocy...

– W tej sprawie na mnie nie licz – westchnęła Maryla. – Ja, jak wiesz, mam skłonność wyłącznie do nieodpowiednich. Nawet mowy o tym nie ma, żeby Andrzej zakasał rękawy i pomógł mi w takiej pracy.

– To nas łączy – odparła Anielka. – Skłonność do nieodpowiednich mężczyzn. Wierz mi, w porównaniu z ojcem Ani twój Andrzej to anioł i ojciec natychmiast oprawiłby go w ramkę, gdybym ja odważyła się przyprowadzić mojego kandydata.

Maryla poczuła dreszcz, wyprostowała się i nie miała odwagi nawet odetchnąć. W ciągu ostatnich siedmiu lat na palcach jednej ręki można było policzyć momenty, kiedy siostra odezwała się w tej sprawie.

Wiesz, że tata ma bardzo mocno wyśrubowane ideały, jeśli chodzi o partnerów dla nas. Mężów – poprawiła się – bo już samo słowo „partner" tata wypowiada takim tonem, jakby obracał w ustach oślizgłego ślimaka.

– To dobre porównanie – roześmiała się Aniela. – Ale do twojego Andrzeja chyba nic nie ma.

– Jak to nie… Rękę mu podaje z takim poświęceniem, jakby istniało ryzyko zarażenia się dżumą. Według niego formalny rozwód to tylko jakiś drobiazg, który nic nie zmienił. Marcin wciąż jest moim mężem i według taty najlepszym i jedynym mężczyzną, który ma prawo stanąć u mojego boku.

– A według ciebie? – celnie zapytała Anielka. – Naprawdę kochasz tego Andrzeja?

– Jeśli odpowiem, to czy też będę mogła zadać ci tak osobiste pytanie? – Maryla nie oparła się podszeptom swojej duszy marketingowca i spróbowała negocjować warunki.

– Kto jest ojcem Ani? – domyśliła się siostra.

– Zobaczymy – uśmiechnęła się Maryla. – Najpierw się zgódź, o szczegółach porozmawiamy później.

– Niezłych specjalistów zatrudniają w tej Telekomunikacji, nic dziwnego, że was Orange wykupił.

Zwykle przecież najpierw się sprawdza warunki, a potem daje zgodę.

– Raz się żyje – zawołała Maryla. – Co ci zależy? Zaryzykuj.

– Jeśli chodzi o bezpieczeństwo Ani, nigdy! – Aniela była poważna. – Tak się dziwicie, że mnie się nigdy nic nie wyrwało, że nie zostawiam żadnych śladów. Ale to tylko dla niej. Nigdy nie wiesz, co dziecko usłyszy. Czy nie schodzi akurat po schodach, kiedy ktoś szepcze w kuchni.

– I tak kiedyś cię zapyta. Być może nawet jutro, to duża dziewczynka. To niewiarygodne, że jeszcze tego nie zrobiła.

– Ależ próbowała! Na razie moje wymijające odpowiedzi jej wystarczają. Dobrze wiem, że to nie będzie trwało wiecznie. Dlatego tak mocno mnie poruszyły słowa taty. Że chciałby, żeby kiedy jego dzieci odwrócą głowę, zobaczyły posprzątaną historię. Ja też. Nawet za cenę skandalu.

– O rany. Myślę, że takich skutków tata się nie spodziewa.

– On jest bardzo mądry, choć popełnia błędy. Ale zwykle wie, gdzie jest dobry kierunek i nie boi się tam iść. Chyba jestem do niego podobna. Już od dłuższego czasu coś we mnie narastało. Jakiś protest. Brakowało mi tylko impulsu, który by mnie popchnął do działania. Ale nasze życie i tak się teraz zmieni.

– Masz rację. Ja też miałam dreszcze, kiedy tata tak walczył o swoje. Większość ludzi w jego wieku już tylko szuka ciepłego fotela i przycisku na pilocie do telewizora. A on nie. Też bym tak chciała. Po prostu zrobić to, na czym mi naprawdę zależy, nie licząc się z niczym.

– Gdybyś miała taką możliwość, co by to było?

Maryla nie odpowiedziała. Nagle zawstydziła się tych wszystkich zwierzeń. Tata mógł sobie do woli walczyć o swoje ideały. On był przecież z innego świata. Ona żyła tu i teraz. Ograniczało ją wszystko: finanse, brak czasu, samotność, nieposkładane emocje. Nawet nie wiedziała do końca, czego tak naprawdę pragnie.

Pod bramę domu podjechał samochód, rysując światłami łagodne linie na podjeździe.

– To Marcin – poderwała się.

– Tutaj? – zdziwiła się Anielka.

– Tak. – Maryla już czuła, jak narasta w niej zdenerwowanie. – Zawalił i teraz naprawia, ale wierz mi, sam by na to nie wpadł.

– Hej! – Anielka złapała siostrę za ramię, bo ta już się wyrywała do biegu. – Poczekaj, uspokój się. Nie zepsuj tego.

– O co ci chodzi?

– Kiedy opowiadasz o Andrzeju, jesteś jak księgowa, która sprawdza, czy jej się wszystkie kolumny zgadzają. A na widok Marcina od razu tracisz rozum. Coś mi się wydaje, że tata i w tym przypadku ma trochę racji. Ten rozwód niczego nie zmienił. Między wami wciąż jest chemia.

– Nawet jeśli, to nic z tego nie wynika. Marcin ma już nową rodzinę... – Znowu zabolało. Maryla machnęła tylko dłonią, po czym ruszyła przed siebie.

– Zaraz wracam – zawołała. – Muszę tylko odebrać alimenty.

Pobiegła. Ale nie zdążyła zrobić nawet kilku kroków, gdy z ciemności wyłoniła się sylwetka Marcina.

– O nic się nie martw – powiedział zamiast przywitania. – Mam dla ciebie kasę.

Maryli zrobiło się gorąco. Nie o to przecież chodziło. Tak tylko rzuciła w pośpiechu pierwsze lepsze słowa, które przyszły jej na myśl.

– Zaczekaj – spojrzała w stronę jasnego okna na poddaszu. – Chłopcy jeszcze nie śpią. Może jednak wejdziesz na chwilę.

– Spieszę się. – Marcin wetknął jej kopertę w dłoń. – Zabiorę ich w przyszłą niedzielę. Wybierzemy się wszyscy do zoo.

– Co to znaczy „wszyscy"? – zapytała Maryla. Nagła nadzieja sprawiła, że zrobiło jej się jeszcze bardziej gorąco. Taki rodzinny wypad to mogło być coś wspaniałego.

– Ja, Paulinka i wszystkie dzieci – Marcin szybko pozbawił ją złudzeń. – Czas, żeby się poznały. Poważnie rozważam możliwość, żeby się przeprowadzić do nich na stałe. Życie na dwa mieszkania mocno mnie już zmęczyło.

Zasłoniła sobie usta dłonią. Było jej wszystko jedno, jak bardzo głupio to wygląda. Nie mogła sobie pozwolić na kolejne upokorzenie. A tym właśnie skończyłoby się wypowiedzenie tego, co cisnęło jej się na usta.

Marcin pożegnał się i zniknął w mroku, dokładnie tak samo szybko, jak się pojawił. Po chwili usłyszała dźwięk zapalanego silnika, a potem znów zapadła cisza.

– Przykro mi – Anielka podeszła bliżej. – Nie tego oczekiwałaś?

– Sama widzisz, jak to jest. Można sobie planować różne piękne rzeczy, stawiać cele, a życie i tak szybciutko zweryfikuje każdą mrzonkę. Co ja mam teraz zrobić? Pozwolić chłopcom spędzić niedzielę w obrzydliwym towarzystwie tej baby? Przecież ona będzie miała dekolt do pasa, na pewno sobie nie odmówi tej przyjemności. A z drugiej strony jakie mam wyjście? Jeśli nie pozwolę chłopcom jechać, Paulina tylko się ucieszy i przeciągnie Marcina na stronę swoich dzieci. Nie mogę im utrudniać kontaktu, wiesz, jak tęsknią za ojcem, zwłaszcza Kuba. Boże, dlaczego to wszystko jest takie skomplikowane! Dlaczego ja nie mogę jak każda normalna kobieta pójść w niedzielę z dziećmi do zoo razem z ich ojcem. Bez bab, podtekstów, dekoltów i innych takich.

Anielka mimo woli roześmiała się.

– Przepraszam, to chyba z tego napięcia. Jesteś jedyna na świecie – powiedziała, mocno obejmując siostrę. – Zawalcz, jeśli naprawdę ci zależy.

– Jasne. Widziałaś jego plecy? Myślę, że ten widok był dostatecznie wymowny.

– Co z tego? Zawsze może się odwrócić.

– Nie, Anielko, tak ci się wydaje, bo po prostu jesteś młodsza. Nie sparzyłaś się tyle razy, co ja. Owszem, są ludzie, którym się udaje, jak na przykład naszym rodzicom, ale niektórym nie pozostaje nic innego, jak tylko pogodzić się z porażką.

– To słowa niegodne prawdziwej kobiety – zawołała Aniela. – I ja ci pokażę, jak się walczy o szczęście. Ten dom za chwilę zadrży w posadach. Kiedyś ty mi wiele rzeczy tłumaczyłaś. Teraz kolej na mnie. Nie wiem, może znów będę bardzo cierpieć, ale chcę przynajmniej spróbować. I tobie radzę zrobić to samo.

Maryla zadrżała. Od strony sadu ciągnął coraz chłodniejszy wiatr.

– Wracajmy do domu – powiedziała. – Nie lubię, kiedy chłopcy są wieczorami beze mnie. Tak bardzo się martwię – przyznała się. – Szukam ciągle jakiegoś faceta, który zastąpi im ojca, ale tak naprawdę czuję, że to w gruncie rzeczy niemożliwe. Nie ma takiego drugiego jak Marcin. Co będzie, jeśli on nas zostawi na dobre? Nie tylko mnie, ale także dzieci? Wiesz, ile ja takich historii już słyszałam? W pracy, na placach zabaw, wszędzie...

Nic martw się na zapas. Najważniejsze, że widzisz, co się dzieje. Jesteś świadoma zagrożenia, więc możesz się obronić.

– Łatwo się mówi. Ale w moim przypadku nigdy nie wiadomo, co wyniknie z najlepszych nawet intencji – Maryla westchnęła i ruszyła w stronę domu.

– Już raz się w tobie zakochał i na pewno do końca mu nie przeszło, w to nie wierzę. O takich kobietach, jak ty, tak po prostu się nie zapomina mówiła Anielka, próbując jej dotrzymać kroku.

– Daj spokój. Mam walczyć o byłego faceta? I to jeszcze takiego, co poleciał na amortyzatory klasy D? To upokarzające.

– Przypomnij sobie, co mama mówiła. O rodzinę zawsze warto zawalczyć, choćby nie wiem co.

– Słaba ta złota myśl. – Marylka otarła łzy, które nagle napłynęły jej do oczu. – Jakaś taka zbyt ogólna i w gruncie rzeczy zupełnie nieprzydatna.

– Ale prawdziwa. A teraz chodź. Napijemy się herbaty. Położymy chłopców, a potem obejrzymy razem jakąś komedię, jak kiedyś. Trzeba korzystać z okazji, póki mnie jeszcze lubisz. Bo kto wie, po czyjej staniesz stronie, kiedy prawda wreszcie wyjdzie na jaw.

– Przestań! – Maryla potknęła się o leżący na trawie konar. – Ja cię nigdy nie zostawię. Julia i Gabrysia także. To jedna z niewielu rzeczy na tym świecie, których jestem pewna.

– Siostra to coś najlepszego na świecie – uśmiechnęła się Anielka.

– Zwłaszcza taka jak ty… – chciała się odwdzięczyć Maryla, ale nie zdążyła rozwinąć myśli.

– Gdzie wy się plączecie po nocy bez czapek w taki ziąb? – stanowczy głos zatrzymał je w miejscu.

Kobiety poczuły, jakby czas wykonał gwałtowny zwrot i przesunął się o co najmniej dwadzieścia lat, albo i więcej.

Ciotka Marta stała z groźną miną na schodach ganku.

– Wieje jak na dworcu, a wy sobie chodzicie z odkrytymi głowami i gadacie, jakby nie można było usiąść w domu. Szybko mi wracać. Tyle razy powtarzam, że człowiek ma tylko jedno zdrowie, ale to nic nie pomaga. I tak robicie po swojemu.

– Już idziemy, ciociu – odparły posłusznie, śmiejąc się mimo wszystkich kłopotów, o których dopiero co rozmawiały.

– I bardzo dobrze – ciotka za to nie traciła powagi. – Lepiej ze mną nie zadzierać.

– Nikt nawet o tym nie myśli… – Maryla objęła ją z jednej, a Aniela z drugiej strony. – Jesteśmy mądrymi dziewczynkami.

– To świetnie – Ciotka tym razem czujniej na nie spojrzała. Światła zapalone na tarasie pozwoliły jej na dokonanie błyskawicznej analizy, a lata wprawy sprawiły, że na wynik nie trzeba było długo czekać.

– Coś ważnego się dzieje – powiedziała.

Obie jak na komendę spuściły wzrok. Łatwo zwierzać się sobie w ciemnym sadzie, ale stanąć na tarasie oko w oko z rzeczową, twardo stąpającą po ziemi ciotką i powtórzyć te wszystkie wielkie słowa, to było o wiele większe wyzwanie.

– Możecie nie mówić, ale jedno proszę mi tu szybko obiecać. Że będziecie rozsądne. Dość już mamy kłopotów z powodu spontanicznie podejmowanych decyzji.

– Ja nie mogę obiecać – od razu zastrzegła się Aniela.

– Ty? – zdumiała się ciotka, bo cały czas, nauczona doświadczeniem, patrzyła na Marylę, tam spodziewając się komplikacji.

– Owszem. Każdy ma w życiu swój czas na bunt i dorastanie. Mój jest teraz – Anielka ruszyła w stronę domu, a ciotka podążyła za nią.

– Co za rodzina? – mruczała. – Co za ludzie? Kłopoty tak się mnożą, że króliki to z kompleksów nie wyjdą. Nie ma szans.

Maryla tylko się uśmiechnęła. W głosie ciotki słychać było tyle życzliwości, że już wiedziała, iż w razie potrzeby Anielka z pewnością będzie miała po swojej stronie przynajmniej jednego sojusznika z drugiego pokolenia.

ROZDZIAŁ 12

Helena już spała. Mocnym snem, który przynosił ukojenie i regenerację sił. Zapadła w ten błogi stan dzięki mężowi. Wciąż to potrafił zrobić. Zrelaksować ją, uspokoić czulym dotykiem. Sprawić, by zasnęła z uśmiechem na twarzy, nawet w niesprzyjających okolicznościach.

Sam jednak czuwał. Przewracał się niespokojnie w pościeli i nie pomagało nawet spoglądanie na piękną twarz żony, choć to zajęcie nigdy mu się nie nudziło. Zerknął na nią raz jeszcze, poprawił kołdrę, która zsunęła się z jej ramienia, po czym wstał.

Przeciągnął się i zrobił kilka szybkich skłonów. Zmęczone ciało sugerowało wyraźnie, że najlepsze, co można teraz zrobić, to wrócić do ciepłego wygodnego łóżka. Przytulić się do żony, zamknąć oczy i zapomnieć. Ale wiedział, że tym głosem mówi do niego starość i przegrana. Co by mu to bowiem dało? Niewiele. Rano i tak musiałby się obudzić i przypomnieć sobie o swoim trudnym położeniu. Lepiej wykorzystać chociaż część nocy na działanie, żeby po otwarciu oczu mieć na czym oprzeć odwagę konieczną do podjęcia następnych kroków.

Jeszcze raz spojrzał w stronę żony, uśmiechnął się, po czym założył ciepłą kurtkę i wyszedł na taras. Natychmiast spoważniał. Z tego miejsca światła w domu sąsiada były wyraźnie widoczne. Leszek też jeszcze nie spał.

Co robił o tej porze?

Jan zadrżał jak zwykle, kiedy o tym myślał. O ileż łatwiej byłoby pozbyć się wyrzutów sumienia, gdyby dawny przyjaciel ułożył sobie życie. Szczęśliwie się ożenił, żył w otoczeniu gromady dzieci albo miał chociaż jakąś wielką pasję, która dawałby mu spełnienie. Wtedy łatwo można by powiedzieć: nic się nie stało. Historia, jakich wiele. Odebrał wprawdzie narzeczoną najlepszemu przyjacielowi, ale to było dawno, wszyscy zapomnieli.

Tak jednak nie było. Za każdym razem, kiedy widział twarz Leszka, jakby przeoraną tym doświadczeniem, czuł, że jego dawny przyjaciel nie zapomniał. Ta historia wciąż była dla niego żywa. Codziennie mijali się i patrząc na siebie, rozdrapywali niezagojone rany. Może jeden z nich powinien się wtedy wyprowadzić gdzieś daleko, a nie mieszkać wciąż tutaj i drażnić sąsiada swoją obecnością.

Jan nie miał zbyt wielu możliwości. Dostał dom po
rodzicach i wszystko, na co było go stać, to generalny
remont. Na miejscu trzymały go też praca żony i księgarnia. Ale Leszek? Ten był wolny jak niesione wiatrem nasionko. Mógł zapuścić korzenie w dowolnym
miejscu. Lecz on wciąż tkwił tutaj, jakby napawanie
się codziennie widokiem dwóch kiedyś najbliższych
mu osób sprawiało mu niezrozumiałą masochistyczną
przyjemność.

Leszek nie mógł już łudzić się nadzieją, że los
się odmieni. Minęło zbyt wiele lat. Helena urodziła
czworo dzieci i była żoną Jana. Oddała się w pełni
swojej rodzinie.

Jan z niepokojem spojrzał na drzwi prowadzące do
sypialni. Wciąż był o tę kobietę zazdrosny. A świadomość, że po drugiej stronie ulicy mieszka dawny rywal,
każdego dnia delikatnie, ale stanowczo popychała go
do ciągłej walki.

Marta powiedziała kiedyś, że może właśnie to jest
tajemnicą sukcesu tego bardzo szczęśliwego i niezwykle trwałego związku. Prawie się wtedy obraził. To
było dla niego nie do przyjęcia. Takie prozaiczne i banalne wyjaśnienie.

Prawda była przecież inna. Połączyła ich wielka
miłość.

Ale teraz, kiedy był sam i nikt na niego nie patrzył, był bardziej skłonny przyznać, że w słowach szwagierki było trochę racji.

To nie miało jednak aż takiego znaczenia. Najważniejsze, że dłużej nie sposób tak było żyć. Ta sprawa ciągnęła się latami i nic nie zapowiadało rychłego końca. Teraz do gry włączyło się nowe pokolenie, bo jego córka Julia i syn Leszka przechodzili właśnie jakąś skomplikowaną grę uczuciową. Być może właśnie dlatego zaręczyny z Ksawerym nie doszły do skutku. Kolejne cierpienie, następna krzywda.

Ktoś musiał położyć temu kres.

Jan mocno złapał dłońmi barierkę werandy. Do takiego kroku dobrze jest się przygotować, nie działać w emocjach. Ale wiedział, że w tym przypadku to niemożliwe. Nie było sposobu, by przewidzieć reakcję Leszka.

Jan schował zmarznięte ręce do kurtki, zasunął zamek i postawił kołnierz. Ostatni raz spojrzał na drzwi prowadzące do sypialni. Czuł, że konfrontacja z dawnym rywalem kilka minut po tym, jak opuścił łóżko Heleny, jest nieco samczym zagraniem, ale potrzebował tego dodatkowego bodźca, z którego płynęła siła. Nic więcej nie miał. Stanąwszy twarzą w twarz z dawnym przyjacielem, nie miał innego wyjścia, jak tylko powiedzieć: zachowałem się jak skończony dupek.

A to nie było łatwe. Zwłaszcza dla mężczyzny dojrzałego, który zbudował dom, rodzinę, prowadził własną firmę i w głębi serca miał o sobie nie najgorsze mniemanie, które z wiekiem znajdowało potwierdzenie w słowach innych ludzi. Jan był szanowany w swoim środowisku.

Nagle znów miał wrócić do nieprzyjemnych wspomnień. Stanąć przed Leszkiem, właścicielem galerii, człowiekiem zamożnym i wpływowym, jak tamten niedorostek. Szalony młokos, który się zakochał i zapomniał o całym świecie. To bardzo trudne. Prosić o przebaczenie.

Jednocześnie Jan czuł już od dawna, że całe jego życie wciąż zmierzało do tego punktu. Że bez Leszka smak sukcesu, miłości, szczęścia nie jest już ten sam.

Ruszył w stronę posesji sąsiada.

Nie zamierzał korzystać z głównej bramy, tłumaczyć się przed bezdusznym domofonem, przechodzić przez jasno oświetloną drogę prowadzącą do drzwi. Miał własne, lepsze sposoby. W rogu ogrodu wciąż rosło drzewo, którego pień dotykał płotu. Jeśli między szczeble włożyło się stopę pod odpowiednim kątem, można było oprzeć ją o wystający sęk, podciągnąć się na rękach, złapać gałęzi i ryzykując podarciem spodni, przedostać się na drugą stronę.

Jan, jeszcze jako młody chłopak, nie jeden raz dostał w skórę za notoryczne niszczenie odzieży.

Mama lała go pasem w majestacie prawa, w tamtych czasach była to bowiem powszechnie stosowana metoda wychowawcza. Jak widać, kompletnie nieskuteczna. Jan i tym razem w dokładnie tym samym co zawsze momencie, podczas zamachu, jaki trzeba było wziąć, by przełożyć nogę na drugą stronę ogrodzenia, usłyszał charakterystyczny trzask i poczuł wiew chłodnego powietrza w okolicach własnego siedzenia.

Uśmiechnął się do tego dźwięku. Kojarzył mu się z pięknymi chwilami młodości. Nie żałował ani jednego razu, nawet tych przypadków, kiedy spadała na niego surowa kara.

Zeskoczył na ziemię i na chwilę oparł się o drzewo. Jego organizm dawał mu wyraźne znaki, żeby na chwilę zwolnił. Mężczyzna łapał haustami zimne powietrze i uspakajał przyspieszone bicie serca oraz oddech. To już nie ta kondycja co kiedyś – pomyślał.

Dziwił się, że Leszek, taki ostrożny i dobrze zorganizowany, pozwala, by ten nielegalny sposób dostawania się do jego ogrodu, który bardzo dobrze znał i sam wielokrotnie wykorzystywał, wciąż istniał. Drzewo można było przecież ściąć.

Jan uspokoił wreszcie oddech i na lekko drżących nogach podszedł pod dom. Najbardziej obawiał się, że zastanie tylko Feliksa, syna Leszka. Tłumaczenie się przed tym młokosem, zwłaszcza jeśli się weszło na cudzą posesję takim, jak by to ująć, alternatywnym wejściem, było ponad jego siły.

Zdjęty tą obawą nawet nie zdążył się zastanowić, co powie swojemu dawnemu przyjacielowi. Jak wytłumaczy powód swojej wizyty? Nacisnął dzwonek i zaczął nerwowo obgryzać paznokcie, choć dał sobie spokój z tym zwyczajem już czterdzieści lat temu.

– Witaj – w progu pojawił się gospodarz. – Spodziewałem się ciebie.

– Jak to? – Jan poczuł się tak, jakby mu ktoś podebrał puentę w dowcipie. – Nie mogłeś tego przewidzieć, więc nie udawaj – podniosły nastrój już go opuścił. Zdenerwował się.

– Ależ oczywiście, że mogłem! – Leszek uśmiechnął się z triumfem. – Wejdź, proszę – szerokim gestem wskazał wnętrze elegancko urządzonej willi. Wszystko tutaj błyszczało. Żyrandole, szyby mebli, podłogi i drewniane drzwi.

Jan wszedł, lekko zaniepokojony tą daleko idącą uprzejmością. Rozglądał się czujnie wokół, jakby się spodziewał, że zza jakiś drzwi wyskoczy tajny agent i strzeli mu w twarz.

Za dużo powieści sensacyjnych – zdiagnozował swój problem.

– Widziałem Alfreda – powiedział Leszek, wskazując gościowi miejsce na reprezentacyjnej kanapie zajmującej centralne miejsce dużego salonu. – To konkretny facet, na pewno przyjechał dobrze przygotowany. A to dla ciebie oznacza poważne kłopoty. Spodziewałem się, że zapukasz do moich drzwi, choć jednocześnie myślałem, że będziesz miał jednak więcej klasy.

Delikatne pieczenie w okolicach klatki piersiowej przerodziło się w pulsujący ból. Jan poczuł, że jego policzki zaczynają płonąć, choć fizycznie nikt go nie uderzył. Ale upokorzenie wywołało gwałtowny rumieniec.

– Nie przyszedłem prosić cię o pieniądze! – zawołał impulsywnie. W głowie mu się nie mogło pomieścić, że dawny przyjaciel choć przez moment mógł go posądzać o coś takiego.

– Naprawdę? – Leszek nie ustawał w złośliwościach. – W takim razie czemu zawdzięczam tę wizytę akurat w dniu, w którym twój brat zażądał spłaty tego, co mu się należy po rodzicach?

Teraz najlepiej byłoby odwrócić się na pięcie, trzasnąć z całej siły tymi pięknymi drzwiami, a jeszcze lepiej wcześniej wymierzyć siarczysty policzek temu cynikowi w skórze dawnego Leszka. Bo choć ten starszy mężczyzna nosił jego imię i nazwisko, to na tym podobieństwa się kończyły.

Co za głupi pomysł, żeby po tylu latach szukać w tym człowieku dawnego przyjaciela? Przecież on już nie istnieje.

Jan zachwiał się lekko, ale nie poddał pokusie.

– To zbieg okoliczności – wyjaśnił, siląc się na spokój.

– Jasne – szyderczo roześmiał się Leszek. – Jak twoje spotkanie z moją dziewczyną wtedy na łące.

– Dokładnie tak samo – odparł Jan. – Przyszedłem właśnie w tej sprawie.

Leszek odwrócił się i milczał dłuższą chwilę.

– Przyszedłem do ciebie po raz ostatni – powiedział Jan. Musiał się mocno oprzeć o wysoki regał z książkami, żeby nie dać po sobie poznać, że jego kolana z minuty na minutę coraz mocniej drżą. – Zastanów się dobrze, zanim odpowiesz albo znów mnie wyrzucisz za drzwi. Chciałbym cię przeprosić.

Leszek oddychał głośniej niż zwykle, a jego ramiona podnosiły się w regularnym rytmie.

– Proszę cię – powiedział Jan. – Dajmy tej historii odejść. Źle postąpiłem, byłem młody, głupi i zakochany. Mogłem ci o tym powiedzieć, ona powinna była z tobą najpierw zerwać, to prawda. Ale na to, co najważniejsze, nikt nie miał wpływu. Kochamy się nadal. Proszę cię, spróbuj to chociaż trochę zrozumieć. Nie niszcz swojego życia starą historią.

– Moje życie jest ułożone jak mało co. – Leszek odwrócił się i spojrzał wyzywająco Janowi w twarz. – Gdyby to w moich drzwiach stanął teraz Alfred, spłaciłbym go w dziesięć minut.

– Przyznaję, w sprawach biznesowych jesteś bardzo dobry – łagodnie odparł Jan. Bardzo mu zależało na spokojnej rozmowie.

– Nie muszę też zamartwiać się o cztery córki… – Leszek wciąż był w bojowym nastroju i chęć dokopania dawnemu rywalowi najwyraźniej przesłaniała mu wszelkie inne pragnienia.

Bo ich nie masz – pomyślał Jan, ale nie powiedział tego głośno.

– Powiadasz, że chcesz przeprosić – zastanowił się Leszek. – Tak właściwie to dlaczego, jeśli, jak twierdzisz, nie chcesz mnie prosić o pożyczkę? Chyba że jednak masz taki zamiar?

– Nie – Jan spojrzał mu w oczy, a przyjaciel po raz pierwszy od wielu lat nie odwrócił wzroku. – Choć moja sytuacja jest trudna, zamierzam sam znaleźć rozwiązanie. Mój cel jest inny.

W pokoju zapadła cisza. Słychać było tylko szum liści za oknami i delikatne trzaskanie ognia buzującego w kominku.

Jan podszedł bliżej.

– Czterdzieści lat to sporo – powiedział drżącym głosem. – Byliśmy dobrymi przyjaciółmi, życie bez ciebie już nie jest takie samo.

To był celny cios. Humanistyczne zagranie, jak by to kiedyś skomentował Leszek. Zawsze bardziej skupiony na konkretach, nigdy nie umiał ładnie mówić, jego mocną stroną były cyfry. Ale to nie oznaczało, że czuł mniej.

Zdrada najlepszego przyjaciela i ukochanej dziewczyny zachwiała jego światem. Osłabiła zaufanie do emocji. Sprawiła, że jeszcze bardziej skupił się na zimnych faktach. Ale małżeństwo z rozsądku, na które się zdecydował, nauczony bolesnymi doświadczeniami, także nie okazało się szczęśliwe. Jego żona młodo zmarła, a choć urodziło im się dwóch wspaniałych synów, małżonkowie nigdy nie znaleźli prawdziwej nici porozumienia.

Leszek podszedł do barku i nalał do dwóch szklanek alkohol o miodowym odcieniu. Zachrobotały kostki lodu, światła żyrandola odbiły się w ciemnym napoju.

– Usiądźmy – zaproponował, a Jan poczuł się, jakby właśnie dostał Pokojową Nagrodę Nobla.

Bo w języku Leszka to jedno słowo oznaczało wiele. Zgodę na dalszą rozmowę. Przyjęcie przeprosin, a może nawet otwarcie nowego rozdziału w ich wzajemnej relacji.

Jan wziął szklankę w dłoń i duszkiem wypił mocną brandy do dna, nie czekając, aż gospodarz wzniesie ewentualny toast czy zaprosi do poczęstunku. Na chwilę stracił oddech, zakaszlał, otarł załzawione oczy i poczuł, jak znakomity trunek rozgrzewa jego ciało, dodając mu energii.

– Widzę, że świat nałogu nie jest ci obcy. Nawet wprawni doświadczeni miłośnicy alkoholu nie piją takiej ilości brandy jednym haustem.

– Daj spokój – tłumaczył się Jan zachrypniętym nagle głosem – to nerwy. Trudno jest mi uwierzyć, że tutaj siedzę, ty obok mnie, i tak zwyczajnie rozmawiamy.

– Jeszcze nawet nie zaczęliśmy. – Leszek ostudził jego zapały. – Nie wiadomo, jak długo to potrwa. Wciąż moim największym marzeniem jest po prostu obić ci gębę.

– Chętnie bym się poddał, ale obaj jesteśmy już na to za starzy. Ty mógłbyś sobie uszkodzić rękę, ja zakrwawić podłogę, szkoda też takiego drogiego dywanu. Mógłby się poplamić.

Leszek po raz pierwszy lekko się uśmiechnął.

– Mów – przeszedł do rzeczy. – Póki mnie dobry humor nie opuszcza. Bo tak właściwie to jestem bardzo ciekawy. Jaki masz pomysł? Sprzedasz rodzinny biznes? A może dom i sad, bo sama ziemia nie wystarczy. Wbrew pozorom nie tak łatwo w trybie pilnym znaleźć kupca na działkę.

– Jeszcze nie wiem. – Jan zwlekał z udzieleniem odpowiedzi. – Tak naprawdę chciałbym zachować i jedno, i drugie.

– Gratuluję pomysłu – ironicznie uśmiechnął się Leszek i pociągnął delikatny łyk brandy. – To świetny projekt, pod warunkiem że masz na tajnym koncie spore oszczędności.

– Dobrze wiesz, że tak nie jest. – Jan odłożył pustą szklankę na ławę i gestem dłoni odmówił kolejnej porcji. Bał się, że zaraz straci nad sobą kontrolę.

– To dlaczego trzymasz się kurczowo niemożliwego planu? – Leszek spojrzał na dawnego przyjaciela. Czuł, że mimo wszystko wciąż go obchodzi los tego drania. Zwłaszcza kiedy znów znajdował się tak blisko. Na odległość można było czuć złość, planować nawet jakieś niecne próby odwetu, ale kiedy się patrzyło w tę dobrze znaną twarz, dawne emocje wracały.

– Bo wiem, że gdzieś musi być rozwiązanie, tylko nikt go jeszcze nie widzi – powiedział Jan i poczuł, jakby mu tona kamieni opadła z serca. Tak naprawdę żadna rozmowa nie mogła mu tego dać. Tylko Leszek znał go i rozumiał tak dobrze. – Chciałbym je znaleźć – zwierzył się ze swojego najgorętszego pragnienia.

– Mogę ci pożyczyć – westchnął Leszek. – Niedobrze mi na myśl, jak bardzo ona musi się teraz martwić, zamiast cieszyć się spokojem i bezpieczeństwem.

Jan przełknął obelgę. Pieniądze to jeszcze nie wszystko. Dobrze o tym wiedział.

– Dziękuję. To by nie rozwiązało problemu, tylko jeszcze bardziej skomplikowało całą sytuację.

– W takim razie słucham. Jaką masz inną propozycję? – Leszek był bardzo ciekawy. Jego umysł biznesmena, nawykłego do rozwiązywania problemów i poszukiwania nowych dróg, szybko przejrzał wszelkie dostępne opcje i niczego nie znalazł. Było więc dla niego sprawą oczywistą, że tym bardziej sąsiad humanista nie ma żadnych szans.

– Nie wiem – Jan potwierdził jego przypuszczenia. – Księgarnia jest częścią mnie. Należy do rodziny od pokoleń. Nie można tak po prostu jej sprzedać. Dziadkowie mieszkali na starym poddaszu. Tam urodził się mój tata. Wszyscy właściciele w pocie czoła bronili tego miejsca. Nie przesadzę, kiedy powiem, że czasem nawet z narażeniem własnego życia. A ja miałbym tak po prostu wystawić to miejsce na aukcji? I to jeszcze na jakimś prozaicznym portalu internetowym?

– Czasy się zmieniają. Takie bezrozumne przywiązanie do tradycji może cię skazać na przegraną. Przemyśl to. Nie sądzę, żebyś nie mógł pozostać sobą bez księgarni.

Nie mógłbym – pomyślał Jan, ale nie zdążył odpowiedzieć.

Do domu wszedł Feliks, syn Leszka, i stanął jak wryty. Widok, który zastał w salonie sprawił, że miał ochotę przetrzeć oczy. Dwaj zaciekli wrogowie siedzieli w najlepszej komitywie, pili brandy i rozmawiali.

– Przepraszam – cofnął się. – Nie jestem pewien, czy trafiłem do właściwego domu.

– Ja już wychodzę. – Jan szybko się podniósł.

Nie lubił Feliksa i obawiał się, że ta niechęć może naruszyć wątłe podstawy dopiero co zawiązanego pokoju.

Oskarżał tego młokosa w duchu, że pojawił się w niewłaściwym momencie i swoimi knowaniami doprowadził do tego, że Julia zerwała ze swoim długoletnim chłopakiem Ksawerym tuż przed planowanymi zaręczynami. Co więcej, Feliks wcale się tego nie wstydził i jeszcze się zarzekał, że będzie walczył nadal o Julię, choć ta odtrąciła także i jego.

– Dziękuję ci... – Jan odruchowo podał dłoń Leszkowi, ułamek sekundy za późno zdając sobie sprawę, że może to być gest o mocno symbolicznym znaczeniu. Mogło się okazać, że o ten jeden za dużo jak na pierwszy wspólny wieczór. Ale gospodarz uścisnął jego rękę i nawet się uśmiechnął.

– Przyznam szczerze: jestem ciekawy. Jak w najlepszym serialu, kiedy sezon kończy się w kulminacyjnym momencie i przeszukujesz Internet, żeby ściągnąć kolejne odcinki. Z takim samym napięciem będę czekał, co ty wymyślisz.

Ja też – pomyślał Jan. Minął stojącego jak słup soli Feliksa i wyszedł na dwór.

Brama otworzyła się automatycznie, co oszczędziło jego nadwyrężonym spodniom kolejnych niebezpieczeństw.

Był w dobrym nastroju, czuł się tak lekko jak kiedyś, w młodości, kiedy jeszcze wierzył, że wszystko jest możliwe.

Rozmowa z przyjacielem dodała mu skrzydeł. Wykonał pierwszy krok i od razu się udało. Nie miał wciąż pomysłu, co powinien zrobić teraz, ale jedno wiedział na pewno: sadu nie sprzeda, a o tym, żeby utracić księgarnię, nie ma nawet mowy.

ROZDZIAŁ 13

—————

– Zamieściłem już ogłoszenie. – Alfred wczesnym rankiem rozsiadł się w kuchni i częstując się domowymi smakołykami, pokazywał na rozłożonym laptopie stosowną stronę.

Jan, który obudził się w bardzo dobrym nastroju, na ten widok natychmiast się zdenerwował.

– Zobacz... – Brat, niezrażony miną gospodarza, odwrócił laptop w jego stronę i pokazał zdjęcie księgarni. Było mocno zmienione. Profesjonalny fotograf podretuszował detale, podkreślając atrakcyjność wnętrza. Jan zgrzytnął zębami. Gdyby wiedział, że to taki specjalista, nie wpuściłby go za próg. Zgodził się na wykonanie fotografii, właściwie nie mógł zaprotestować, ale w głębi serca liczył na to, że stary budynek po prostu nie znajdzie nabywcy. Kto by chciał teraz kupować księgarnię.

– Cenę dałem korzystną – ciągnął dalej Alfred, ignorując milczenie brata. – Sporo wyświetleń. Już dzisiaj spodziewam się pierwszych telefonów w tej sprawie.

– Dałeś mój numer?

– Ależ skąd – odparł Alfred. – Mój. Znam wszystkie szczegóły, łatwiej mi będzie prowadzić negocjacje. Ty masz teraz sporo spraw na głowie, a ja mogę się tym zająć.

Jan opadł z impetem na krzesło. Znaczenie wykonywanych przez niego niewerbalnych gestów było aż nadto czytelne. Całe jego ciało wielkim głosem protestowało przeciwko każdemu kolejnemu słowu brata. Ale Alfred nie był miłośnikiem czytania. Ani z ksiąg, ani z ludzkich twarzy.

– Do końca przyszłego tygodnia będziemy zbierać oferty – mówił z entuzjazmem. – Potem je porównamy i podejmiesz decyzję. Czekają nas jeszcze sprawy urzędowe, a ja jak najszybciej chciałbym wracać do siebie.

– Nie dziwię się, że amerykańska gospodarka rządzi światem, skoro ludzie tak sprawnie podejmują tam decyzje – Jan skrzywił się wymownie. – Sprzedają, kupują, przeprowadzają się i serce im nawet nie drgnie z powodu utraconego dziedzictwa.

– Proszę cię… – Alfred spróbował dyniowego chleba z domowym masłem i tak długo delektował się błogim smakiem, że prawie zapomniał, co miał powiedzieć. Szybko wrócił jednak do meritum. – Daj spokój – zwrócił się do brata. – Nie utrudniaj. Wiedziałeś od początku, że nie ma innego wyjścia, a ja dałem ci i tak bardzo dużo czasu. To nie jest uczciwe, wzbudzać teraz we mnie wyrzuty sumienia, jakbym był czemuś winny. Nie ja tak urządziłem rzeczywistość, że twoja księgarnia przestała być rentowna. Powiem ci szczerze, to ostatni moment, żeby ją korzystnie sprzedać.

– Przepraszam. – Jan wstał. Nawet nie pomyślał, że w takiej sytuacji mógłby coś przełknąć. – Zgoda. Dałeś to ogłoszenie. Rozmawialiśmy o tym – przyznał uczciwie. – Ale jeszcze dzisiaj wciąż tam pracuję. Prawda?

– Jest sobota, jednak jeśli tylko takie macie zasady, to oczywiście tak.

– W takim razie pożegnam się z tobą. Helena dotrzyma ci towarzystwa. My z Anielką ruszamy na plac boju.

Jan cały się gotował w środku od z trudem wstrzymywanej złości. Tak go podsumować! Tak przekreślić bez szansy na podjęcie choćby niewielkiej próby. To nie było w porządku.

Alfred pokręcił tylko głową z politowaniem wobec tych wielkich, jego zdaniem zupełnie nieodpowiednich w tej sytuacji słów i emocji. Jednak nic nie powiedział. Szanował brata, lubił za jego romantyczne usposobienie, dzielność i mądrość życiową. Współczuł mu, ale nie zamierzał ustąpić.

ROZDZIAŁ 14

Maryla w sobotni ranek wcześnie otwarła oczy. Wstała cichutko, żeby nie obudzić smacznie śpiących chłopców. Zarzuciła na plecy dyżurny szlafrok, który zawsze tutaj na nią czekał i wymknęła się do łazienki. Spojrzała przez okno na sad, ale Anieli jeszcze nie było. Może zaspała? – zastanowiła się. To było dość mało prawdopodobne. Najmłodsza siostra była słowna jak przedwojenny dżentelmen.

Maryla szybko się umyła. Z konieczności była bardzo dobrze zorganizowana. Zwykle nie miała rano zbyt wiele czasu dla siebie, a zależało jej na tym, by dobrze wyglądać. Twarz, włosy i dobra figura to było wszystko, co miała. Nie było jej stać na markowe ubrania, a szukanie okazji na przecenach odpadało ze względu na brak czasu, wytłumaczyła więc sobie, że to nie jest istotne, i pogodziła się z tym. Ale makijaż wykonywała codziennie, a wieczorem zawsze, choćby była nie wiedzieć jak bardzo zmęczona, zmywała go starannie, wklepując w twarz krem pielęgnacyjny.

Dzisiaj nie wybierała się do pracy, miała w planach sprzątanie ogrodu. Założyła więc dres, ale użyła pudru, tuszu do rzęs i perfum, które zawsze nosiła w torebce. Dla swojego komfortu psychicznego. Przyjrzała się sobie w lustrze.

Gdyby się choć troszkę uśmiechnąć, może nawet nie byłoby tak źle. Kiedyś, patrząc w lustro, katowała się, wynajdując w swoim wyglądzie wciąż nowe powody do niezadowolenia. Ale odkąd skończyła czterdzieści lat, całkowicie zmieniła taktykę. Zaczęła doceniać to, co dała jej natura. Piękne, wciąż jasne włosy, regularne rysy twarzy, brak skłonności do tycia, co przy jej nieregularnym trybie życia było prawdziwym błogosławieństwem.

Owszem, cerę miała mocno piegowatą, bardziej nawet niż jej ruda siostra, wokół oczu zmarszczki gromadziły się, jakby je ktoś zwołał na walne zebranie, a włosy zbyt często skręcały się nie tak jak powinny. To jednak nie było już istotne. Podobała się sobie i była przekonana, że mogłaby też zauroczyć kogoś innego. Ale jakoś jej nie szło.

Wyszła z łazienki, zajrzała do chłopców, a widząc, że smacznie śpią, udała się na dół w poszukiwaniu mamy, której chciała powierzyć opiekę nad synkami.

– Jak się spało? – Mama jak na zawołanie wyłoniła się ze spiżarni. – Chodź do kuchni. Zjemy sobie razem pyszne śniadanie.

– Domowe jedzenie dobre na wszystko… – Maryla powiedziała to bez przekonania.

– To nie rozwiąże problemów – przyznała mama – ale z całą pewnością nie zaszkodzi – uśmiechnęła się i serdecznie przygarnęła córkę. – Nie martw się. Statystyki są po twojej stronie. Tak dużo było ostatnio trudnych chwil, że teraz może już być tylko lepiej.

– Obawiam się, że za długo już żyję, żeby uwierzyć w takie teorie.

– Wiary w dobre rzeczy nigdy za wiele.

– Kto już zjadł śniadanie? – Maryla spojrzała na stół z kilkoma nakryciami i talerze, na których wyraźnie naruszono starannie przez mamę przygotowane potrawy. Spodziewała się, że będzie pierwsza.

– Wujek Alfred zjadł skoro świt i ruszył na spacer po krótkiej rozmowie z ojcem, w której więcej było niedopowiedzeń niż słów – skrzywiła się lekko. – Nie podoba mi się to – podsumowała. – Oprócz tego tata zerwał wcześnie Anielkę z łóżka i pojechali razem do księgarni. – Mina mamy wyraźnie mówiła, że ocenia ten postępek podobnie nisko jak zachowanie amerykańskiego gościa. – Mają ponoć pracować – dodała. – A przecież dzisiaj sobota… Nie będzie wielkiego ruchu. Dałby się przynajmniej dziewczynie wyspać. Jest jakaś nieswoja.

– Dorasta – Maryla przypadkiem trafiła w sedno.

– Ależ o czym ty mówisz! To dobre dziecko, czasy buntów i zmian dawno ma za sobą. Przygotować ci kakao? – zapytała, zmieniając temat.

– Zawsze – odparła Maryla. – Nawet jeśli za oknami miałyby właśnie nastąpić koniec świata, nie dałoby się odmówić takiej propozycji. A wracając do Anielki. Czy ty pamiętasz, żeby ona sprawiała jakieś kłopoty, kiedy była nastolatką?

– Oczywiście, że nie. Sama wiesz, jak było.

– Właśnie. Więc dajcie jej szansę, niech się dziewczyna wreszcie usamodzielni, przejdzie przez ten konieczny etap buntu.

– No wiesz – oburzyła się mama, a mleko jednocześnie zaczęło kipieć w rondelku, jakby w pełni popierało jej opinię. – Sugerujesz, że nie pozwalamy jej dorosnąć?

– Nie, ale wasze zasady nie są łatwe i ktoś tak nieśmiały jak ona może mieć trudności, żeby przyznać, że wszystkie złamał. – Maryla znów w jakimś przypływie natchnienia trafnie rozpoznała problem.

– O czym ty mówisz? – Mama z przejęcia porzuciła gotowanie, co nie zdarzało jej się często. – Anielka coś ci powiedziała? Zwierzyła się wreszcie, kto jest ojcem Ani? Ma kłopoty? – rozpędzała się.

– Nie, mamo. Nic więcej nie wiem. Mogę się tylko domyślać, ale sądzę, że nie ma powodu do niepokoju. Cokolwiek Anielka postanowi, da sobie radę.

Helena przypomniała sobie o mleku. Widać było, że jest wzburzona i trudno jej skupić się na pracy, ale ręce nie potrzebowały wytycznych. Działały automatycznie. Szybko przygotowała kakao, dosypując do kubka sobie tylko wiadome składniki. Przyjemny aromat uniósł się nad stołem.

To nigdy nie mija – pomyślała Maryla. – Można mieć czterdzieści lat, własne życie, dzieci i poglądy, a ciepłe kakao przygotowane dłonią kochającej mamy zawsze ma kojącą moc. I wciąż jest potrzebne.

ROZDZIAŁ 15

Jan spędził w księgarni prawie całą sobotę, a w poniedziałek skoro świt zerwał się, kiedy rodzina jeszcze spała i znów popędził do pracy. Wciąż nie miał pomysłu, jak rozwiązać swoje problemy, ale kurczowo trzymał się wypełniania obowiązków.

Anielka ucieszyła się, kiedy rano nie zastała go w domu. Miała swoje plany, które rosły w jej sercu jak wątłe ziele pozbawione dostępu światła. Wszystko mogło im zaszkodzić. Spojrzenie taty, czyjeś słowa, własne obawy. Dlatego nie chciała z nikim rozmawiać. Zawiozła córkę do szkoły, uściskała serdecznie i zapowiedziała, że wróci późno.

Potem wysłała wiadomość do mamy z prośbą o odebranie Ani i stanęła na przystanku. Popularne linie busów zabierały pasażerów do Krakowa. Pojazd zatrzymywał się na kolejnych przystankach i chłodne powietrze przynosiło odrobinę orzeźwienia ściśniętym w duchocie pasażerom. Kraków był celem podróży dla wielu mieszkańców miasteczka. Pracowali tam, uczyli się, studiowali.

Anielka oparła głowę o szybę i wpatrywała się w mijane samochody. Bus jechał wolno. To jej nie przeszkadzało. Zrezygnowała z jazdy samochodem, gdyż chciała w drodze jeszcze się namyślić, lepiej przygotować do czekającej ją rozmowy. Ale szybko zrozumiała, że to niemożliwe. Myśli przelatywały przez jej głowę, nie pozostawiając żadnych wniosków.

„Mężczyźni nigdy się nie zmieniają" – powiedziała jej siedem lat temu ciotka Marta. Siedziała wtedy na ganku i korzystając z pięknej pogody, przesadzała kwiaty doniczkowe. – Gdybym miała dziecko – mówiła z przekonaniem w głosie – postawiłabym jego dobro na pierwszym miejscu, ponad wszystko.

Te dwa zdania wypowiedziane jednego wiosennego popołudnia dotyczyły kogoś zupełnie innego i ciotka nawet nie przypuszczała, że Anielka może je potraktować jako radę w swojej sprawie. Pewnie mocno by się wystraszyła, gdyby wiedziała, jakie będą konsekwencje lekko wypowiedzianych słów. Nie miała świadomości, że te zdania tak mocno zapadły w serce dziewczyny i utwierdziły ją w słuszności podjętej wcześniej decyzji.

Nie wiedziała, że zaraz potem jej najmłodsza siostrzenica poszła do swojego pokoju i jak automat wykonała kolejne czynności, których szczegóły przemyślała w ciągu jednej nieprzespanej nocy, dążąc do tego, by spalić za sobą wszystkie mosty. Wyciągnęła kartę z telefonu i na wszelki wypadek wrzuciła do ubikacji, po czym obficie spłukała. Skasowała fikcyjne konto na Facebooku oraz skrzynkę mailową. Postanowiła stanowczo, że jej noga już nigdy nie postanie w Warszawie. I tyle. To wystarczyło. Po dziewczynie, którą była przez kilka miesięcy, ślad zaginął.

Takie to teraz proste. Nie trzeba chować się naprawdę. Wystarczy się wylogować i w wielu kręgach przestaje się istnieć. Zwłaszcza jeśli się funkcjonowało pod fałszywym nazwiskiem, wymyślonym naprędce nickiem i przefarbowanymi na czarno włosami.

Do niego nie odezwała się nawet słowem. Nie wytłumaczyła przyczyn nagłego zerwania. Cieszyła się tylko, że nie podała mu żadnego tropu, po którym mógłby dojść, kim naprawdę jest. Ludwik miał pieniądze, wpływy i silny charakter, ale nawet on nie zdołał rozwikłać tej zagadki.

A może wcale nie chciał? – Anielka poczuła znajomy dreszcz. Zimna szyba owiewana z zewnątrz chłodnym wiatrem nie dodawała wnętrzu busa przytulności. Temu więc Aniela przypisała fakt, że nagle musiała ciaśniej owinąć się kurtką.

Strach podpełznął cicho, by spowodować gwałtowne przyspieszenie bicia serca.

Czy to dobra decyzja?

Są takie sytuacje w życiu, kiedy nad kolejnymi krokami można i warto się zastanowić. Ale w tym przypadku to się nie sprawdzało. Myślała już o tym od siedmiu lat. Od pierwszej chwili, kiedy przytuliła do policzka ciepłą maleńką główkę, pokrytą miękkimi, delikatnymi włosami. Wiedziała, że ten pierwszy kontakt matki z nowo narodzonym dzieckiem jest ważny, czytała o tym na forach dla kobiet w ciąży, ale nie sądziła, że działa wtedy tak niezwykła magia. Tworzy nić, emocjonalną pępowinę, z których rodzi się prawdziwa czysta miłość.

Do tej pory pamiętała każdą sekundę składającą się na te pierwsze chwile z córeczką.

I tę myśl, która szybko pojawiła się po jej narodzinach.

Czy Ludwik też powinien przy niej być? Czy miała prawo pozbawić go tej szansy?

Kierowała się logicznymi argumentami oraz dobrem dziecka. Wydawało jej się, że podejmuje jedyną słuszną decyzję.

Ludwik nie nadawał się na ojca. Wielokrotnie powtarzał, że nie chce mieć dzieci. Dobrze się zabezpieczał, nie ufał pod tym względem swoim partnerkom, byłym żonom ani obecnym narzeczonym. Ale tym razem coś nie zadziałało.

Anielka uznała więc, że ta niespodziewana ciąża to wyłącznie jej sprawa i uczciwie będzie usunąć się

w cień. Nie narażać siebie i dziecka na stres odrzu-
cenia. Nie przechodzić przez wszystkie upokorzenia
związane z poniżającymi propozycjami, mętnymi wy-
jaśnieniami i nielogiczną argumentacją.

Ludwik nie chciał dziecka, ona wręcz przeciwnie.
Niespodzianka w postaci dwóch niebieskich krese-
czek na teście ciążowym bardzo ją ucieszyła. W jej
rodzinie dziecko zawsze było cennym darem.

Ale Anielka była też po prostu stworzona do macierzyństwa. Jej instynkt był silny, zdrowy i prostą
drogą prowadził ją do spełnienia się w tej właśnie roli.

Łatwo było jej więc uznać, że narodzona córeczka
to tylko jej sprawa. Zawinąć zazdrośnie kocyk i nie
pozwolić, by ktoś spoza rodziny do niego zajrzał.

Odsunęła od siebie myśl o Ludwiku. Stłamsiła ból
i tęsknotę. Skupiła się na swoim cudownym rudowło-
sym maleństwie. Na początku z niepokojem witała
każdy dzwonek do drzwi, ale z czasem przestała się
bać. W kwestii jej znalezienia Ludwik był bez szans.

Anielka nie bywała w Warszawie, zwłaszcza w zamożnych kręgach biznesowych. Nawet do Krakowa
nie jeździła zbyt często. Początkowo życie toczyło się
gładko. Dziecko absorbowało jej uwagę tak, że nie
starczało już sił i czasu na nic innego.

Ale dość szybko zorientowała się, że łatwiej wykasować z sieci historię znajomości niż usunąć z serca
prawdziwą miłość. To też było dla niej zaskoczeniem.

Rzuciła się z zamkniętymi oczami w związek z tak zwanym nieodpowiednim mężczyzną. Zmieniła wygląd, podała mu fałszywe nazwisko, ponieważ wstydziła się przyznać nawet sama przed sobą, że nie potrafi się oprzeć... Choć doskonale rozumiała, jakie podejmuje ryzyko.

Autobus zatrzymał się gwałtownie na światłach, jakby kierowca w ostatniej chwili podjął decyzję, że jednak nie będzie forsować skrzyżowania. Aniela z impetem poleciała głową do przodu, cudem unikając czołowego zderzenia z oparciem siedzenia znajdującego się przed nią.

Oprzytomniała i spojrzała w okno. Dworzec w Krakowie. Czas było przesiąść się do pociągu i ruszyć w stronę Warszawy. Miasta, którego nazwy nawet nie wymieniała. Bała się, więc szybko porwała niewielką podręczną torbę i pobiegła w stronę peronów. Chciała wsiąść do pociągu, zanim strach sprawi, że się rozmyśli.

Wpadła do swojego przedziału, odczytała na zakupionym online bilecie numer miejsca i chwilę później była w drodze. Teraz już nie było odwrotu, bo pociąg nie zatrzymywał się na żadnych pośrednich stacjach. A Aniela nagle poczuła, jak cała jej pewność siebie się ulatania, plan rozsypuje, argumenty bledną. Za to rośnie strach. Gdyby mogła, wysiadłaby teraz i natychmiast zawróciła do domu.

Takiej możliwości jednak nie było.

Anielka wyciągnęła telefon i zadzwoniła do Julii. Posiadanie trzech sióstr w dzieciństwie nie wydawało jej się aż tak korzystną okolicznością. Ale kiedy dorosła, bardzo doceniła fakt, że zawsze jest obok ktoś, na kogo można liczyć. Nawet jeśli jedna z nich czy nawet dwie były zajęte, zawsze pozostawała trzecia. A czasem pomagały wszystkie.

Cześć, kochana. – Julia odebrała od razu, choć jak zwykle od rana była już w przychodni. Aniela słyszała szczekanie psów i odgłosy prowadzonej w gabinecie rozmowy.

– Pewnie jesteś zajęta – powiedziała, gotowa natychmiast się wycofać.

– Nie tak bardzo – odparła siostra. – Jesteśmy we dwie na dyżurze i mamy dzisiaj same przyjemne przypadki. Odpukać. Szczepienia, kontrole i tak dalej. Mów, co się dzieje.

– Jestem w drodze do Warszawy – przyznała się Anielka, a Julia wyszła do sąsiedniego pomieszczenia. Czuła, że to nie będą zwykłe pogaduszki, ale bardzo ważna rozmowa.

– Słusznie się domyślam, że jedziesz do tego mężczyzny? – zapytała.

– Tak. Ale chyba na dworcu odwrócę się na pięcie i wrócę najbliższym pociągiem z powrotem. Nie wiem, czy dobrze robię. Może lepiej nie ryzykować, nie budzić śpiących upiorów?

– Nie dowiesz się tego. Jedyny sposób to sprawdzić.

– Ale Ludwik nigdy nie chciał mieć dzieci. Co będzie, jeśli po prostu wyrzuci mnie za drzwi?

– Nie mam pojęcia, będziemy się wtedy martwić – powiedziała Julia. – Są takie sprawy, w przypadku których człowiek nigdy nie wie, jak się zachowa, dopóki go to osobiście nie dotknie. Widzisz, ja też nie planuję dzieci. Mam teraz inne sprawy na głowie i nawet jeśli bym się zakochała, nic by się w tej sprawie nie zmieniło. Nie ukrywam tego. Jednak gdybym jakimś niespodziewanym cudem zaszła w ciążę, moje poglądy mogłyby się zmienić.

– Nawet tak nie mów – wystraszyła się Anielka, bo taka sytuacja byłaby dowodem na to, jak bardzo się pomyliła. – Zresztą w przypadku Ludwika jest zupełnie inaczej. Nie znasz go. To nie jest taki grzeczny mężczyzna jak tata. Ale jednocześnie jest wyjątkowy.

– Czuję, że go polubię. Nie wierzę, że zakochałaś się w palancie. Na to jesteś za mądra.

– Przeceniasz mnie. Ja nie jestem tego taka pewna. A jedyny sposób, by się przekonać, to stanąć z nim twarzą w twarz. Nawet się nie domyślasz, jakie to trudne. Może lepiej wrócę do domu?

– Nie – stanowczo odparła Julia. – Już raz to zrobiłaś. Nie sprawiałaś wrażenia specjalnie szczęśliwej przez ostatnie lata. Macierzyństwo to jeszcze nie wszystko. Stań przed tym gościem i wykrzycz mu swoje racje prosto w twarz.

– A jeśli się nie uda?

– Wtedy wrócisz, zorganizujemy siostrzaną naradę i coś wymyślimy. Ale wierzę w ciebie.

– Dziękuję – wyszeptała Aniela.

– Muszę kończyć – powiedziała Julia. – Będę czekać. Daj znać, jak poszło.

Rozłączyła się. Pilne sprawy pacjentów pociągnęły ją w stronę obowiązków. Aniela czuła się już trochę lepiej. Wygodniej ułożyła się na siedzeniu. Pociąg był nowoczesny i pędził z niezłą szybkością. Moment konfrontacji zbliżał się nieubłaganie.

* * *

W Warszawie wysiadła i szybko ruszyła w stronę postoju taksówek. Była gotowa na wszystko. Od możliwości, że nikt nawet jej nie otworzy, po taki scenariusz, że wróci do Krakowa już tylko po córkę, by z nią rozpocząć zupełnie nowe życie w stolicy. Obcasy stukały po równiutkim chodniku, a Anielka z każdym krokiem zbliżała się do jednego z najważniejszych momentów w swoim życiu.

Po raz pierwszy czuła się zupełnie nieprzygotowana. Obserwowała wprawdzie profil Ludwika w sieci.

Z biciem serca oglądała wszystkie zdjęcia i czytała posty. Głównie dotyczące życia zawodowego. Czasem pojawiały się informacje o wyjazdach, zawsze w większej grupie lub samotnie. To pozwalało jej łudzić się nadzieją, że wciąż jest sam.

Ale nie mogła w to uwierzyć. W końcu nie każdy musi się ze wszystkiego zwierzać w sieci. A scenariusz, że ten niepoprawny kobieciarz do tego stopnia się zmienił, wydawał jej się zupełnie nieprawdopodobny.

Podniosła kołnierz płaszcza i ruszyła niepewnym krokiem w stronę postoju taksówek. Bała się, że jeśli będzie zastanawiać się choćby minutę dłużej, nie starczy jej odwagi nawet na to, by przekroczyć próg firmy, w której zgodnie z jej przewidywaniem znajdował się teraz Ludwik, a co dopiero odbyć trudną rozmowę.

Podała kierowcy adres i zacisnęła usta. Musiała teraz wytrzymać.

ROZDZIAŁ 16

– Pan dyrektor jest zajęty. – Młoda sekretarka o imponująco gęstych i długich włosach uśmiechnęła się służbowo. Anielka przyjrzała jej się uważnie. Dziewczyna była wyjątkowej urody. Ciemne oczy otaczały bujne brwi, skóra była gładka i napięta, a ciało z pewnością sprężyste.

Ciekawe, czy z nią sypia? – Ta myśl musiała się pojawić. Ludwik zwykle nie odmawiał sobie żadnych przyjemności i raczej nie można się było spodziewać, że zatrudnił ten niezwykły okaz kobiecych wdzięków, żeby codziennie ćwiczyć siłę charakteru.

Uciekaj! – Ta sama myśl już kiedyś ostrzegawczo pojawiła się w jej głowie, zaraz po tym, jak Ludwik po raz pierwszy podał jej dłoń i przedstawił się głosem o niskim, ciepłym, bardzo męskim brzmieniu. Wtedy nie posłuchała. I nawet po siedmiu latach tęsknoty oraz samotnego macierzyństwa wciąż nie umiała żałować tego kroku.

– Rozumiem. Spodziewałam się tego – odpowiedziała wpatrującej się w nią sekretarce. – Wiem, jaki ma tryb pracy, a ja nie byłam umówiona. Poczekam.

Kobieta spojrzała na nią z nieskrywaną już ciekawością. Na końcu języka miała zapewne kilka nietaktownych pytań, ale szybko się opanowała.

– To może długo potrwać – zastrzegła. – Pan dyrektor ma dzisiaj kilka ważnych spotkań poza biurem. Za dwie godziny wyjdzie i może już do firmy nie wrócić.

– Zaryzykuję. – Anielka usiadła i rozpięła kurtkę. – Przyjechałam z daleka – wyjaśniła i w tym samym momencie uchwyciła czujne spojrzenie sekretarki badawczo wpatrującej się w jej płaski brzuch. Niektóre kobiety mają chyba aparat USG wbudowany w oczy, bo widać było, że asystentka dyrektora uznała trop za fałszywy.

Anielka westchnęła. To wszystko tylko potwierdzało jej przypuszczenia. Ludwik w ciągu tych lat wcale się nie zmienił. Jego sekretarka nawet nie zapytała, czy Aniela ma do załatwienia jakąś służbową sprawę. Nie przyszło jej to do głowy. Od razu założyła, że dziewczyna jest jedną z wielu kobiet, które miały za sobą skomplikowaną i najczęściej nieszczęśliwą historię miłosną z Ludwikiem w roli głównej. Ale fakt, że wymownie spoglądała na jej brzuch, był dość zdumiewający. Niechęć Ludwika do przedłużania rodu nigdy wcześniej nie była tajemnicą.

Westchnęła.

Może to się zmieniło? Może dojrzał, ustabilizował się i założył rodzinę? Takie historie przecież się zdarzały. I to wcale nie tak rzadko.

A co, jeśli w ciągu tych siedmiu lat zastanawiania się straciła swoją szansę?

Pochyliła głowę i wyciągnęła telefon. Chciała sprawdzić, czy nie ma jakiejś wiadomości od córeczki. Włosy opadły jej na ramię, zasłaniając prawie cały policzek.

Nie dostrzegła Ludwika wychodzącego z gabinetu. A on na jej widok przystanął. Ciemnokasztanowe sploty spływające po plecach i ramionach nieznanej dziewczyny zafascynowały go. Anielka podniosła głowę, a potem gwałtownie zerwała się z krzesła. Stanęła naprzeciw niego, bardzo blisko. Przekraczając granicę prywatności, jak to czynią ludzie bardzo sobie drodzy i dobrze znajomi.

Spojrzała w jego twarz i poczuła dokładnie to samo, co wtedy, siedem lat temu. Wielką falę fascynacji i czułości. Teraz jednak nie straciła głowy. Nie była już tamtą młodą, pierwszy raz zakochaną dziewczyną, lecz świadomą siebie kobietą, a także mamą.

– Witaj, Ludwiku – powiedziała i zobaczyła, jak jego twarz się zmienia. Pojawia się na niej najpierw zaskoczenie, potem gniew, a na końcu zrozumienie.

„Oszukałaś mnie!" – Te słowa nie pojawiły się w jego ustach. Na taką reakcję Ludwik był zbyt dumny. Ale wyraźnie zarysowały się w oczach.

Anielka myślała już, że mężczyzna zaraz odwróci się i odejdzie bez słowa do swojego gabinetu.

– Chciałabym z tobą porozmawiać – zaczęła od tego niezbyt odkrywczego tekstu. Czuła na sobie rozpalony ciekawością wzrok sekretarki. Miała wrażenie, że od jego intensywności pojawiają się dziury z tyłu jej głowy, przez które uchodzi cała odwaga i siła. Musiała działać szybko. Podeszła bliżej. – Proszę cię, poświęć mi kilka minut – powiedziała z naciskiem i od razu zrobiła kilka kroków w stronę otwartych drzwi gabinetu.

Ludwik wyraźnie się zawahał, a to tylko dodało Anieli odwagi. Widać było, że targają nim wielkie emocje. Jego twarz ściągnęła się w gniewnym grymasie, co chwilę zaciskał pięści, by znów je prostować, zapewne nawet nie zdając sobie z tego sprawy. Nie miał wobec niespodziewanego gościa zbyt wielu ciepłych uczuć, ale to nie stanowiło przeszkody. Aniela najbardziej obawiała się obojętności. Martwiła się, że Ludwik zwyczajnie zdążył już o niej zapomnieć. W tym kraju jest przecież tyle kobiet… Nie ma szans, żeby młody, zdrowy, przystojny i obdarzony charyzmą mężczyzna pozostał sam przez siedem lat.

Ludwik zacisnął usta.

– Dobrze – wypowiedział w końcu z wyraźnym trudem, choć zwykle był elokwentny i nie miał kłopotów z dobieraniem słów. – Zapraszam. Pani Magdo – zwrócił się do sekretarki. – Proszę, żeby nikt nam teraz nie przeszkadzał.

– Ależ panie dyrektorze – oburzyła się kobieta. – Zą chwilę przyjdzie komisja budowlana. Byli umówieni.

– Proszę przesunąć o pół godziny – polecił i wszedł do gabinetu, unikając w ten sposób kolejnych pytań, na przykład o to, czy zdaje sobie sprawę, że to burzy cały precyzyjnie ustalony porządek dnia.

Kilkoma długimi krokami pokonał przestronne pomieszczenie i stanął za biurkiem, jakby chciał dodać sobie odwagi i prestiżu.

– Nawet nie wiem, jak naprawdę masz na imię – zaczął. Można było wyczuć, że za tymi słowami czeka już fala kolejnych, słusznych pretensji.

– Aniela – odpowiedziała szybko. – Ale wszyscy mówią na mnie Anielka. Taki syndrom najmłodszego dziecka w rodzinie…

– Rozumiem więc, że masz też rodzeństwo – sarkastycznym tonem przerwał jej Ludwik, a ona zmieszała się nieco.

– Wybacz, kłamstwo nie jest, wbrew temu, co mógłbyś sądzić, moją mocną stroną. Już nie pamiętam, co ci wtedy naopowiadałam. To był pierwszy i jedyny raz w moim życiu. Na dodatek… zupełnie spontaniczny.

Mężczyzna nie odpowiedział. Był wyraźnie zły.

– Zrobiłeś na mnie tak wielkie wrażenie, że straciłam głowę. Naprawdę. Nie wiedziałam, co robię i mówię. Minęło tyle lat, a to wciąż trwa…

Te słowa posypały się po dywanie jak srebrne kulki. Dotarły za biurko i sprawiły, że dłonie Ludwika mocno się zacisnęły.

– Co ty nie powiesz? – zawołał. – Dla mnie nie. Ja jestem przecież tylko nędznym podrywaczem, trzykrotnym rozwodnikiem, który nie zasługuje nawet na pożegnalny esemes z kilkoma kłamstwami. Tacy jak ja nie kochają. Wszystkie kobiety tak właśnie mnie oceniają. Ale ty jedna wiedziałaś, jaka jest prawda.

Ludwik wyszedł zza biurka i zaczął się do niej zbliżać.

– Przyznaj się. Dobrze wiedziałaś – zawołał głośniej. – Czyż nie tak?

Z trudem zaczerpnęła powietrza.

– Doskonale zdawałaś sobie sprawę, że to nie był zwykły romans. Mimo tego oszukałaś mnie z zimną krwią i po prostu zostawiłaś bez słowa, kiedy zabawa ci się znudziła. Co sobie myślałaś? – krzyknął. – Że wspaniale się zemściłaś za te wszystkie kobiety, które cierpiały przeze mnie? Cóż za genialny plan – roześmiał się szyderczo. – Ale jesteś ode mnie stokroć gorsza. Bo ja nikogo nie skrzywdziłem świadomie. Za każdym razem wydawało mi się, że to prawdziwa miłość. Żeniłem się, zapewniałem tym kobietom byt. To nie tylko moja wina, że nie wychodziło. A ty? Zabawiłaś się i odeszłaś. Splunąłbym ci pod stopy, ale szkoda mi wykładziny.

Odwrócił się. Ramiona mu drżały, a mocno zaciśnięte pięści pokazywały białe kostki.

Tak. Ludwik nie zawsze zachowywał się jak dżentelmen i nie był tak zwanym odpowiednim mężczyzną. Aniela poczuła dreszcz na samą myśl, co by powiedział tata, gdyby usłyszał to ostatnie zdanie. Ale to nie miało znaczenia. Bo ona była odpowiednią kobietą dla niego.

Podeszła bliżej i objęła jego plecy, po czym przylgnęła do nich całym ciałem. Ludwik drgnął i gwałtownie się odwrócił.

– Coś ty mi zrobiła? – zapytał ze złością i złapał ją za ramiona, po czym mocno potrząsnął. – Nigdy świadomie nie skrzywdziłem kobiety, a teraz naprawdę mam na to ochotę.

– Nie mów tak... – Zdjęła jego dłonie ze swoich ramion i uścisnęła. – Nie wiesz wszystkiego. Zostaw największe groźby na potem... – Anielka się uśmiechnęła.

Nie mogła się powstrzymać. Był tutaj. Stał obok. Jej mężczyzna. Tak bardzo różny od ojca i wszystkich innych mężczyzn, których do tej pory miała okazję poznać. Starszy o dziesięć lat, z pogmatwaną biografią, trzykrotnie rozwiedziony. Nigdy w życiu nie przeczytał niczego prócz biznesowych poradników. Przeklinał, twierdził, że nie planuje mieć dzieci, czasem nie umiał się zachować jak należy. Ale pasował do niej jak skomplikowany klucz do szyfrowanego zamka. Była to jedyna możliwa kombinacja.

Tylko przy nim Aniela przestawała być małą dziewczynką. Podnosiła głowę i czuła, jak rośnie w niej siła. Jak zaczyna być szczęśliwa, pomimo wszystko.

Już raz pozwoliła, by wygrały racjonalne argumenty. Kierując się tak zwanym dobrem dziecka, nie zaryzykowała, by ten mężczyzna skrzywdził jej córeczkę, miał jakikolwiek wpływ na jej wychowanie. I bardzo długo żyła w przekonaniu, że racja była po jej stronie. Czyż nie było na świecie tysięcy kobiet, którym tacy mężczyźni złamali serca? Z opowieści płynących z książek, portali społecznościowych, forów, wywiadów i codziennych rozmów czerpała siłę.

Myśl, że mogła się pomylić, przyszła późno. Wyrzut sumienia, że nawet nie dała mu szansy, zaraz po tym. I konkluzja, że jeśli nie spróbuje, nigdy nie będzie miała pewności…

– Po co przyjechałaś? – Ludwik nadal był mocno zagniewany. – Czego się spodziewasz? Że wezmę cię w ramiona i zaczniemy od nowa?

Miała wielką ochotę potwierdzić. Czyż nie taka była prawda? Czy nie takie właśnie upojne obrazy hodowała

w wyobraźni przez ostatnie tygodnie? Ale powstrzymała w sobie zarówno nerwowe drżenie rąk, jak i pragnienie, by od razu wyłożyć wszystkie karty na stół.

– Doszłam do wniosku, że popełniłam błąd… Po-
stanowiłam przyjechać, stanąć przed tobą i… nie
wiem, co dalej… – Spojrzała na niego. Jej scenariusz
miał w tym miejscu lukę.

– To są twoje prawdziwe włosy? – podszedł do niej
i wziął do ręki jeden z kosmyków spływających jej na
ramię. – Czy następna farba? Bo nie wierzę, że tam-
te czarne były naturalne. Od początku czułem, że coś
jest nie tak. To do ciebie zupełnie nie pasowało.

– Te są prawdziwe – zapewniła.

– Mam ci uwierzyć? – zapytał z kpiną w głosie. –
Po tym, jak tyle razy mnie oszukałaś?

– Może nie licytujmy się na błędy z przeszłości, bo
wynik mógłby cię zaskoczyć. Nie masz wyjścia, musisz mi zaufać. Ja też nie mam nic więcej, jak tylko
nadzieję, że będziesz wobec mnie uczciwy i wierz mi…
Mam o wiele więcej do stracenia niż ty.

– Jasna cholera! – krzyknął. – Po co tu przyszłaś?
Właściwie było już dobrze. Zapomniałem. Patrz, jak
się firma rozwinęła. Nie poznałabyś. Wszystko mam
z najwyższej półki. Nawet sekretarkę!

Anielka poczuła dreszcz.

Czy taka będzie cena za ewentualne wspólne życie? – pomyślała z przestrachem. – Zawsze będzie

się bać, gdy tylko Ludwik wspomni o jakiejś kobiecie. Czy komuś takiemu jak on w ogóle można zaufać? Do tego stopnia, by powierzyć mu dziecko?

Zaczęła mieć wątpliwości. Poważne. Zrobiła kilka kroków w tył.

– Nawet nie próbuj – Ludwik błyskawicznie złapał ją za rękę. – Drugi raz nie pozwolę ci uciec. Zapomnij – ścisnął mocniej jej dłoń. Już za późno, by się wycofać…

ROZDZIAŁ 17

Jan chciał tego dnia rzucić się w wir pracy. Zmęczyć, zająć, a potem usiąść z Anielką na zapleczu i napić się w jej towarzystwie pachnącej, mocnej herbaty. Ale ostatnio los najwyraźniej wpakował go do szuflady z napisem: wszystkie plany na nic. Jego córka wykręciła się wieczorem od dzisiejszych zajęć pod tak zawiłym pretekstem, że nie zdołał nic zrozumieć. Nie dała mu zresztą szansy. Nagle po prostu odwróciła się na pięcie i rzucając przez ramię pospieszne pożegnanie, zostawiła ojca samego.

Jakby ją coś zaczarowało... – Jan podrapał się po głowie i poprawił krawat. – Minęły już dwie godziny od momentu, kiedy córka powinna była pojawić się w księgarni, a on wciąż nie mógł znaleźć wyjaśnienia jej dziwnego zachowania. Nigdy dotąd nie zwalniała się z pracy. Tylko choroba Ani mogłaby ją wyciągnąć z księgarni. Ale Ania była dzisiaj zdrowa jak rybka. Poza tym, gdyby mała zachorowała, czemu Anielka miałaby to ukrywać?

Córka wyraźnie kręciła, nie patrząc mu w oczy.

– To się nigdy nie skończy – wyszeptał, siadając na swoim fotelu. – Kiedy ma się czwórkę dzieci, zawsze u kogoś coś się dzieje. Spokój to pojęcie nieznane.

Ledwo wypowiedział te słowa, usłyszał dźwięk telefonu. Sięgnął dłonią po aparat, spojrzał jeszcze kontrolnie w stronę drzwi, ale nie zobaczył żadnego zbliżającego się klienta. Odebrał więc.

– Same dobre wieści – usłyszał głos brata i od razu zrobiło mu się zimno ze strachu. – Wiadomość o tym, że pilnie chcesz sprzedać księgarnię, rozniosła się po okolicy nawet bez udziału Internetu. Małe miasteczka mają swoje zalety. Jest kupiec – oznajmił Alfred radośnie.

Niech to szlag – Jan uderzył dłonią w biurko. – Kto roznosi takie wiadomości? Ja chcę sprzedać księgarnię? – pomyślał rozdrażniony. – Niczego takiego nie sugerowałem.

– Pewnie jakaś kiepska oferta – powiedział do brata. – Nie zgodzę się oddać za grosze dorobku czterech pokoleń! – zawołał. – Jestem pewien, że nawet ty potrafisz to zrozumieć.

– Ależ oczywiście – w głosie Alfreda słychać było wyłącznie radość. – Uspokój się. Nikt nie chce cię wykorzystać ani się dorobić na twoim nieszczęściu. Ludzie cię tutaj szanują. Odwiedził nas młody Leśniecki, który jest synem starego Leśnieckiego.

– Tyle wiem. Na odwrót byłoby ciężko. – Jan nie podzielał entuzjazmu brata.

– No właśnie. Nasi ojcowie się znali. Wyobraź sobie, że on chce kupić budynek i dysponuje zdolnością kredytową. Zawsze się kasa trzymała tej rodziny. Księgarnia przejdzie w dobre ręce. Jesteś szczęściarzem. Zwykle na dobrą ofertę czeka się o wiele dłużej.

– O czym ty mówisz? – Jan zdenerwował się na dobre. – Jacek Leśniecki w życiu jednej lektury szkolnej nie przeczytał. Jestem tego pewien, bo Maryla chodziła z nim do jednej klasy. Na co mu księgarnia?

– Tego nie wiem. Może chodzi tylko o budynek? Mają sieć piekarni w Krakowie, pewnie chcą otworzyć nowy punkt. To ich sprawa. Spotkamy się znowu, to zapytam, jeśli ci na tym zależy.

Jan zagryzł wargi do krwi. To się po prostu nie mieściło w głowie. Tak łatwo nie sprzedaje się księgarni.

– Dużo pomógł fakt, że jesteś znanym i lubianym facetem. – Alfred był najwyraźniej bardzo zadowolony. – Plotka rozniosła się po okolicy tak szybko, że nawet amerykańska propaganda mogłaby pozazdrościć skuteczności działania. Każdy ci współczuje, chce pomóc. Ludzie uruchomili prywatne kontakty, a poza tym lokalizacja jest wspaniała. To jednak kusi, bo miasto się rozrasta.

Jan milczał. Wszystko się czasem może obrócić przeciwko człowiekowi. Nawet ludzka życzliwość.

– Zamknij księgarnię i wracaj do domu – poradził mu brat. – Umówiłem się z Jackiem za dwie godziny w tej restauracji naprzeciwko kościoła. Omówimy szczegóły, a potem będzie mógł obejrzeć lokal. To przecież niedaleko.

Jan złapał się za serce. Amerykańskie tempo było dla niego nie do wytrzymania. Chciał zawołać, żeby się zatrzymali. Uspokoili. Takich spraw nie załatwia się ot tak. To wymaga namysłu, długich rozmów, wielu wypitych herbat. Ale głos odmówił mu posłuszeństwa.

– Czekam na ciebie. – Alfredowi nawet przez myśl nie przeszło, że brat mógłby się nie ucieszyć. Rozumiał, że to jest spora zmiana, a co za tym idzie pewien stres, ale jego umysł, na wskroś przesiąknięty biznesowym myśleniem, nie był w stanie pojąć, że ktoś mógłby się nie ucieszyć taką wspaniałą ofertą kupna. Pożegnał się i rozłączył.

Jan opadł na krzesło i złapał się dłonią ze mocno łomocące serce. Rozejrzał się wokół, jakby zobaczył to miejsce po raz pierwszy.

Ale dzwonek nad drzwiami nie pozwolił mu się skupić na przeżywanej właśnie doniosłej chwili. Do księgarni wszedł młody mężczyzna.

– Dobry dzisiaj dzień! – zawołał od progu. – Mam mnóstwo książek do kupienia. Wyjeżdżam za granicę, dostałem wreszcie ten kontrakt i zaliczkę – pochwalił się. Jego policzki były mocno zaróżowione, a oczy błyszczały tak mocno, jakby mężczyzna wracał właśnie z suto zakrapianej imprezy, a nie ostatniego etapu długiej rozmowy kwalifikacyjnej.

– Gratuluję! – Jan z trudem wracał do rzeczywistości. Ktoś tak radosny, na dodatek świętujący finansowy sukces, wydawał mu się istotą mocno nierealną. Ale przypomniał sobie spotkanie sprzed wielu tygodni, podczas którego ten klient zwierzał się ze swoich zawodowych planów, dzielił obawami i całymi naręczami wynosił z księgarni pozycje traktujące o strategiach negocjacyjnych. – Cieszę się, że się udało. – Jan z zawodową wprawą ukrył swoje kłopoty pod uprzejmym uśmiechem. Był teraz w pracy. Podniósł głowę.

– Kupię wszystkim prezenty. – Rozgorączkowany mężczyzna chodził między regałami. Mamie, ojcu, obu babciom i wszystkim moim siostrzeńcom. Wreszcie nie muszę już liczyć każdej złotówki – zwierzał się bez oporów. Jak wielu w tym miejscu, które sprzyjało osobistym rozmowom, choćby dlatego, że nie wypełniał go tłum depczących sobie po piętach klientów.

Chciałbym, żeby moja Anielka poznała kogoś takiego – pomyślał Jan, przyglądając się mężczyźnie buszującemu między regałami. – Przystojny, energiczny miłośnik książek. Widać, że rodzina jest dla niego ważna. Rzadki okaz – podsumował z westchnieniem.

Drzwi znów się uchyliły. Weszła starsza kobieta z dwoma chłopcami w wieku przedszkolnym. Przywitała się i ruszyła w stronę regału z bajkami.

– Babciu, to chcę. – Jeden z wnuczków nie miał, widać, żadnych problemów z wyborem i błyskawicznie podjął decyzję.

– Poczekaj, pozwól mi najpierw obejrzeć – uspokajała go babcia.

Jan miał ochotę się rozdwoić. Znaleźć jednocześnie na przeciwległych krańcach księgarni.

Gdzie, do licha, podziała się Anielka i kiedy wreszcie wróci? – pytał sam siebie ze złością, zmierzając ku starszej kobiecie, pociągnięty bardziej uprzejmością niż sprawiedliwym osądem, bo tamten mężczyzna był przecież pierwszy.

Ledwo wyciągnął zestaw książek Grzegorza Kasdepke, którego sam uwielbiał czytać, choć krył się przed córkami z tą skłonnością, do księgarni weszła kolejna osoba.

– Podupadający biznes… – Jan nie mógł się już powstrzymać i zwyczajem niektórych starszych osób zaczął miotać bardzo ciche, ale wyraźnie gniewne komentarze, zmierzając w kierunku nowo przybyłej klientki. – Nie ma szans z galerią – powtarzał z ironią argumenty innych. – Ludzie przecież nie czytają. To skąd, do licha, taki ruch?

Dzwonek do drzwi znów zabrzęczał i Jan zatrzymał się. Musiał coś wymyślić, i to szybko. Sprzedana czy nie, księgarnia musiała utrzymać standardy.

– To może ja państwu zaproponuję ciepłą herbatę na początek. Prezent od firmy – powiedział głośno. – A następnie starannie obsłużę. Nie godzi się sprzedawać tak szlachetnego towaru jak książka, ustawiając ludzi w kolejce jak po mięso.

– Ależ ja się spieszę! Nie mam czasu na żadne herbatki – oburzyła się nowo przybyła młoda klienta.

– To co innego. Pani w takim razie pierwsza, poza kolejnością – skłonił się jej uprzejmie, sprawiając, że troszkę się rozchmurzyła.

Zerknął dyskretnie na zegarek i ruszył w stronę tej części lokalu, w której znajdowała się herbaciarnia. Nastawił wielki czajnik wody. Akurat zaczęła przyjemnie i znajomo szumieć, kiedy spiesząca się młoda klientka podeszła z dwiema wybranymi już powieściami. Kryminały z rozbudowanym wątkiem obyczajowym. Też takie lubił.

– Gratuluję wyboru – powiedział, podliczając ceny.

Dziewczyna uśmiechnęła się.

Tuż za nią stanął mężczyzna wybierający prezenty i – zamiast przeglądać stosy nowości – lustrował zgrabną figurę klientki Jana.

– Już do pana podchodzę. – Ojciec Anielki nie był zadowolony. Czuł się, jakby jego córka doznała teraz jakiejś osobistej straty. – Może panu polecę coś o sile charakteru i wartościach moralnych, które pomagają zachować w życiu właściwy kierunek? – zapytał trochę złośliwie, ale szybko się poprawił. – Pamiętam, że kocha pan motory. – Ta myśl pojawiła się w bardzo odpowiednim momencie. – Zapraszam tutaj – wskazał dłonią wysoki regał. – Mam świetny nowy album.

Babcia z wnuczkami wyjadali w tym czasie niemal cały zapas cynamonowych ciastek w oczekiwaniu na herbatę, której nie miał na razie kto zaparzyć. Weszło jeszcze kilka osób i Jan rzucił się w stronę czajnika. Szybko podał gorący napój oczekującym, nasypał świeżą porcję ciastek na talerze i wrócił do podawania książek. Był w swoim żywiole. Nawet serce przestało go boleć. Zapomniał o upływie czasu i wszystkich zmartwieniach, z wyjątkiem niepokoju o Anielkę. Raz po raz spoglądał dyskretnie w stronę drzwi.

Gdzie ona się podziała? Coś się dzieje – jego intuicja mówiła mu to bardzo wyraźnie.

Za którymś spojrzeniem stanął jak wryty, zapominając, że miał podać kolejnemu kupującemu książkę kucharską traktującą o tysiącach sposobów przygotowywania kaszy.

W drzwiach stał Alfred w towarzystwie Jacka Leśnieckiego. Jak jakiś zły sen. A było już tak dobrze.

Jan zdołał nawet na moment zapomnieć, że w ogóle istnieją.

Która godzina? – spojrzał w popłochu na zegarek, by dostrzec, że umówiona pora dawno już minęła.

– To naprawdę wspaniała lokalizacja – usłyszał słowa brata. – Nikt przecież nie czyta już książek, a proszę zobaczyć, jaki ruch w interesie. Bułki będą tu schodzić jak... – zatrzymał się na chwilę, wyraźnie nie mogąc znaleźć właściwego porównania – ...jak świeże bułeczki – dokończył mało odkrywczo, a Jan miał ochotę palnąć go w czoło.

Chciał zaprotestować. Zawołać, że to stan wyjątkowy. Zbieg okoliczności. Takie momenty, kiedy w księgarni kłębią się klienci, należą przecież do rzadkości, ale tylko westchnął z rezygnacją. Dzwonek u drzwi znowu zabrzęczał i weszły trzy roześmiane licealistki, które dobrze znał, bo prowadziły recenzyjnego bloga. To oznaczało koniec. Dziewczyny miały zamożnych rodziców, dużo kupowały. Kto uwierzy, że to kolejny przypadek?

Leśniecki rozglądał się po pomieszczeniu, fachowym okiem lustrując takie szczegóły, jak delikatna plama wilgoci w rogu pod schodami, stare deski parkietowe na wytartej podłodze i skrzypiące, nie do końca szczelne drzwi. Zatarł dłonie z zadowoleniem. Zebrał dość argumentów do negocjacji, a z zalet lokalu od początku zdawał sobie sprawę. Spojrzał wyczekująco na Alfreda. Mogli przystąpić do rozmów, choćby zaraz. Ale ten tylko westchnął, bardzo podobnie, jak jego brat przed chwilą.

– Musimy poczekać – powiedział, siadając przy niewielkim stoliku w herbaciarni. – Jan nigdy nie wyprosi klienta. Amerykańscy naukowcy mówią, że wszystko jest możliwe, ale to tylko dlatego, że żaden z nich jeszcze nie przebadał mojego brata.

Rzeczywiście, pochłonięty obsługą klientów Jan ani myślał kończyć przed czasem.

Tego się nie robi staremu człowiekowi… – Był rozgoryczony. – Szczęście to zdecydowanie przewrotne pojęcie. Nie musiało się pojawiać akurat teraz i w takiej postaci. Ludzka życzliwość też śmiało mogła się zaprezentować w inny sposób, a nie jako pomoc w szybkiej sprzedaży.

Spokojnie obsłużył wszystkich klientów, każdego odprowadzając do drzwi. Zamknął kasę i starannie posprzątał herbaciarnię.

Alfred z potencjalnym nabywcą wycierali właśnie drogimi marynarkami kurze na poddaszu. Nie poszedł z nimi. Nie chciał im opowiadać rodzinnych legend. Czyż wartość rynkowa, marketingowy potencjał wynikający z położenia naprzeciwko galerii handlowej to nie były jedyne aspekty, jakie ich interesowały?

– Idźcie sami do tej restauracji – powiedział stanowczo, kiedy mężczyźni wrócili na parter. – Ty i tak lepiej to wszystko załatwisz – zwrócił się do brata. – Spotkamy się wieczorem w domu.

Młody Leśniecki jakby się zawstydził.

– Dobrze. – Alfred nie pozwolił, by sentymenty zepsuły tak dobrze zapowiadającą się transakcję. – Będę na ciebie czekał – powiedział i gestem dłoni zaprosił gościa do wyjścia.

Jan przekręcił tabliczkę na drzwiach, która pamiętała jeszcze przedwojenne czasy na stronę z napisem: zamknięte. Wyciągnął rękę, żeby włączyć alarm. Po chwili jednak zdjął tabliczkę i schował do teczki.

– Tego nie kupicie – wymamrotał ze złością. – Są na tym świecie rzeczy bezcenne.

Zamknął wreszcie lokal, mimo wczesnej pory. Dalsza sprzedaż nie miała już dzisiaj sensu. Był zbyt przejęty i pilnie potrzebował jakiegoś ratunku. Stanął na chodniku. Słońce oślepiało go, więc mrużył oczy i bezradnie rozglądał się wokół, jak człowiek, który nagle wyleciał z pędzącego pociągu i nie wie, gdzie jest, w którym kierunku mógłby się teraz udać i czym ewentualnie zająć.

To była jedna z tych nielicznych sytuacji, z których nie mógł zwierzyć się żonie. Dla niej najważniejsze było bezpieczeństwo jego serca.

A cóż prawdziwemu mężczyźnie po zdrowym sercu, jeśli on nic już sobą nie reprezentuje? Nie ma siły przebicia, pracy ani wpływu na życie swojej rodziny.

Nie ma pasji, szacunku dla samego siebie, mocy, by ochronić firmę ani nawet najlepszego przyjaciela – rozżalił się, co było do niego całkiem niepodobne.

Jedynym jasnym punktem było teraz dla niego wspomnienie wczorajszej rozmowy.

Myśl o Leszku podniosła go nieco na duchu. Jego przyjaciel był jedynym człowiekiem, którego mógł poprosić o radę.

ROZDZIAŁ 18

Maryla wzięła jeden dzień opieki nad zdrowym dzieckiem i pozostała u rodziców. Wiedziała, że ta decyzja nie spodoba się w firmie, ale na samą myśl, że od rana miałaby wystartować do kolejnego tygodniowego pędu, składającego się z następujących po sobie niekończących się obowiązków, przeplatanych rzadkimi chwilami samotności, miała dość.

Człowiek czasem potrzebuje zatrzymać się na chwilę i pomyśleć. A dom rodzinny najlepiej się nadawał do tego celu. Chłopcy też bez oporu zgodzili się zostać.

Maryla poprawiła makijaż i energicznymi ruchami rozczesała włosy. Szarpała mocno, nie zważając na opór. Na szczotce pozostało sporo kosmyków, które nie przetrwały tej brutalnej akcji. Ale to nie miało znaczenia. Chciała dobrze wyglądać.

Mama i ciocia Marta zabrały chłopców do parku. Po drodze mijały aż trzy nowiutkie place zabaw dofinansowane z funduszy europejskich, jawny dowód obrotności miejscowego burmistrza. To oznaczało dla Maryli całkiem sporo czasu na przeprowadzenie koniecznej operacji, którą na dzisiaj zaplanowała.

Telefon zadzwonił w momencie, kiedy precyzyjnie rysowała na powiece ciemnofioletową kreskę.

Szlag – zaklęła, bo dźwięk dzwonka sprawił, że drgnęła jej ręka. Spojrzała na aparat. Andrzej. Ucieszyła się przelotnie, jak na widok dawno niewidzianego przyjaciela, ale nie odebrała. Szkoda jej było teraz czasu. Nie chciała się też rozpraszać. Poza tym w tym momencie nie miała mu nic do powiedzenia.

Czy mógł zrozumieć targające nią uczucia? Spróbować sobie choćby wyobrazić, w jaki sposób odczuwa się strach i krzywdę własnych dzieci? Nie miał przecież swoich. Skąd mógł wiedzieć, że gdzieś w głębi serca każdej matki jest tajemny przycisk z napisem: przyspiesz o milion, który włącza się, kiedy coś zagraża dziecku. Wtedy każde uczucie gwałtownie się potęguje.

U Maryli ten alarm aktywował się nawet wtedy, gdy jeszcze do niczego nie doszło, ale istniała obawa, że coś może grozić dzieciom. Wyobrażała sobie z detalami, jak potencjalne wydarzenie wpłynie na jej chłopców. Teraz obawiała się, że z czasem Marcin będzie coraz bardziej odsuwał się od nich, zajęty nową rodziną. Synowie będą rośli bez niego, aż któregoś dnia okaże się, że tak naprawdę zupełnie się nie znają. Że Marcin doskonale wie, jakie płatki śniadaniowe lubią dzieci Pauliny, które gry najbardziej je wciągają i z jakich przedmiotów mają najgorsze stopnie. Ale o własnych synach nie posiada tyle informacji.

Bo to przecież codzienność, a nie wyjątkowe chwile, buduje prawdziwą relację.

A może kiedyś pojawi się jeszcze jedno dziecko? Wspólne. Marcina i jego nowej partnerki. Na samą myśl o takim scenariuszu Maryli zrobiło się słabo. Miała świadomość, że rodziny wyglądają teraz różnie, nie zawsze jak z obrazka w książeczce dla dzieci, i są sposoby, by odnaleźć w tej łamigłówce przepis na szczęście i zachowanie wzajemnego szacunku.

Wszystko to pięknie brzmi. W teorii. Rodzina patchworkowa – przypomniała sobie fragmenty czytywanych artykułów. – Bądźmy dorośli, zachowujmy się dojrzale. Możliwe jest utrzymywanie poprawnych stosunków opartych na jasnej komunikacji. Ha, ha – podsumowała, bo nie miała już żadnych złudzeń.

Trzeba by chyba człowieka pozbawić zdolności do odczuwania emocji. A przynajmniej tak było w jej przypadku. A okropnej Paulinie należałoby sfinansować zakup golfu i porządnej spódnicy za kolano.

Maryla uśmiechnęła się złośliwie i potarła czoło.

Co się ze mną dzieje? Czy to była tylko kwestia kryzysu związanego z czterdziestymi urodzinami? Czy może nad rodziną zawisło jakieś fatum, które każdemu kazało szukać nowej drogi i weryfikować decyzje podjęte pod wpływem emocji?

Maryla wrzuciła kosmetyki do przepastnej torebki, w której nosiła tak dużo niezbędnych jej zdaniem drobiazgów, że dzięki niej przetrwałaby nawet na bezludnej wyspie.

Czuła się gotowa do pierwszego starcia, choć miała świadomość, że zachowanie spokoju będzie ją kosztowało sporo wysiłku.

Martwiła się także o Anielę.

Co wstąpiło w to miłe dziecko i dlaczego akurat teraz? – zadawała sobie pytanie, nad którym głowiła się także reszta rodziny.

Znów potarła dłonią czoło, likwidując równomiernie nałożony puder. Pozbierała rozrzucone po pokoju samochodziki, wrzuciła skarpetki do kosza na pranie i spojrzała na telefon. Musiała odbyć wreszcie tę rozmowę. Bardzo by chciała mieć teraz choć cząstkę spokoju i opanowania, jakimi dysponowała jej siostra Gabrysia albo mama. Ale nic wiedziała, gdzie można kupić ten deficytowy towar. Na jakiej stacji zatankować do pełna, żeby starczyło na całą trudną przeprawę.

Miała wrażenie, że do tej pory żyła w jakimś stanie przejściowym. Jakby dopiero teraz otrząsnęła się z szoku na tyle, by mogła do niej dotrzeć informacja, że naprawdę się rozwiodła.

Nie ma już do Marcina żadnych praw. Nie może krytykować go za nędzny gust ani robić mu karczemnych awantur z powodu wycieczki do zoo z wydekoltowaną łowczynią cudzych mężów. Bo i ten epitet był przecież nie do końca prawdziwy. Marcin związał się z Pauliną już po procesie rozwodowym. Teoretycznie był wolny.

Maryla wzruszyła ramionami, jakby w pokoju znajdował się ktoś, kogo należy przekonać do swoich argumentów.

Co z tego, że nie miała żadnych praw? – zwróciła się do niewidzialnej ławy przysięgłych. – Kto tak powiedział? Przecież to wszystko nie było ną poważnie, sprawy zaszły za daleko nie tylko z jej winy. Odpowiedzialni byli także Marcin i Paulina. Każda kobieta, która bierze się za pocieszanie cudzego męża, powinna się najpierw upewnić, czy historia poprzedniego związku na pewno już się zakończyła. Czy nie wchodzi z butami w delikatną sferę uczuć skomplikowanych, w wir zdarzeń, o których nie ma pojęcia.

– A szlag niech trafi te wszystkie zasady. – Maryla otworzyła niewielki laptop i sprawdziła na Facebooku konto męża. Nie było zbyt wielu postów. Jakaś wieczorna wyprawa na kręgle z kolegami z pracy, parę zabawnych obrazków z sieci i tyle. Żadnych zdjęć z Pauliną.

Może tak naprawdę w głębi serca wcale nie jest taki pewien, że chce z nią być? – pomyślała z nadzieją. Kiedy oni się poznali, zalewali postami tablice wszystkich znajomych. Pierwszy spacer po plaży, zachody słońca, splecione dłonie, potem tysiące pocałunków i przytuleń, ślub, rozwijająca się dzień po dniu ciąża. Nie było dnia bez ważnej informacji, że na przykład właśnie zjedli wspólnie śniadanie i było wspaniale.

Tylko kłótnie przemilczali. Z czasem było ich coraz więcej i rzeka postów zaczęła wysychać. Ale wciąż były. Maryla pracowicie przewijała stronę, by się dostać do swoich najpiękniejszych wspomnień. Życie w sieci zawsze jest nieco wyretuszowane, poddane starannej cenzurze. To było jednak prawdziwe. Było im razem dobrze, rozumieli się.

Dlaczego więc pozwoliła, by drobiazgi zniszczyły ten piękny związek?

Nie wiedziała, skąd pochodzi to pytanie, ale natychmiast zdenerwowała się na nadawcę.

– To nie tylko moja wina! – zawołała i ze złością zamknęła laptopa. – Marcin ma po prostu drugą twarz. Jest głupi do granic możliwości, nic nie rozumie, nie domyśli się, choćby miał umrzeć, a jeśli człowiek chce mu coś wytłumaczyć, przerywa już po pierwszych słowach.

Zacisnęła pięść. Najbardziej przeszkadzało jej właśnie to. Że nie może do końca wykrzyczeć swoich racji. Że Marcin wciąż oponuje i ustawia fakty w nieprawdziwym świetle. Bo cokolwiek dobrego można by o nim powiedzieć, to jednak kiedy chłopcy byli całkiem mali, dał plamę. Nie radził sobie z dziesiątkami czynności do wykonania, z życiem, któremu towarzyszył ciągły płacz dziecka, kiedy Szymek zmagał się z bolesną kolką. Wykańczał go brak snu i stres w pracy.

To można by jeszcze zrozumieć. Tyle że ona przechodziła przecież przez to samo, a dawała radę! Nie zrzędziła. Nie pakowała prania do pralki przez godzinę. Nie siedziała w sklepie przez całe popołudnie pod pretekstem wykonania zakupów, które normalnie można załatwić w trzydzieści minut. Czasem krzyczała może trochę za głośno, ale w takiej sytuacji każdemu mogłyby puścić nerwy.

Była chronicznie niewyspana, przemęczona, jej hormony szalały jak dzikie indiańskie plemię po długim polowaniu.

Żądanie, żeby Marcin wyprowadził się z domu, wypowiedziane w takim stanie, nie mogło być traktowane poważnie.

Każdy to chyba powinien zrozumieć. A jednak tak się nie stało.

Maryla podeszła do okna. Spojrzała na sad. Połamane gałęzie czy nie, to miejsce wciąż miało na nią kojący wpływ. Uspokoiła się trochę. Zaczerpnęła spory haust powietrza i postanowiła przejść wreszcie do działania.

Wybrała numer.

Tym razem bez większych obaw. Marcin był teraz w pracy. Wiedziała, że właśnie ma dyżur.

– Słucham. – Głos w słuchawce nie zdradzał jakiejś przesadnej radości. – Jestem zajęty.

– Wiem. – Maryla uśmiechnęła się. Chciała, żeby on to usłyszał w jej głosie. – Mam tylko jedną krótką sprawę – mówiła. – Rozumiem, że nie ma szans, byśmy niedzielę spędzili we dwoje z naszymi dziećmi… – spróbowała, w przypływie desperacji chwytając się nadziei.

Odpowiedziało jej tylko westchnienie pełne zniecierpliwienia.

– Dobrze, już się nie denerwuj. – Tym razem to jej udało się zachować spokój, bo w gruncie rzeczy spodziewała się takiej reakcji. – Mam więc inną prośbę. Pojadę z wami – powiedziała stanowczo.

– Mowy nie ma. – Marcin zareagował bez chwili wahania. – W tym zoo nie stacjonuje brygada antyterrorystyczna. Kto cię powstrzyma, gdy ci nerwy puszczą? Nie chcę scen przy dzieciach.

Ach tak – pomyślała Maryla z żalem. – To tak właśnie mnie oceniasz. Wyłącznie przez pryzmat najtrudniejszych miesięcy w moim życiu, kiedy przespane godziny można było policzyć na palcach jednej ręki i kiedy ty sam też zachowywałeś się jak skończony palant? A gdzie wszystkie nasze dobre chwile?

Zgrzytnęła zębami. Spojrzała na sad, zacisnęła mocno dłoń na oparciu krzesła i nie wykrzyczała Marcinowi wszystkiego prosto w twarz.

– Spróbuj sobie przypomnieć także inne chwile – poradziła mu głosem dość spokojnym, choć mocno drżącym. Czuła, że za chwilę się rozpłacze. Jak można było tak ją skreślić po tym wszystkim, co razem przeszli? Nawet jeśli popełniła jakiś błąd, jeden, może drugi, wiele błędów, dodała w myślach, to przecież zasługiwała na szansę. – Obiecuję, że będziesz miał swój upragniony spokój – powiedziała stanowczo i szybko dokończyła, żeby nie dać mu szansy na wyrażenie sprzeciwu. – Będę u ciebie pod blokiem w niedzielę o dziesiątej.

Rozłączyła się i opadła ciężko na kanapę.

Pozwoliła łzom płynąć. Wydawało jej się, że każda z nich ma oczyszczającą moc. Zaczęła dzięki temu lepiej widzieć. Nie tylko błędy Marcina, choć bez wątpienia było ich sporo, ale także swoje. Bezsens powierzchownych związków i prób udowodnienia, że sobie poradzi. Ryzyko, jakie podejmowała, rzucając się rozpaczliwie w kolejne męskie ramiona.

Głupia, głupia, głupia – miała ochotę taki właśnie status zamieścić na Facebooku, ale nie chciało jej się nawet otworzyć laptopa.

Tymi samymi słowami określała kiedyś swojego męża. Ale na tym świecie nie ma sprawiedliwości i żadne parytety w tej sprawie nie pomogą. Głupi mężczyzna może popełnić wiele błędów, po czym i tak ułoży sobie życie. Kobiety nie mają tak łatwo, zwłaszcza jeśli są mamami. Ich porażki krzywdzą dzieci dokładnie tak samo mocno jak męskie przewinienia, ale kobiety mocniej to odczuwają, mają większą świadomość i bardziej wrażliwe w tej sprawie sumienie. A także serce, które zwykle mocniej boli.

Maryla miała świadomość, że doszła do ściany. Dalej nie mogła już zrobić ani kroku. Chłopcy dorastali, brak taty w codziennym życiu z każdym dniem stawał się coraz bardziej dotkliwy. Na związek z Andrzejem nie umiała już spojrzeć przez różowe okulary. Zdjęła je na dobre i najwyraźniej gdzieś zgubiła.

A na samą myśl, że może utracić Marcina naprawdę, robiło jej się zimno z przerażenia.

Był głupi, to nie ulegało wątpliwości, przynajmniej w niektórych momentach, ale musiała przyznać sama przed sobą, że bywały takie dni, kiedy i ona nie grzeszyła mądrością. Pasowali do siebie. A najgorsze było to, że najwyraźniej wciąż go kochała.

Nie mogła teraz pozwolić sobie na żaden błąd. Nawet najmniejszy. Jeśli istniał choćby cień szansy, że to wszystko da się jeszcze naprawić, to musiała zacząć wykorzystywać każdą okazję. Sprawdzić, przekonać się na własne oczy, czy na pewno jej małżeństwo należy już do przeszłości. Rozsądek mówił: ależ oczywiście, że tak. Rozum podpowiadał: przeczytaj stosowny dokument, przypomnij sobie, co mówiłaś w sądzie. Ale ona nie pamiętała ani jednego słowa.

A serce nie umiało tak od razu się poddać. Uczuć się nie zapomina. Niektóre same mijają, ale inne zostają aktualne na zawsze, zwłaszcza pierwsza prawdziwa miłość. Nawet jeśli – jak w przypadku Marylki – ta miłość przyszła późno.

Jak można było to tak spieprzyć? To się po prostu nie mieściło w głowie.

ROZDZIAŁ 19

Jan wszedł do galerii po raz pierwszy w swoim życiu. Nie brał udziału w uroczystym otwarciu i był odporny na wszelkie cenowe pokusy. Z niechęcią spoglądał na zakupy przywożone przez żonę. To miejsce źle mu się kojarzyło. Po pierwsze było jawnym, namacalnym, błyszczącym i głośnym dowodem sukcesu Leszka. Nie miał nic przeciwko temu, ale nie mógł pozbyć się wrażenia, że wielkość i nowoczesność galerii tylko podkreśla klęskę jego księgarni. To bolało i nic nie mógł na to poradzić.

Zmrużył oczy i stanął na środku korytarza. Ludzie mijali go obojętnie. Czasem ktoś rozpoznał i ukłonił się. Ale Jan mocno nasunął kapelusz na czoło i podniósł kołnierz płaszcza, upodabniając się tym samym do komunistycznego szpiega. Nie miał ochoty na żadne pogawędki. Bolało go serce i czuł, że stracił impet. Dokąd się spieszyć, jeśli się zgubiło kierunek?

Wszedł na ruchome schody i pozwolił, by wywiozły go na najwyższe piętro. Tutaj panowała prawie niezmącona cisza. Nawet muzyka płynąca z głośników była przytłumiona. Jeden zaledwie sklep z drogim wyposażeniem wnętrz nie przyciągał zbyt wielu klientów. Jan odruchowo spojrzał w głąb wystawy. Szerokie łóżko zajmujące całą jej część ozdobione było kocami i narzutami w jesiennych barwach.

Ładne – przyznał. – Pasowałaby do naszej sypialni – spojrzał na piękną tkaninę. W sumie już tak dawno nie kupili sobie niczego nowego. Głęboki, ciepły, pomarańczowy kolor mógłby dodać wnętrzu energii i optymizmu, a to by się teraz bardzo przydało.

Stop – przypomniał sobie, że już go na to nie stać. Prawdopodobnie właśnie ważyły się jego losy. Nie miał złudzeń. Alfred, raz dopadłszy kandydata na kupca, nie wypuści go ze swoich rąk, dopóki nie pozbawi ostatniej złotówki i nie doprowadzi do korzystnej dla siebie transakcji. Choć młody Leśniecki też nie był w ciemię bity, to jednak nie miał w tym starciu większych szans.

Właściwie to jestem bezrobotny – uświadomił sobie. To było zupełnie nowe doznanie. Zmagał się w życiu z wieloma trudnościami, kłopoty finansowe nie były mu obce, ale taką pustkę czuł po raz pierwszy.

Towarzyszyło jej jednak głębokie przekonanie, że gdzieś wciąż istnieje wyjście, dobre rozwiązanie, tylko on nie umie go dostrzec. Był tylko jeden sposób, by szybko temu zaradzić.

Porozmawiać z kimś, kto dobrze go zna. Takiego, jakim jest naprawdę. Nie ma emocjonalnego stosunku, a jeśli nawet, to nie są to dobre uczucia i chęć chronienia go za wszelką cenę. Z kimś mądrym, kto zna życie i wie, jak potrafi być czasem twarde.

Zapukał do zwykłych białych drzwi, a kiedy nikt nie odpowiedział, nacisnął klamkę. Ciasny korytarz prowadził do pomieszczeń biurowych.

Drugie energiczne pukanie i kolejna naciśnięta klamka sprawiły, że Jan znalazł się w sekretariacie.

– Pan dyrektor jest akurat u siebie, to prawda – przyznała niechętnie sekretarka, starsza pani o miłej powierzchowności, kiedy się przywitał i wyjaśnił swoją sprawę. – Ale jest bardzo zajęty. Jeśli zechce pan wyjawić powód swojej wizyty, chętnie skieruję pana do odpowiedniego działu, który panu pomoże.

– Dziękuję – odparł. Kapelusz trzymał w dłoniach. Patrzył na kobietę z szacunkiem i miłym uśmiechem, jakich zbyt często nie doświadczała. Petenci wpadali tutaj zwykle, kiedy mieli jakieś poważne pretensje, bezpodstawne żądania albo prośby o przedłużenie terminu spłaty czynszu. Najczęściej były to dla niej nieprzyjemne rozmowy.

Sekretarka odwzajemniła uśmiech.

– Gdyby to ode mnie zależało, natychmiast bym pana zaanonsowała. Ale proszę mi wierzyć, nie mogę. Pan dyrektor ma dość napięty plan pracy i nie lubi zmian.

– Wiem o tym. To zimny matematyk – powiedział Jan – ale także dobry człowiek – poprawił się szybko. – W młodości przyjaźniliśmy się. Już nigdy potem nie spotkałem kogoś takiego jak on.

– Dobrze pana rozumiem – uprzejmie odparła sekretarka. – Takie znajomości potrafią przetrwać próbę czasu.

– Ale próbę głupoty już nie – ciszej dodał Jan. – Proszę tylko zapytać – zwrócił się do niej. – W razie czego wejdę za panią i przyjmę cały gniew na klatę. Mam w tym sporą wprawę – uśmiechnął się.

Kobieta zawahała się na moment, ale podjęła próbę. To był taki miły, przyjemnie staroświecki człowiek. Miała nawet wrażenie, że skądś go zna, ale nie umiała zidentyfikować żadnego wspomnienia.

– Jak się pan nazywa?– zapytała.

– Jan Zagórski – odparł z mimowolną dumą, bo to nazwisko było mu bardzo drogie. Stała za nim gromada dzielnych, mądrych ludzi, którzy, choć popełniali błędy, nie poddawali się łatwo w obliczu przeciwności.

– Już wiem – skojarzyła sekretarka. – Właściciel księgarni – zawołała i zamilkła raptownie.

Dla niej sprawa była już jasna. Ten mężczyzna przyszedł prosić o pożyczkę. Słyszała o kłopotach jego firmy, rano na targu ktoś wspominał, że lokal ma być sprzedany, chyba że właściciel znajdzie sposób, by zdobyć sporą ilość gotówki, nie wiedziała jednak dokładnie, na co. Spieszyła się do pracy, nie miała czasu na pogaduszki.

Ale najwyraźniej Jan Zagórski właśnie wymyślił rozwiązanie. Westchnęła, trochę rozczarowana. Nie był on pierwszym, który przypomniał sobie o dawnej zażyłości z właścicielem galerii w chwili, gdy popadł w kłopoty finansowe. To nie było zbyt honorowe, ale starała się rozumieć wszystkich desperatów pukających do drzwi zamożnego człowieka. Najczęściej na próżno, bo pan Leszek był odporny na ich mocno emocjonalne argumenty i nieprzyjemne sceny. Gdyby tak nie było, po jego pieniądzach nie zostałby już nawet ślad. Pielgrzymki chętnych do zaciągnięcia prywatnego nieoprocentowanego kredytu lub sfinansowania pomysłu na biznes nigdy się nie kończyły.

Sekretarka pokręciła z dezaprobatą głową. Jan uchodził w miasteczku za człowieka o wysokiej kulturze osobistej. Trudno było jej sobie wyobrazić go błagającego o pożyczkę.

Ale cóż – pomyślała z nagłym smutkiem. – W obliczu kłopotów wszyscy jesteśmy tacy sami.

Zapukała do drzwi gabinetu i wprowadziła gościa. Chciała mu pomóc, dlatego trochę skróciła oficjalną drogę. Pracowała dla galerii, ale w głębi serca zawsze było jej żal tych wszystkich małych sklepów i rodzinnych biznesów, które z powodu tego olbrzyma straciły rację bytu.

– Przepraszam, panie dyrektorze – prawie zgięła się w pół, praca była dla niej bardzo ważna i trochę się obawiała niezadowolenia szefa. – Ten pan przyszedł w bardzo ważnej sprawie.

Leszek podniósł głowę znad dokumentów i uśmiechnął się kąśliwie. On też poczuł rozczarowanie. Nie tylko stara miłość nie rdzewieje. To samo można powiedzieć o przyjaźni. Mimo niechęci wciąż miał do dawnego kolegi sporo szacunku, zwłaszcza po ostatniej rozmowie. Trudno będzie teraz patrzeć, jak ten dumny mężczyzna się przed nim kaja. Leszek miał bowiem dokładnie takie same przeczucia jak jego pracownica.

Odprawił sekretarkę i wstał.

Tak, musiał przyznać, że rywalizacja z Janem zawsze była motorem napędowym jego działań. Bywały takie momenty w życiu, kiedy zdecydowanie źle mu życzył, czasem zazdrościł, a nawet podejmował działania, by się odegrać za dawną krzywdę. Wiele razy wyobrażał sobie ten moment, kiedy Jana wreszcie dosięgnie sprawiedliwość, bo przecież zasłużył na to.

Ale teraz nie czuł już w sobie dawnej zaciętości. Jakby wszystko nagle wyparowało. Został tylko żal.

– Dziękuję – Jan nie wyglądał na specjalnie skruszonego. – Nie zajmę ci dużo czasu. Pilnie potrzebuję zamienić kilka zdań z sensownym człowiekiem, który nie będzie się roztkliwiał nad stanem mojego serca, tylko rzeczowo omówi ważne kwestie. Nie jest sprawą łatwą kogoś takiego znaleźć.

– Co się stało? – Leszek był zaskoczony.

– Pewnie już wiesz, że Jacek Leśniecki, syn starego Leśnieckiego, chce kupić moją księgarnię.

– Cóż – odparł Leszek. – To nie jest duże miasto, a środowisko biznesmenów naprawdę wąskie. Przyznam, że jego ojciec konsultował ze mną tę decyzję.

– I co? – zdenerwował się Jan. – Nie mogłeś mu odradzić? Powiedzieć, że to bez sensu?

– No wiesz… – obraził się Leszek i bez problemu odnalazł wszystkie negatywne odczucia w stosunku do dawnego przyjaciela. – Zamiast mi być wdzięczny za ten cud, jeszcze narzekasz. Naprawdę sądzisz, że tak łatwo znaleźć solidnego, wypłacalnego kupca z gotówką? Myślałem, że ci pomagam.

– Pomagasz? Sprzedając mój biznes, rodzinną firmę, kawałek mojego serca?

Leszek przewrócił oczami.

– Dobrze, że to Alfred zajmuje się sprzedażą. Ciebie sobie w ogóle nie wyobrażam przy negocjacyjnym stole. Z takim tekstami nikt by cię nie potraktował poważnie.

– O czym ty mówisz? – zdenerwował się Jan. – Czy wy wszyscy już niczego innego nie umiecie w życiu zobaczyć, tylko cyfry?

– Wielki idealista się znalazł. – Leszek ironicznie wykrzywił usta. – Spróbuj inaczej prowadzić biznes. Powiedz w gazowni, że zapłacisz rachunek pięknymi słowami zamiast w złotówkach. Zobaczymy, jak zareagują.

– Nie rozumiesz, że księgarnia jest częścią mnie? – Jan rozejrzał się wokół bezradnie. Potrzebował pilnie pomocy, ale w gabinecie nie było nikogo innego, do kogo mógłby się zwrócić. – Bez niej nie jestem już tym samym człowiekiem – dokończył z żalem w głosie.

– Co za bzdura! – krzyknął Leszek. Miał już dość podobnych argumentów. – Zarówno z tym podupadającym budynkiem, jak i bez niego jesteś po prostu starym durniem i draniem – przypomniał sobie nagle dawne urazy, a zdenerwowanie sprawiło, że ból zapiekł dokładnie tak samo mocno jak kiedyś. – Możesz nim być w dowolnym miejscu. To jest w tobie, a nie w jakiejś głupiej starej księgarni! – zakończył z naciskiem.

Jan nagle poczuł się tak, jakby mu ktoś mocno dał w twarz, ale nie po to, by go upokorzyć, lecz otrzeźwić.

Milczał, przełykał ślinę, łapał oddech, aż w końcu zupełnie się uspokoił.

– Trafiłem w dobre miejsce – powiedział – i jestem ci bardzo wdzięczny. Jeśli będziesz kiedyś potrzebował rabatu na książki, możesz na mnie liczyć.

– Ja nie czytam – warknął Leszek, bo ta nagła zmiana nastroju zupełnie wyprowadziła go z równowagi. – Znałem kiedyś takiego jednego księgarza... Ukradł mi narzeczoną. Od tej pory mam uraz do literatury.

Jan uśmiechnął się. Czuł rozlewającą się w sercu radość. Znalazł rozwiązanie. Miał wrażenie, że w tej chwili nic już nie jest w stanie wyprowadzić go z równowagi.

– Zrobię wszystko, żeby ci to wynagrodzić – obiecał. – Pokonać twoją niechęć do przedstawicieli mojego szlachetnego zawodu...

– Co ci się nagle stało? – przerwał mu Leszek bezceremonialnie, bo przyjaciel wyglądał, jakby nagle doznał objawienia.

– Wymyśliłem właśnie sposób ratunku – przyznał Jan.

– Naprawdę. Mów! – Leszek miał mało momentów w życiu, kiedy wzbierała w nim tak niepohamowana ciekawość. Dałby całą miesięczną wypłatę, żeby się dowiedzieć, co też ten humanistyczny niedojda wymyślił w tak krótkim czasie. Tym bardziej że nie można było go lekceważyć. Nieraz potrafił udowodnić, że potrafi myśleć niekonwencjonalnie i radzić sobie w nietypowych sytuacjach.

– Na razie nie zdradzę szczegółów – rozczarował go Jan, mocno podnosząc przyjacielowi ciśnienie. – Muszę najpierw się naradzić z rodziną. Ale jestem ci bardzo wdzięczny, to ty mi podsunąłeś pomysł.

Pożegnał się szybko i wyszedł, zostawiając dyrektora galerii w stanie lekkiego oszołomienia. Leszek powtarzał w myślach wszystkie wypowiedziane przed momentem słowa, poszukując tego genialnego pomysłu, który rzekomo podsunął dawnemu przyjacielowi. Niczego takiego nie mógł sobie przypomnieć.

Czas zacząć się pilniej kontrolować – pomyślał ze złością, siadając z powrotem przy biurku. – Jeśli będę nadal nieświadomie rozdawać pomysły na prawo i lewo, wkrótce zaleje nas konkurencja.

Smartfon wydał charakterystyczny dźwięk oznaczający nadejście wiadomości.

„Kupiliśmy ☺".

To rodzina Leśnieckich meldowała pomyślne zakończenie transakcji.

Leszek chciał pobiec za Janem i powiedzieć mu, żeby się niepotrzebnie nie emocjonował. Jeszcze jego serce rzeczywiście tego nie wytrzyma. Żaden plan nie był już potrzebny. Księgarnia została sprzedana, a Alfred z pewnością dopilnuje, by transakcja została szybko prawnie sfinalizowana.

Już po wszystkim – westchnął znużony i odsunął papiery. Nie mógł się teraz skupić na pracy. Zrobiło mu się żal Jana.

ROZDZIAŁ 20

Ludwik chodził po gabinecie jak rozdrażniony lew po zbyt ciasnym boksie.

– Po co tak naprawdę przyjechałaś? – zapytał. – Czego oczekujesz? Minęło siedem lat. Mogłem się pięć razy ożenić albo wyjechać za granicę. Nie rozumiesz, że czas płynie?

– Ale tego nie zrobiłeś – odparła spokojnie, bo teraz już wiedziała, że ma rację.

– Skąd wiesz? – zapytał agresywnie.

– Z Facebooka.

– Jak to? – zdziwił się. – Przecież usunąłem cię ze znajomych, a potem, o ile dobrze pamiętam, twoje konto w ogóle zniknęło.

– Owszem wyrzuciłeś mnie z grona znajomych – potwierdziła – ale tylko pod fałszywym nazwiskiem. Pod prawdziwym przyjąłeś bez oporów.

Złapał telefon i szybko uruchomił odpowiednią aplikację.

– Jak ty się, do cholery, nazywasz naprawdę? – rzucił jej to pytanie prosto w twarz.

Aniela poczuła, jak ze wstydu zapiekły ją policzki. Okłamała go i nie miała zbyt wielu sensownych argumentów na swoją obronę.

– Aniela Zagórska – odparła uroczystym tonem, jakby właśnie dokonywała oficjalnej prezentacji.

Ludwik nie poddał się nastrojowi. Zacisnął usta i mocno eksploatował klawiaturę telefonu.

Szybko wpisał dane. Pojawił się profil zgrabnej dziewczyny o niezbyt wyraźnych rysach twarzy. Zdjęcie przedstawiało całą sylwetkę. Nawet nie pamiętał, kiedy zaakceptował to zaproszenie. Pewnie się zapatrzył w łagodne linie ciała i nie zwrócił uwagi na szczegóły.

– Tak się kończy akceptowanie nieznajomych – powiedziała odruchowo. Zaczynała odczuwać zmęczenie spowodowane silnym stresem.

– Nie pouczaj mnie, bo naprawdę nie ręczę za siebie – zawołał Ludwik. – Proszę bardzo – rzucił telefon na biurko, ryzykując, że aparat roztrzaska się o politurowany blat. – Ty wiesz o mnie wszystko, a ja o tobie nic. Zadowolona?

Był tak wściekły, że można było odnieść wrażenie, iż za moment z jego głowy zacznie się unosić para.

Aniela czekała. Robiła to specjalnie. Chciała go zobaczyć od tej gorszej strony. Co zrobi, kiedy będzie naprawdę zły? Na to pytanie koniecznie musiała mieć odpowiedź, zanim powierzy mu swój największy skarb.

Ludwik usiadł w końcu na kanapie. Chyba wreszcie trochę się uspokoił. Anielka miała wrażenie, że nagle cała męska duma tego przystojnego, przywykłego do podbojów i sukcesów mężczyzny pękła jak zbyt dojrzały owoc, rozpadła się na kawałki i spłynęła na podłogę.

– Po co przyjechałaś? – powtórzył pytanie. – Jeśli chcesz sprawdzić, czy dobrze wykonałaś zadanie, od razu ci powiem, że doskonale. Nawet nie potrafię się na ciebie porządnie zdenerwować.

Usiadła obok niego.

– To długa historia... – powiedziała cicho. – Przez te siedem lat sporo się zdarzyło.

Spojrzał na nią z bólem, a w jego oczach pojawiła się iskra zazdrości. Myślał o tych wszystkich potencjalnych mężczyznach dotykających kobietę, którą tak bardzo pokochał. Takie obrazy wiele razy nękały go podczas bezsennych nocy. Szybko odwrócił wzrok.

– Przyjechałam, żeby cię przeprosić. Na nic nie liczę – skłamała Anielka. – No, dobrze – poprawiła się. – Nie chcę cię znowu okłamywać. Bardzo liczę... – spojrzała na niego nieśmiało.

Wyglądała tak niewinnie. Miała policzki gładkie jak kilkuletnia dziewczynka i te miękkie włosy, które tak go wtedy oczarowały. Ale nie mógł sobie pozwolić, by emocje znów nad nim zapanowały. Ta dziewczyna była twardym graczem. Już to udowodniła. Jeśli tylko wiedziała, czego chce, umiała to osiągnąć.

– Skłamałam, bo wydawało mi się wtedy, że każdy ma przecież jakieś sekrety – mówiła Anielka. – To normalne. Moi rodzice też nam wszystkiego nie mówili. Choć wiem, że historia ich znajomości była mocno skomplikowana, oni nie opowiadali nam o tym prawie wcale. Dopiero niedawno tata przyznał wprost, że kilku rzeczy żałuje. Że to nad nim ciąży. Czas w niczym nie pomógł. Jeszcze tylko skomplikował sprawę. Pozostały żale, niedopowiedzenia. Wystraszyłam się, że ze mną będzie tak samo. Im dłużej będę zwlekać, tym trudniejsze wszystko się stanie.

– Firma się rozrosła – powiedział Ludwik, pozornie bez związku. – Kiedy tu byłaś ostatni raz, mieliśmy tylko jedno piętro. Dziś wynajmujemy trzy i powoli myślę o własnej siedzibie. Nie zmarnowałem tego czasu.

– W to nie wątpię – westchnęła z rezygnacją. Myślała, że mężczyzna skomentuje w jakiś sposób jej słowa.

– I bardzo dobrze. – Ludwik znów się zdenerwował. – Doskonale wiem, co masz na myśli. Chodzi ci o życie prywatne. Tak. Jeśli o to chodzi, to spotykałem się z kobietami – zawołał zapalczywie.

Milczała przez chwilę, ale przyjęła jego wybuch ze spokojem. Nie spodziewała się innej informacji.

– Potrafisz sobie wyobrazić, że mógłbyś żyć inaczej? – zapytała po chwili.

– Co masz na myśli?

– Że byłaby tylko jedna kobieta? – głos lekko jej zadrżał. To był warunek konieczny. Inaczej nie ma co myśleć o wspólnym życiu. I choć obietnica mogła nie być wiele warta, od czegoś musiała zacząć. Jeśli mężczyzna już na wstępie by zaprzeczył, przynajmniej by wiedziała, że nie ma po co tracić czasu.

– O niczym innym nie marzę – powiedział, niespokojnie kręcąc się na kanapie. – Od lat. Szukam, zaręczam się, żenię. A jej wciąż nie ma. Kiedyś wydawało mi się, że wreszcie spotkałem odpowiednią kobietę... – zawiesił na chwilę głos – ale ona okazała się zwykłą oszustką.

– Nie taką zwykłą – obraziła się Anielka. – Nie przyszło ci na myśl, że miałam ważny powód?

– Jaki można mieć powód, żeby zniknąć z dnia na dzień – spojrzał na nią z jawną drwiną. – Po tym wszystkim, co nas łączyło?

– Na przykład można się czegoś dowiedzieć – podpowiedziała mu. – Nagle. Czegoś, czego się wcześniej człowiek zupełnie nie spodziewał. Tak ważnego, że to wywróciło do góry nogami całe jego dotychczasowe życie.

Ludwik wstał. Otworzył barek i wyciągnął butelkę drogiej wody mineralnej. Nalał sobie pełną szklankę i pił. Nawet nie zapytał, czy ona też ma ochotę. Był tak przejęty, że sprawiał wrażenie, jakby zupełnie o niej zapomniał. W niczym nie był podobny do jej ojca, który nawet najbardziej zdenerwowany zawsze okazywał kobietom uprzejmość.

Od początku wiedziała, że rodzice będą mieć wielkie trudności, żeby zaakceptować Ludwika. Kiedyś był to jeden z filarów jej decyzji. Była bardzo młoda. Teraz jednak patrzyła na to inaczej.

Ludwik szybko się ocknął.

– Napijesz się? – zapytał nieuważnie, ale kiedy kiwnęła głową potakująco, nawet do niej nie podszedł. Wciąż ściskał szklankę w jednej dłoni, a w drugiej prawie pustą butelkę. Jego umysł pracował na pełnych obrotach, tak był pochłonięty trudnym tematem.

Wstała. Podeszła do barku i sama się poczęstowała wodą. W gardle jej zaschło.

Ludwik gwałtownie odłożył butelkę.

– Przychodzą mi do głowy tylko dwa rozwiązania – powiedział szybko. – Zachorowałaś na coś wstydliwego lub paskudnie zaraźliwego albo… spojrzał na nią i coś mu nagle zaświtało. Ścisnął ją mocniej. – Jeśli chcesz mi powiedzieć, że byłaś w ciąży, to tracisz czas. Ja… Ja nie mogę mieć dzieci – wykrztusił. – Musisz więc szukać innego winowajcy.

– To dlaczego tak starannie się zabezpieczałeś? – odsunęła się. Zaskoczył ją. Ta informacja nigdy wcześniej się nie pojawiła, choć przegadali kilka wieczorów na temat ewentualnego powiększania rodziny.

Mężczyzna pobladł, a potem się zaczerwienił.

– Nie zawsze człowiek ma się ochotę ze wszystkiego zwierzać. Poza tym są też inne powody, by zachować względy bezpieczeństwa. Choroby i tak dalej – odwrócił wzrok, wyraźnie zmieszany.

Takiego go jeszcze nie widziała. Zwykle był bardzo pewny siebie albo dobrze udawał.

– Więc jeśli tylko o to chodzi – powiedział już trochę pewniejszym głosem – to możesz spokojnie opuścić mój gabinet i pozwolić mi pracować. Byłem już dwa razy w podobnej sytuacji, miałem nawet proces o ustalenie ojcostwa, ale z oczywistych względów wygrałem. – W jego głosie nie słychać było triumfu, z jakim zwykle chełpił się swoimi osiągnięciami.

Anielka dopiła wodę. Elementy tej historii zaczęły jej się układać w całość.

– To dlatego mówiłeś, że nie chcesz mieć dzieci? Jesteś chory i zwyczajnie myślałeś, że nie możesz. Tak?

Zrobiło jej się gorąco. Takiej opcji zupełnie nie brała pod uwagę. Osądziła i wydała wyrok na podstawie znanych jej faktów. Nawet jej przez myśl nie przeszło, by szukać dalszych informacji, spróbować lepiej zrozumieć sytuację.

O ty naiwna – pomyślała z nagłym przestrachem, bo powoli zaczynało do niej docierać, jak bardzo się pomyliła.

– Czy musimy drążyć ten temat? – Ludwik tracił cierpliwość.

Nie czuł się dobrze w roli podsądnego, grzecznie odpowiadającego na zadane pytania. A jego męska duma z trudem znosiła przyznanie się do tej, jego zdaniem, wstydliwej słabości. Nigdy by mu nie przeszła przez gardło nazwa przypadłości, na którą cierpiał. Leniwe plemniki. Dobry Boże. Był męski jak samiec rozpłodowy. Kobiety mdlały w jego ramionach. Nigdy nie dał plamy, a tu nagle taka diagnoza. To z jej powodu rozwiódł się z pierwszą żoną.

Swoim kolejnym kobietom uczciwie mówił, że jeśli chodzi o dzieci, na niego liczyć nie mogą. Pozwalał, by interpretowały to sobie po swojemu. Nie miał zamiaru nikogo wpuszczać aż tak głęboko w swój intymny świat, by się przyznać, że on mężczyzna metr osiemdziesiąt pięć centymetrów wzrostu, od trzynastego roku życia chodzący na siłownię, świetny piłkarz, zapalony tancerz i uwodziciel, ma leniwe plemniki. Skrzywił się z niesmakiem na samą myśl.

To nie mogła być zresztą prawda. One były doskonałe. Zawsze mógł na nie liczyć. Udowodnił to nie raz i nie dwa. Tylko w jednej sprawie się nie sprawdzały. Nie potrafiły dać kobiecie dziecka.

– Widzisz, każdy ma jakieś sekrety. – Anielka spojrzała na niego ze smutkiem, a on aż poczuł dreszcz na
samą myśl, że mogła jakimś tajemniczym sposobem
dowiedzieć się całej prawdy o jego wstydliwej dole-
gliwości. – Gdybyś wtedy zdobył się na szczerość, zamiast zgrywać macho i opowiadać na prawo i lewo, że
nie chcesz mieć dzieci, bo to zbędny balast, wszystko
może potoczyłoby się inaczej.

– Co chcesz przez to powiedzieć? – Niedowierza-
nie widoczne na twarzy Ludwika mieszało się z rosnącym zdenerwowaniem. Był inteligentnym facetem.
Elementy łamigłówki szybko zaczęły mu się układać
w całość. – Lekarze jasno dawali mi do zrozumienia, że to niemożliwe – zaczął szybko mówić. – Moja
pierwsza żona dokładnie to sprawdziła. Zgodziłem
się dla niej przebadać na wszystkie możliwe strony. Podejmowaliśmy wiele prób leczenia, korzystając
z wszelkich dostępnych sposobów. Nie chcę cię narażać na niepotrzebny stres, jakim jest ustalanie ojcostwa, ale przemyśl wszystkie inne opcje – odwrócił
wzrok. – To nie ja – zakończył stanowczo.

Podszedł do okna i odwrócił się od Anieli. Patrze-
nie na nią było zbyt bolesne.

Zasadniczo nie bywał zazdrosny, sam miał to i owo
na sumieniu. Lubił kobiety, dobrą zabawę i nie znosił
samotności. Absurdem byłoby wymagać, że ta piękna kobieta o niezwykłych cechach osobowości, które

sprawiły, że zapadała w serce na trwałe, tyle lat była sama. Ale w tym jednym jedynym przypadku nie umiał zachować obiektywnego oglądu sprawy. Zacisnął zęby. Był zazdrosny jak nigdy dotąd.

– Sprawdź innych facetów – wycedził przez zęby, gwałtownie odwracając się w jej stronę.

Anielka czytała z jego twarzy dokładnie tak samo łatwo jak z kart ulubionych książek.

– Dobrze wiesz, że byłcś moim picrwszym mężczyzną – powiedziała cicho, a Ludwik zmieszał się wobec tego wyznania, o którym doskonale wiedział, że jest prawdziwe. – I jak dotąd jedynym… – dodała, a on poczuł się nagle jak człowiek, który po bardzo długiej podróży przez zimną, lodowatą wręcz krainę dociera wreszcie do domu. – Nie zrobię żadnych badań – powiedział Anielka. – Wiem na pewno, że to ty, z tej prostej przyczyny, że byłeś i jesteś nadal jedynym mężczyzną w moim życiu.

Ludwik lekko się zachwiał. Ilu jego znajomych miało kiedykolwiek szansę, by usłyszeć takie słowa? To go zupełnie pozbawiało zwykłej pewności siebie, szorstkości, z jaką zwykle traktował kobiety. W zamian pozostawała wielka czułość i chęć roztoczenia opieki nad tą dziewczyną, a także nieporadna niepewność, bo zupełnie nie wiedział, jak powinien teraz zareagować.

– Nie musisz mi wierzyć. – Anielka najwyraźniej mylnie zinterpretowała jego milczenie. – Nie potrzebuję twoich pieniędzy, bo sama się utrzymuję. Skromnie, ale na wszystko, co potrzebne, nam wystarcza. Chciałam tylko, żebyś wiedział. Historia moich rodziców dała mi do myślenia. Tajemnice nie zawsze są dobre. Ucieczka od konfrontacji również. Odsuwany latami problem ma czas, żeby urosnąć, i potem przypomina wielkiego potwora. Jestem więc tutaj, choć uwierz mi, bardzo się boję.

Ludwik miał ochotę walnąć kilka razy głową w ścianę, wyjść na balkon, by zaczerpnąć świeżego powietrza, bo wydało mu się, że w pomieszczeniu zabrakło nagle tlenu, zacząć krzyczeć z radości, podrzucić Anielkę aż pod sufit albo sprać na kwaśne jabłko kogoś odpowiedzialnego za tę sytuację, czyli zapewne samego siebie.

Zamiast tego z impetem usiadł na kanapie, aż zajęczały sprężyny. Spojrzał na Anielkę. Wyglądała dokładnie tak samo jak wtedy. Młoda, niewinna dziewczyna o twardym charakterze. Była czuła, wesoła, dobrze go rozumiała i bez trudu wkradła się w jego serce, swoją obecnością dowodząc jasno, że wszystko, co do tej pory brał za miłość, było tylko jej marną namiastką.

Odchodząc, wyrządziła mu krzywdę. Już nie umiał się odnaleźć w wesołym towarzystwie. Wciąż szukał wzrokiem smukłej dziewczyny o kręconych włosach i podskakiwał na dźwięk głosu, który wydawał mu się znajomy. Dawny spokój na dobre go opuścił, rozrywki przestały cieszyć. Długo nie mógł sobie znaleźć miejsca.

– Zatrudniłem najlepszą firmę detektywistyczną – powiedział. – Wydałem majątek, a oni okazali się skończonymi fajtłapami. Człowiek nie może przecież tak po prostu zniknąć bez śladu.

– Może – odparła Anielka. – Jeśli nie ma własnego komputera z numerem IP, wyrzuci kartę telefoniczną do toalcty i zlikwiduje konto na Facebooku, a przy okazji mieszka w obcym mieście, w którym nikt go nie zna i dla nikogo nie jest istotny. Warszawa to kolos. Jedna dziewczyna z prowincji ginie tutaj jak w morzu, a ja przyjechałam na krótko.

Ludwik milczał. Wciąż był w szoku.

– Czy to dziewczynka? – zapytał wreszcie.

Anielka poczuła dreszcz. Jeśli okaże się męskim szowinistą, który pragnie wyłącznie syna, wyjdzie stąd i już nigdy nie pozwoli się znaleźć. Nie sądziła, by Ludwik zapamiętał jej imię i nazwisko. Był blady i mocno zdenerwowany.

– Tak – odparła.

– To jeszcze gorzej. – Ludwik potwierdził jej najgorsze obawy.

Zerwała się, ale mężczyzna złapał ją za rękę.

– To nie tak jak myślisz. Po prostu będzie mi trudniej się z tym pogodzić. Zawsze chciałem mieć córeczkę. – Miała wrażenie, że wypowiedzenie tego zdania sporo go kosztowało. – Naprawdę. Czasem nawet mi się śniła. To wszystko przez to, że ta myśl towarzyszyła mi właściwie stale. Czułem się wybrakowany, bo nie mogłem dać swojej kobiecie tego, co dla niej tak bardzo ważne.

– Nie wszystkie kobiety chcą być matkami – powiedziała Anielka stanowczo, żeby przerwać to użalanie się nad sobą. Poza tym taka była prawda. Miała koleżanki, które realizowały się inaczej. Wiele z nich szczerze jej współczuło, że tak młodo zaszła w ciążę i skomplikowała sobie życie.

– Może – odparł Ludwik. – Ale ja takiej nie spotkałem. Moja druga żona przysięgała, że to dla niej nie ma znaczenia. Że jest przygotowana i będzie szczęśliwa, żyjąc tylko ze mną. To były jej słowa po pierwszej nocy spędzonej w moim domu.

Aniela tylko pokiwała głową. Dom Ludwika robił wrażenie. Zwłaszcza na tak zwanych zwykłych kobietach. Nawet ona sama, choć wychowana w miejscu pięknym i niezwykłym, patrzyła zachłannie na ogród, meble, oranżerię i salon pełen ręcznie rzeźbionych mebli, które były owocem pasji Ludwika i czuła się oszołomiona tym przepychem.

A już pierwsza spędzona z nim noc odbierała zwykle zdolność logicznego myślenia na dłużej każdej kobiecie. Anieli także.

– Nie wiedziała, co mówi – powiedziała stanowczo, przypominając sobie własne odczucia.

– Dokładnie tak – przytaknął Ludwik, choć on zrozumiał to trochę inaczej. – Najpierw bawiła się urządzaniem domu, korzystaniem z mojej karty kredytowej, zapraszaniem koleżanek i przyjęciami w ogrodzie. Ale po trzech latach odeszła z innym. Dał jej dziecko... – Ludwik znów zacisnął zęby. – Czy mogłem w takiej sytuacji nie zgodzić się na rozwód?

Spojrzał znów na Anielkę, jakby sprawdzał, czy naprawdę tutaj jest.

– Zgrywałem się przy tobie, bo nie chciałem, żebyś miała jakieś złudne nadzieje. Ale i tak mnie zostawiłaś. Jak inne. Mam opinię kobieciarza, ale prawda jest taka, że ja nigdy w życiu sam nie zerwałem żadnego związku. To one zawsze odchodzą.

– Nie sądzę, żeby jedynym powodem był brak dziecka – Anielka powiedziała ostrożnie i usiadła z powrotem. – Tak, to dziewczynka – odpowiedziała na to ważne pytanie. – Ma sześć lat i chodzi do pierwszej klasy. Od miesiąca.

Ludwik miał wrażenie, jakby w jego mózgu błyskawicznie zaczęła się przewijać taśma. Pierwszy kadr to była uroczystość rozpoczęcia roku szkolnego, podczas której nie mógł towarzyszyć tej nieznanej dziewczynce, a potem płynęły następne wydarzenia, przesuwając się w przeszłość, poprzez przedszkole, pierwsze kroki, słowa, raczkowanie, poród, aż do ciąży, której rozwoju nie miał szans obserwować. Wszystkie te kadry stanowiły puste pola. Nie umiał sobie wyobrazić tej dziewczynki, która według wszelkich znaków na ziemi i niebie była jego córką. Nie wiedział, czy uda im się nawiązać prawdziwą więź. Nie miał pojęcia, jak się za to wszystko zabrać. Ogrom straty pozbawił go na chwilę tchu.

– Coś ty mi zrobiła? – zawołał. – Co wy kobiety robicie swoim facetom? Przecież to zbrodnia. Nie wolno załatwiać porachunków dzieckiem.

– Nigdy nie miałam takiego zamiaru – Aniela rozpłakała się. Jakie znaczenie miały teraz jej argumenty. Faktem było, że się pomyliła. Choć logicznie nie można jej było nic zarzucić, choć dzielnie przyjęła na siebie wszystkie obowiązki i kierowała się przede wszystkim dobrem dziecka, popełniła błąd. Z każdą minutą tej rozmowy uświadamiała sobie, jak wielki.

Nie tylko ona była za to odpowiedzialna. Ale jakie to miało znaczenie.

W jej głowie też błyskawicznie przewinął się film. Ale on był pełny, kolorowy i treściwy. Mnóstwo kadrów z pięknymi wspomnieniami. Brakowało tylko tej osoby na zdjęciu, która zwykle stoi nad drugim ramieniem dziecka. Ojca.

Zawsze myślała, że to nie jest aż tak duży problem. Niepełne rodziny były w przedszkolu córki na porządku dziennym. Dobrze sobie radziły.

Borykała się z tym całe lata. Całkiem nieźle jej szło. Jej dziecko miało przecież kochających dziadków, ciocie i kuzynów, było kochane, a ona żyła w przekonaniu, że dokonała słusznego wyboru. Tak mocnym, że poświeciła nawet własne uczucia. Byle tylko nie narazić Ani na cierpienie.

– Jak mogłaś tak szybko mnie skreślić? – Ludwik tym razem mówił cicho i z zimnym spokojem, ale to robiło na niej jeszcze mocniejsze wrażenie. – Tylko na podstawie pozorów? – mężczyzna spojrzał na nią z wyrzutem. – W tak ważnej sprawie? W twoim brzuchu rósł ktoś, kto jest także częścią mnie – walnął się w pierś. – Nie miałaś prawa tak po prostu go zabrać, jakby należał wyłącznie do ciebie.

Ludwik sam nie zauważył tego momentu, w którym przestał mieć wątpliwości, że dziecko jest jego. Zbyt dobrze pamiętał tamtą noc z niewinną drżącą dziewczyną. Noc, która na zawsze zapadła mu w serce. Anielka nie kłamała. Należała do grona tych kobiet, które wiedzą, kto jest ojcem ich dziecka.

Natura czasem płata takie figle. Ktoś nieuleczalnie chory zdrowieje, a ktoś inny, cieszący się doskonałą formą, nagle słabnie. Zdrowi, młodzi ludzie nie mogą mieć dziecka, a ci, których lekarze pozbawili już wszelkiej nadziei, z zaskoczeniem spoglądają na dwie kreski ciążowego testu.

– Tak naprawdę czułam to od dawna – Anielka płakała. – Ale wszyscy mówili, że mężczyźni się nie zmieniają. Zrozum, wciąż to powtarzałeś, że nie chcesz mieć dzieci. Jakby to było dla ciebie najważniejsze. Częściej to mówiłeś, niż że mnie kochasz. Byłam pewna, że mnie odrzucisz. Chciałam oszczędzić dziecku tego okropnego uczucia, że jest niekochane.

W gabinecie słychać było tylko szloch Anielki. Płakała długo. W końcu łzy się wyczerpały, jej siły też. Uspokajała się powoli, wycierając twarz w milczeniu i cichutko. Smarkanic w chusteczkę nie było w jej stylu.

Nie wiedziała, co teraz będzie. Właściwie co można było jeszcze powiedzieć. Okłamali się nawzajem. Szkoda tylko, że ucierpiało także dziecko.

ROZDZIAŁ 21

Aniela nie wracała i kolejne dni mijały wypełnione niepokojem i zawiłościami związanymi ze sprzedażą księgarni. Zaaferowany Alfred jeździł po prawnikach, wykonywał długie telefony, podczas gdy Helena i Jan z troską pochylali się nad lapidarnymi esemesami, za pomocą których ich najmłodsza córka informowała, że wciąż pozostaje w Warszawie i prosi o dalszą opiekę na dzieckiem. Uspokajała wprawdzie, że wszystko jest w porządku, ale nie podawała żadnych szczegółów, więc nadal się martwili. Telefonowała do Ani, ale jej również na razie niczego nie wyjaśniła.

Nadeszła kolejna sobota, którą Maryla znów spędziła u rodziców. Jej synowie bawili się z kuzynką, a za oknem zapadał przyjemny zmrok.

– Jadę w niedzielę z Marcinem i chłopcami do zoo. – Maryla, usiadła w domu rodziców do kolacji w strategicznym miejscu, pomiędzy krzesłami, na których za moment mieli zasiąść jej synowie. Zależało jej na tym, by się godnie zachowywali. Ich kuzynka Ania zawsze była taka grzeczna podczas posiłków, a te dwa małe łobuzy wciąż wystawiały cierpliwość matki na próbę.

– To wspaniała wiadomość. – Helena obrzuciła stół kontrolnym spojrzeniem. Wszystko było gotowe. – Kto wpadł na taki dobry pomysł?

– Ja – przyznała Maryla. – Ale nie ciesz się tak bardzo. Będzie z nami Paulina i jej córki, a Marcin wcale nie jest zachwycony faktem, że chcę do nich dołączyć.

– Oj tam – Helena usiadła naprzeciw córki. – Wydaje mu się, że już cię nie kocha, ale na moje oko to nie jest prawda.

– Skąd możesz to wiedzieć? Nie znasz się na prawdziwych związkach. Wy zawsze z tatą tylko jak dwa gołąbki.

– Jasne… – Helena uśmiechnęła się kwaśno. – Nie pierzemy brudów publicznie i nie kłócimy się przy dzieciach, ale to nie znaczy, że nie miewamy kryzysów. Spieramy się często. Dobrze o tym wiesz.

– Z tego, co pamiętam, to wyłącznie o twoją pracę.

– To tylko jeden z powodów. Ojciec zawsze chciał, żebym została w domu, a ja lubiłam szpital i pacjentów. Co z tego, że pielęgniarki zawsze słabo zarabiały, to była część mojego życia. Ojciec tak naprawdę nigdy tego do końca nie zaakceptował. Chodził wściekły, kiedy miałam nocne dyżury albo wracałam skonana po ciężkim dniu.

– Jak to możliwe? – dziwiła się Maryla. Pamiętała dyskusje rodziców na ten temat. – Przecież sam ma pracę, którą uwielbia.

– Cóż, każdy ma swoje wady. Tata też. Jedną z nich jest skłonność do bycia samcem alfa ponad wszystko. Zarabiać, utrzymywać rodzinę, decydować. Wiele nocy poświęciliśmy na rozmowy, zanim udało nam się osiągnąć w tej sprawie kompromis. A wciąż pojawiały się inne problemy. Teraz też tak naprawdę jestem na niego bardzo zła. Miłość nie gwarantuje spokoju. Tylko tyle, że wciąż ci się chce walczyć od nowa. Nie ubywa sił.

– Jednak między mną i Marcinem nic już nie ma. – Maryla odsunęła talerz. Nie miała ochoty na żadne smakołyki, nawet te przygotowane ręką mamy. – Żadnych uczuć – dodała nie do końca zgodnie z tym, co myślała wcześniej. Ale teraz wydawało jej się to jedyną prawdą. – Rozwiedliśmy się dobrowolnie i za obopólną zgodą. Sama nie wiem, jak można było do tego dopuścić.

– Miłość to energia – spokojnie odpowiedziała mama. – Czasem rozprasza się tak bardzo, że trudno ją dostrzec. Ale to jeszcze nie znaczy, że zniknęła. Po prostu jej nie widzisz. Wystarczy jednak pozbierać te wszystkie kawałki i znów ułoży się całość.

Maryla wstała od stołu. Nie miała teraz ochoty na żadne wielkie słowa.

– Dzięki. Ta rada jest może i dobra, ale dla Anielki albo Gabrysi – powiedziała stanowczo. – Ja z tego i tak nic nie rozumiem. Potrzebuję, żeby ktoś mi poradził konkretnie, co zrobić, żeby nie trzasnąć Pauliny w łeb już w pierwszej minucie spotkania, tylko wytrzymać. W końcu to nie jej wina.

Mama spojrzała na nią ze smutkiem. Bała się, że Maryla rzeczywiście nie da rady i straci swoją jedyną szansę. W domu nikt nie miał wątpliwości, że źle się stało, że to małżeństwo się rozpadło. To nie był żaden toksyczny związek. Po prostu spotkały się dwie porywcze osobowości łatwo rzucające słowa i zbyt szybko podejmujące decyzje. Zabrakło katalizatora, który by chronił tę miłość.

Helena westchnęła. Znów poczuła wyrzuty sumienia, że może nie wszystkiego dopilnowała jak należy. Nie była w pobliżu, nie podsunęła na czas dobrej rady. Jak miała to jednak zrobić, skoro Maryla nikogo nie chciała słuchać?

Słuchasz rad czy nie... Na jedno wychodzi – powiedziała jej kiedyś Anielka. – I tak możesz się pomylić.

Wnuki, które nie czekając, aż babcia je zawoła, zbiegły właśnie na kolację, uratowały ją od przygnębienia.

– Grzanki! – krzyknął jej do ucha Kubuś. – Uwielbiam! Tłuste i chrupiące.

– Ja też! – Szymek nie miał zamiaru odstawać od rodzinnych norm.

Maryla czasem miała wrażenie, że nie ma żadnego wpływu na proces wychowawczy młodszego syna. Dla niego i tak największym autorytetem był brat.

– Ja też lubię. – Ania trochę trwożnie rozejrzała się wokół.

Miłującej zdrową żywność mamy nie było w zasięgu wzroku, więc bez oporów nałożyła na swój talerz trzy panierowane w jajku i pieczone na głębokim tłuszczu kromki.

– O rany... – Helena poczuła lekki wyrzut sumienia. Przygotowała ten smakołyk z myślą o chłopcach. Ania zwykle jadała na kolację kaszę jaglaną z suszonymi owocami albo kanapkę z pełnoziarnistego chleba z białym serem i miodem. – Może zjesz tylko jedną – zasugerowała wnuczce delikatnie. – Nie chciałabym, żeby cię rozbolał brzuch.

– Mnie nigdy nie boli brzuch. – Ania pochłonęła swoją kromkę szybciej niż kuzyn, co spowodowało w chłopcu gwałtowny przypływ ambicji i woli walki. Przełknął potężny kęs, aż mu oczy załzawiły. – Mam wprawę – tłumaczyła Ania. – U Oliwii zawsze jemy takie pyszności. Mają też dobre hamburgery w barze obok szkoły.

– No pięknie – powiedziała babcia. Aniela wkładała tyle wysiłku, żeby jej dziecko zdrowo się odżywiało,
a ono i tak znalazło dostęp do fast foodów. – A kiedy
wy tam chodzicie?

– Jak czekamy na rodziców – tłumaczyła jej bez
żadnych oporów wnuczka, sprawnie pochłaniając
drugą kromkę. Chłopcy jedli jak na akord, wpatrując
się z nabożnym podziwem w chudziutką dziewczynkę.
Jak dotąd nie dała się poznać od tej strony.

– Ale przecież ty nigdy nie lubiłaś hamburgerów. –
Babcia próbowała się rozeznać w nowych zasadach.

– Ale teraz polubiłam. Moje koleżanki ze szkoły
mnie nauczyły. – Ania popiła herbaty z kubka. – Tylko nie mów mamie. I tak już płacze po nocach.

– Płacze? – zatchnęło Helenę, a Maryla też zamar-
ła w pół gestu. – Dziecko kochane – Helena złamała swoją świętą zasadę nie mieszania dzieci w sprawy
dorosłych. – A nie wiesz ty przypadkiem, dokąd ma-
musia pojechała? – zapytała, rumieniąc się ze wstydu
pod gniewnym spojrzeniem najstarszej córki.

Tak, tak, łatwo się mówi, żeby się nie wtrącać
w sprawy dorosłych dzieci. Zwłaszcza gdy jest się
samemu młodym. Dopiero po latach zaczyna się rozumieć własnych rodziców. Kiedy po raz pierwszy
poczuje się smak tego niepokoju o dziecko, które
przestało się zwierzać. I co z tego, że rozum wyraźnie podpowiada, że córka czy syn mają do tego prawo,

kiedy serce wciąż pragnie poczucia, że wszystko jest w porządku, żeby móc spokojnie zasnąć. Jeśli go nie dostaje, zaczyna działać, bo inaczej zwyczajnie nie potrafi.

– Tylko ten jeden raz – wyszeptała Helena w stronę Maryli. Ta przewróciła znacząco oczami, ale pochyliła się w stronę dziewczynki. Też się martwiła o Anielkę.

– Pewnie pojechała szukać dla mnie taty – dziewczynka odpowiedziała ze spokojem, nakładając na talerz kolejną porcję grzanek.

Helena nawet tego nie zauważyła.

– Skąd wiesz? – zapytała bez tchu.

– Oliwia mi powiedziała.

– O rany... – Helena wyraźnie nie nadążała. Oliwia, nowa koleżanka Ani, miała przecież tylko sześć lat, jej mama nie była zaprzyjaźniona z rodziną, choć było to zapewne kwestią czasu, bo dziewczynki spotykały się coraz częściej. – A ona w jaki sposób się domyśliła?

– Oliwia jest bardzo mądra – odparła jej wnuczka. – Ma już trzeciego tatę, więc zna się na tym. Mówiła mi, że niektóre mamy po prostu nie mogą być same. Ciągle muszą szukać nowych tatusiów. Moja i tak była długo dzielna, tak powiedziała Oliwia, a ona wie najlepiej.

– Aha – tyle tylko zdołała wykrztusić Helena.

Przy stole zapadła nagła cisza.

Chłopcy przestali jeść i wpatrywali się w swoją mamę, jakby przymierzając ją do teorii, którą właśnie usłyszeli. Chyba wszystko im się zgadzało, bo nagle jak na komendę obaj opuścili wzrok.

Twarz Maryla pokryła się gwałtownym rumieńcem.

To tylko dzieci – pomyślała jak zwykle. Ale wiedziała, że to nieprawda. To młodzi ludzie rosnący z każdym dniem, bacznie obserwujący rzeczywistość. Ich los na razie był nierozerwalnie związany z nią, więc nic dziwnego, że żywo interesowali się jej życiem. Każda jej decyzja wpływała na nich i nie dało się tego w żaden sposób uniknąć.

Kurczę, do niczego to wszystko – pomyślała ze złością. Nie zdążyła jeszcze poukładać swoich spraw, a tu już w kolejce do życia ustawiały się następne osoby. I liczyły, że będzie dla nich oparciem. A ona? Skąd miała je brać?

Ktoś, kto wymyślił miłość, był chyba pijany. Inaczej dobrze by się zastanowił, zanim wypuściłby w świat taką wybrakowaną usługę – pomyślała ze złością.

Maryla przecież kochała swojego męża. Naprawdę! A zupełnie nie umiała poradzić sobie z tym uczuciem i wciąż popełniała błędy.

– Ja ci, małpo, jeszcze pokażę – wyszeptała, wstając na chwilę od stołu. Musiała ochłonąć, a zrzucenie winy na Paulinę przyniosło jej chwilową ulgę. Ale dobrze wiedziała, że w gruncie rzeczy obie są takie same. Koleżanka Ani sklasyfikowałaby je w tej samej rubryce życiowej tabeli: kobiet uporczywie szukających tatusiów dla swoich dzieci.

Marylka podeszła do drzwi, bo ktoś zadzwonił. Nawet się ucieszyła, że może wykonać taką zwyczajną pożyteczną czynność. Bo poza tym życie wymykało jej się z rąk.

– Jesteśmy! – Wujek Alfred wszedł do środka, niosąc ze sobą powiew optymizmu rodem z amerykańskich poradników. Uśmiechnij się do świata, a on odpowie ci tym samym. Maryla miała ochotę na ten widok skrzywić się brzydko, ale powstrzymała się w trosce o spokój rodziny.

– Dobry wieczór – przywitała się. – W samą porę – recytowała uprzejmą regułkę. – Mama właśnie podaje kolację.

– To w Polsce lubię najbardziej – rozpromienił się mężczyzna. – Celebrowanie posiłków, domowe jedzenie, zupełny brak pośpiechu.

Maryla nie wytrzymała i skrzywiła się za jego plecami. Nic nie wiedział o prawdziwym życiu w tym kraju ani o tym, ile wysiłku kosztowało mamę, by w obliczu nadciągających kłopotów finansowych zadbać o pełen stół i spokojną atmosferę. Prawie wszystkie potrawy były tradycyjnie polskie i przyrządzone z darów ogrodu i sadu. Tych nielicznych, które ocalały. To oznaczało zdrowo i tanio, ale też niezwykle pracochłonnie.

Maryla odwróciła się. Spojrzała na stół. Prócz grzanek mama przygotowała sałatkę jarzynową, gołąbki w sosie pomidorowym i leczo. Upiekła ciasto ze śliwkami. Kiedy to wszystko zrobiła!? Nawet jeśli ciotka Marta jej pomagała, to i tak każda z nich miała dziś pełne ręce roboty.

Zobaczyła bladą twarz mamy, na której wyraźnie rysowały się oznaki zmęczenia i troski. Chyba rzeczywiście był już najwyższy czas, żeby ktoś młodszy przejął pałeczkę i trochę pomógł. Aniela mieszkała wprawdzie z rodzicami, ale do kuchni zaglądała rzadko. Żyła księgarnią i wychowywaniem Ani.

Gdzie ona jest? – Niepokój ściągnął jej czoło dokładnie w takim samym grymasie jak u mamy.

– Janek jeszcze nie wrócił? – Alfred rozsiadł się przy stole i nałożył sobie na talerz solidną porcję gołąbków. – Mam nadzieję, że dzwonił do ciebie – zwrócił się w stronę Heleny – i przekazał ci dobre wieści.

Helena tylko skinęła głową. Co mu miała powiedzieć? Jan był przez ostatnie dni pochłonięty jakimiś tajemniczymi przygotowaniami. Zadzwonił dzisiaj tylko na chwilę, a jedno jego słowo było bardziej niepokojące od drugiego. Księgarnia ostatecznie sprzedana. Dokumenty podpisane. Z tego powodu nawet się w głębi duszy ucieszyła. Wiedziała, że nie ma innego wyjścia. Tyle że Jan miał jakiś plan i kiedy z nim rozmawiała, był w doskonałym humorze. A to stanowiło powód do niepokoju.

ROZDZIAŁ 22

— Jak to nie ma jeszcze Anielki! — Gdyby można
było krzyczeć szeptem, Jan właśnie by to uczynił. —
To stanowczo za długo trwa, poza tym jest jedenasta
w nocy, dziewczyna powinna chociaż zadzwonić.

— Wiem! — Helena nie kryła swojej złości. — Lepiej
niż ty orientuję się, która jest godzina. Wpatruję się już
od dłuższego czasu w zegarek jak szaleniec i umieram
tu z niepokoju, i to nie o naszą córkę, która przynajmniej przysłała wiadomość, że nic jej nie jest, ale o ciebie, starego chłopa. Powinieneś już chyba nabyć choć
trochę rozumu, żeby wiedzieć, że tak się nie postępuje.

— Przepraszam cię, kochanie… — Chciał ją przytulić, ale odsunęła się stanowczo. — Zapomniałem, bo za-
siedziałem się w sadzie i jakoś tak mi się wydawało, że
skoro i tak jestem w domu, to nie ma potrzeby o tym
pisać ani telefonować. Sądziłem, że się domyślisz.

– Pięknie dziękuję – odparła z goryczą. – Gdybym była jasnowidzem, to bym sobie otworzyła działalność gospodarczą, żyła jak królowa i wreszcie nie musiała się o was wszystkich martwić. Ale nie jestem – zawołała, po czym szybko przyłożyła dłonie do ust i z niepokojem spojrzała na sufit. Miała nadzieję, że nie obudziła śpiących na piętrze dzieci.

– Kochana, jestem bałwanem, przyznaję, ale wynagrodzę ci to. – Znów próbował do niej podejść, ale się odsunęła. – Tylko mi pozwól – poprosił.

– Ależ nie ma sprawy – usiadła w fotelu. – Proszę mi w takim razie szybko wyjaśnić, o co tu do licha chodzi. Dlaczego siedziałeś po nocy i w zimnie w sadzie, zamiast jak człowiek wejść do domu i zjeść z rodziną kolację?

Jan zasępił się i usiadł na brzegu łóżka.

– Czekałem, aż on pójdzie spać.

– Kto? – zdziwiła się. – Ach, już wiem. Alfred. Unikasz własnego brata?

– Nie – odparł. – Wiem, że on niczemu nie jest winien. Tyle lat okazywał mi życzliwość, dużo mu zawdzięczam i tak dalej. Ale dzisiaj po prostu nie mogłem. Siedzieć z nim przy stole, prowadzić rozmowę, patrzeć, jak je to wszystko, co przygotowałaś. Po tym, jak sprzedał naszą księgarnię… Nawet mu powieka nie drgnęła.

– To musi być trudne – przyznała Helena. Nigdy nie umiała długo złościć się na męża. Zrobiło jej się go żal. Miał za sobą ciężki dzień. Podniosła się z fotela i usiadła obok niego. Oparła głowę na jego ramieniu i chwilę milczeli, czekając, aż rozpędzone życie troszkę zwolni. Tak, by można było zebrać myśli i spokojnie zastanowić się, co dalej.

– Nasze życie się zmieni – wyszeptała. – Ale to może i dobrze. Nie ma się co kłócić z nieuniknionym.

– Zgadzam się – Jan nagle się ożywił. – Ale nie będę udawał, że zupełnie nie mam żalu. Sprzedać księgarnię w tak krótkim czasie, to był cios poniżej pasa. Po co ci wszyscy ludzie się wtrącają? – zapytał rozżalony.

Helena pomyślała o dziesiątkach telefonów, które odebrała w ciągu ostatnich dni. Z propozycjami pomocy, wyrazami troski i pomysłami, kto mógłby być dobrym nabywcą, skoro sprawa sprzedaży i tak jest już przesądzona. Nikt nie miał co do tego wątpliwości.

– Chcieli pomóc – odparła. – Lubią cię tu i szanują.

Jan tylko westchnął.

– Ale z drugiej strony jestem wdzięczny – powiedział. – Dzięki temu wpadłem na nowy pomysł.

– Tego się właśnie obawiałam – Helena spojrzała na niego czujnie.

– To nie księgarnia jest źródłem naszego sukcesu, tylko ja – powiedział Jan dumnie i niezbyt skromnie.

Helena, mimo niepokoju, który ją przepełniał, uśmiechnęła się.

– Wyglądasz jak goryl, który za chwilę zacznie się bić w owłosioną klatę.

– Wypraszam sobie… – Jan był ostatnio dość draż liwy. Jego nerwy musiały znieść kilka gwałtownych zwrotów akcji, a te lubił tylko w powieściach. W życiu niespecjalnie.

Helena uścisnęła jego dłoń.

– Mówię poważnie – zwrócił się do niej. – To nie miejsce jest ważne. Mogę być sobą, nawet jeśli mi je zabiorą. Tajemnicą naszej księgarni była wyjątkowa atmosfera. Można ją stworzyć prawie wszędzie – mówił z entuzjazmem, szybko wyrzucając kolejne słowa. – Nie ma innego sposobu na pokonanie galerii, jak tylko pobić ją jej własną bronią.

– Co ty zamierzasz zrobić? – Helena wystraszyła się, że mąż wpadł na zupełnie absurdalny pomysł i będzie chciał otworzyć własne centrum handlowe. To by oznaczało, że już do reszty stracił rozum.

– Wszystko ci opowiem, tylko jeszcze muszę się skonsultować z Anielką. Jest filarem mojego nowego pomysłu. Bez niej nic się nie uda.

– To może lepiej na razie niczego nie opowiadaj ani nie planuj. Naszej najmłodszej córki wciąż nie ma. Ania twierdzi, że mama pojechała szukać tatusia.

– O rany boskie! – wzdrygnął się Jan. – Sama?

– Ależ oczywiście. Nikt nie wie, gdzie dokładnie jest, choć przypuszczam, że pojechała do Warszawy. Jedyne, co mnie trzyma przy życiu, to pewność, że tak szybko jak tylko możliwe wróci do dziecka. Nie zostawi Ani samej, bo poza tym to już niczego nie jestem pewna.

– Ale przecież to jakiś drań! – Jan spojrzał na żonę, szukając wsparcia. – To już ustaliliśmy ponad wszelką wątpliwość. Musiał ją skrzywdzić. Pamiętasz, jak wróciła z tej Warszawy? Była taka smutna. Długo trwało, zanim się po tym podniosła, ale tak naprawdę nigdy już nie była taka jak wcześniej.

– Przecież ja to wszystko wiem – Helena tylko westchnęła. – Co miałam zrobić? Nie mogłam jej powstrzymać. Nawet mnie nie zapytała o radę, tylko poprosiła o opiekę nad Anią. Zwykła rzecz, żadne złe przeczucie mnie nie tknęło. Kompletnie nic. Chyba jestem kiepską matką.

– Daj spokój. Nawet tak nie myśl. Jan sam się mocno niepokoił, ale był zdecydowany za wszelką cenę chronić żonę. – Nie są naszą zasługą wszystkie sukcesy dzieci, ale też nie jesteśmy odpowiedzialni za ich porażki. Mają swoje życie i własny rozum.

– Ciągle tak mówisz, a sam się wtrącasz. – Helena lubiła dobre rady, wyłącznie kiedy to ona je wypowiadała.

– Wiem, ale staram się trzymać odpowiedni kurs. Zwłaszcza po ostatnich wypadkach. Kibicowaliśmy Ksaweremu jak szaleńcy, rzucaliśmy aluzjami, wspieraliśmy i co nam z tego przyszło? I tak się z Julią rozstali.

Wstał.

– Wiesz co, wpadłem na genialny pomysł.

– O, nie – jęknęła Helena. – Proszę, tylko nie to. Jest północ. Nie mam już sił.

– Ten ci się spodoba. Co byś powiedziała, gdybyśmy tak po prostu spróbowali zaufać naszym dzieciom. Że one wiedzą, co robią, dadzą sobie radę... I zwyczajnie poszli spać. Jutro też jest dzień. Będę miał dla ciebie sporo nowin, chciałbym, żebyś miała siłę i dobry humor.

– O tak – odparła. – Sił to zdecydowanie potrzeba sporo, żeby stawić czoła twoim pomysłom. Ty też powinieneś o tym pamiętać? Jak twoje serce dzisiaj?

– Może być – powiedział wymijająco. – Idę się teraz umyć – skierował się w stronę drzwi prowadzących do łazienki. – Obiecaj, że nie będziesz się martwić.

– Sam będziesz myślał o Anielce, więc mnie nie pouczaj.

– Ale ja tylko zawodowo – bronił się. – Można powiedzieć, służbowo. Powiem ci, że mam dobre przeczucia. Skąd wiesz, może właśnie jutro stanie w naszych drzwiach jakiś miły młodzieniec o czystej biografii oraz równie nieskazitelnych butach, a także dobrych widokach na przyszłość? Kulturalny, miłujący książki...

– I Anielkę – przerwała mu żona.

– To przecież jasne – oburzył się. – Zamieszkają u nas oboje – ciągnął rozmarzonym głosem. – Będą mi pomagać w pracy i wspólnie wychowywać Anię. Nie widzę powodu, dla którego tak właśnie nie mogłoby być.

Helena widziała ich mnóstwo, ale nie odezwała się ani słowem. Może rzeczywiście na stare lata stawała się przewrażliwiona? Położyła się i czekała na swoją kolejkę do łazienki. Nie lubiła chodzić jako pierwsza. Wolała, kiedy mąż na nią czekał pod ciepłą już pościelą i mogła od razu przytulić się do niego. Tyle już było za nimi takich wieczorów, a jej wciąż się to nie nudziło.

Z przyjemnością wyciągnęła zmęczone plecy na miękkim łóżku. Wizyta Alfreda była dość stresująca. Najgorsza była konieczność ciągłego utrzymywania porządku. Helena lubiła gotować. Kiedy dostawała natchnienia, potrafiła pichcić godzinami, nawet nie czując zmęczenia. Ale mycie garów, wycieranie podłogi, na którą wciąż coś złośliwie musiało kapnąć, zamiatanie schodów podeptanych przez dzieci... To już nie było takie przyjemne. Z wdzięcznością pomyślała o swojej siostrze.

Marta była dobrym duchem rodziny i to właśnie chyba po niej Anielka odziedziczyła zdolność bezszelestnego pojawiania się i znikania, a także ukrywania swoich prawdziwych uczuć.

Ciekawe, co myśli o tym wszystkim Marta... – zastanawiała się nieraz. Siostra była gadułą. Wciąż coś opowiadała, ale rzadko o sobie. Tyle już lat była wdową, wciąż się opiekowała siostrzenicami i pomagała Helenie prowadzić dom, ale przecież musiała mieć też jakieś własne marzenia.

Tyle pytań – Helena westchnęła. – Czy to właśnie jest cena za dużą kochającą się rodzinę? Ciągła troska o dobro najbliższych?

Przypomniała sobie świąteczny stół z zeszłego roku i wszystkie twarze siedzących wokół niego osób. Uśmiechnęła się od razu. Nigdy nie zamieniłaby tego gwaru na prostszy z pewnością spokój życia w pojedynkę. Jej serce było pełne uczuć. Gotowe, by obdarzać innych. Helena karmiła się atmosferą miłości, która wypełniała jej dom. Była tu szczęśliwa. Nawet jeśli ceną były zmartwienia, a czasem zmęczenie tak wielkie, że zasypiała, zanim zdążyła dotrzeć do łazienki.

Tak było i tym razem. Kiedy Jan wrócił do pokoju, zastał żonę śpiącą tak mocno, że nie obudziła się nawet, kiedy delikatnie ją przekładał, żeby miała wygodnie. Troskliwie okrył ją kołdrą. Pocałował w oba policzki, po czym zgasił światło.

Pal licho prysznic – pomyślał. – Najważniejsze, żeby odpoczęła.

Sam też się położył i przymknął oczy. To był trudny dzień, przełomowy w jego życiu. Jego plan coraz mocniej się krystalizował. Tak naprawdę potrzebował teraz już tylko konsultacji z najmłodszą córką. Niepokoił się o nią. Ale zasypiał z miłą wizją jasnowłosego chłopca o ciepłym spojrzeniu, idealnego dla jego córki. Młodego mężczyzny przywiązanego do tradycyjnych wartości, który stworzy z Anielką prawdziwą rodzinę.

Dlaczego jego córka miałaby kogoś takiego zostawić aż na siedem lat? Tego nie wiedział, ale ta myśl nie zmąciła jego spokoju. Wiadomo, różne przypadki chodzą po świecie, a trzeba było przyznać, że siostry Zagórskie były prawdziwymi mistrzyniami w przeganianiu ze swojego życia nie tych mężczyzn, co należy. Julia Ksawerego, Maryla swojego męża. Obaj byli świetnymi facetami. Widać, to nie gwarantowało niczego.

Z Anielką jest pewnie podobnie... – Z tą konkluzją Jan zasnął.

ROZDZIAŁ 23

Było już zupełnie ciemno, kiedy wreszcie opuścili budynek, w którym spędzili kolejny dzień. Ludwik musiał niestety pracować, ale nie chciał ani na chwilę tracić Anieli z oczu. Sporo rozmawiali, ale wciąż było więcej pytań niż odpowiedzi.

Wcześniej pożegnała ich wyraźnie zniesmaczona sekretarka, obrzucając Anielę badawczym spojrzeniem, które niczego nowego do sprawy nie wniosło. Szef znowu bez podania przyczyny odwołał wszystkie spotkania, choć miał to być wyjątkowo pracowity dzień.

– Nawet ładna – relacjonowała, mocno wzburzona, ciekawej nowin recepcjonistce. – Ale znam ładniejsze – dodała szybko i można było odczytać z wyrazu jej twarzy, że to głównie siebie ma na myśli. – Szef ma na mieście opinię uwodziciela, ale ja tu pracuję już od pięciu lat i powiem ci, nudy jak na filmie historycznym.

Recepcjonistka spojrzała na nią z uśmiechem.

– Rzecz gustu. Ja tam lubię opowieści o przeszłości, im bardziej zgodne z faktami, tym lepiej.

– Daj spokój – zirytowała się sekretarka. – Nie rób ze mnie słodkiej idiotki. Dobrze wiesz, że nie to mam na myśli. Wszyscy tak opowiadali „On się ciągle oświadcza" – naśladowała ironicznie ton biurowych plotkarek. – Żeni się, ani myśląc o intercyzie, a potem się rozwodzi, płacąc swoim byłym okrągłe sumki – wygadała się. – Nie to, żebym miała coś na myśli... – dodała szybko, bo recepcjonistka spojrzała na nią niezbyt życzliwie.

Tak było kiedyś – powiedziała – Ale ostatnio jakoś szefa do ołtarza już nie ciągnie. Zresztą, co ja mówię. Byłam na wszystkich jego ślubach, były tylko cywilne. Ludwik nie jest zbyt mocno przywiązany do tradycji. Ale i tak było pięknie. Kasy nie szczędził, to trzeba przyznać. Ale teraz ma inne priorytety. Wszystko inwestuje w firmę, nawet swoje wypasione auto sprzedał.

– Tak, tak – sekretarka przyznała niechętnie. – Powiem ci tylko tyle, że jeśli złamie te wszystkie zasady dla tej prowincjonalnej gęsi, to będzie naprawdę skandal. Przecież to tylko zwykła dziewczyna. Ubrania z sieciówki, włosy niefarbowane, nawet paznokcie sama sobie zrobiła. Poznałam od razu. Wyraz twarzy jakiś taki spłoszony. To by oznaczało, że już kompletnie nie znam się na ludziach, jeśli szef dla kogoś tak pospolitego mógłby stracić głowę.

– Nie przesadzaj, włosy ma wyjątkowo piękne i sprawia wrażenie sympatycznej dziewczyny – recepcjonistka broniła Anieli. Nie była beznadziejnie zakochana w szefie, więc łatwiej jej było zachować obiektywny ogląd sprawy.

– A kto nie jest sympatyczny? – prychnęła sekretarka. – To jednak za mało, żeby zdobyć takiego faceta.

Spojrzała na koleżankę, ale ta pochyliła się nad jakimiś papierami.

– No nic – poddała się. – Idę do domu. Mam nadzieję, że ta laska szybko się znudzi Ludwikowi i wszystko będzie jak dawniej. Dziewucha wróci na prowincję, a szef do pracy – dodała na odchodne.

– Cześć – uśmiechnęła się recepcjonistka, machając jej na pożegnanie. Miała inne przypuszczenia, ale nie chciała psuć koleżance weekendu.

W tej nieznanej dziewczynie było coś niezwykłego. Jakaś wewnętrzna klasa. Ona nie potrzebowała stroju, by podkreślić swoją wartość. Zwyczajnie wiedziała, kim jest.

Jeszcze ją zobaczymy – pomyślała. – Czuję, że nawet nie jeden raz.

ROZDZIAŁ 24

Aniela siedziała w salonie, którego szczegóły tyle razy odtwarzała w pamięci. Jasny miękki dywan przed kominkiem, szklane szerokie drzwi prowadzące wprost do bajecznej oranżerii. Ludwik kochał rośliny i to był bodaj jedyny punkt, który mógł sprawić, że nawiąże się choćby słaba nić porozumienia pomiędzy nim a tatą. Bo poza tym Aniela przewidywała same kłopoty.

Ludwik nie należał do mężczyzn, o jakich ojcowie marzą dla swoich córek. Miał za sobą dość burzliwą przeszłość. Trzy rozwody. Anielka nie była pewna, czy ojciec kiedykolwiek w życiu spotkał kogoś takiego, ale wiedziała, że jest bardzo przywiązany do trwałości związków, wierności, tradycyjnego modelu rodziny. A także do romantycznej wizji miłości rodem z najstarszych poematów.

Tymczasem Ludwik miał za sobą wiele krótkotrwałych związków, w życiu zawodowym agresywnie dążył do osiągnięcia założonych celów, w nerwach klął, nie całował kobiet w dłonie, zapominał o rocznicach, a czasem nawet o zasadach uprzejmości. No i nie czytał książek, tylko poradniki biznesowe. Ale i te rzadko. Najczęściej przeglądał artykuły w sieci.

Już na wstępie będzie spalony, a jeszcze dodatkowo ciąży na nim tajemnicza historia o rzekomym porzuceniu Anielki. Długo potrwa, zanim rodzina zaakceptuje fakt, że prawda jest inna, że ich najmłodsza córka także nie jest bez winy.

Westchnęła. Przewidywała mnóstwo komplikacji. Ludwik chciał z nią natychmiast jechać do domu. Poznać Anię. Z trudem go uspokoiła i skłoniła, by poczekał chociaż dwa, trzy dni. Żeby trochę wyciszyć emocje, porozmawiać, przygotować się. Ludwik był teraz mocno nakręcony i podekscytowany.

Fakt, że ma dziecko, na początku bardzo go zaskoczył. Wciąż z niedowierzaniem wypytywał Anielkę o kolejne szczegóły. Szybko jednak ochłonął i chciał przystąpić do działań. Zbyt wiele czasu stracił i żal mu było teraz każdej minuty.

Nie ukrywał wcale, że będzie chciał mocno uczestniczyć w życiu Ani. Zająć miejsce prawdziwego ojca. Kiedy on emocjonował się swoimi planami, przejęty jak dziecko, które dostało najpiękniejszy prezent w życiu,

Aniela analizowała praktyczną stronę sprawy. Nie chciała żadnych związków na odległość. Zbyt długo czekała i tęskniła. Jej też szkoda było teraz każdej chwili.

Pragnęła być z Ludwikiem, choć wiedziała, że to oznacza przeprowadzkę do Warszawy, zostawienie rodziców, księgarni, domu i całego dawnego życia.

Jak ojciec zniesie ten kolejny cios? – martwiła się.

Ludwik wrócił z przedpokoju, gdzie odbierał właśnie od kuriera zamówione jedzenie. Jego lodówka, pracowicie wysprzątana przez zatrudnioną do porządkowania domu panią, była niemal pusta. Aniela dobrze wiedziała, że Ludwik, kiedy jest sam, żywi się głównie parówkami, często zimnymi, i zupełnie mu to nie przeszkadza. Dziś specjalnie dla niej zamówił w pobliskiej restauracji smaczną kolację. Sałatki, duszoną rybę i pieczywo na naturalnym zakwasie.

Szybko zapłacił i prawie wyrwał posłańcowi torby z rąk. Spieszył się. Kolanem domknął drzwi za mężczyzną, trzasnęły mocno, aż dostawca podskoczył na schodach. Ale Ludwik już tego nie widział. Kilkoma krokami pokonał korytarz i znalazł się w salonie. Aniela obiecała, że kiedy tylko wrócą do domu, pokaże mu zdjęcie dziewczynki. Nie mógł się doczekać, a jednocześnie czuł potężny stres. Jak przed spotkaniem z kimś niezwykle ważnym.

Gdyby to był chłopiec, łatwiej by mu było wypowiedzieć pierwsze zdania, nawiązać jakiś żartobliwy kontakt. Tak mu się przynajmniej wydawało. Dziewczynka kojarzyła się z delikatnością, kruchością. Bał się, że jedno nieopatrzne słowo może ją od razu skrzywdzić.

Wszedł do salonu i stanął w progu. Na chwilę zapomniał o wszystkich swoich obawach. Aniela siedziała tyłem do niego. Po plecach spływały jej miękko pukle włosów. Pochyliła się w stronę ognia płonącego w kominku. Opuszczone, szczupłe ramiona sprawiały, że wyglądała na osobę pogrążoną w rozważaniu jakichś trudnych spraw. Była tak delikatna i dziewczęca. Ludwik miał wrażenie, jakby czas się cofnął.

Oczywiście, zauważył dziś zmiany na jej twarzy. Bez wątpienia dorosła, dojrzała, ale wciąż była tamtą dziewczyną. Miała w sobie coś tajemniczego, co dotykało mocno tę część jego męskiej natury, w której gromadzą się wszystkie instynkty. Także ten związany z pociągiem fizycznym, bo Ludwik od pierwszej chwili, kiedy ją zobaczył, nawet najbardziej przejęty czy wkurzony usłyszanymi wiadomościami, wciąż myślał o jednym. Żeby wreszcie znowu dotknąć jej gładkiego ciała.

Ale Anielka wzbudzała też w nim silne odruchy opiekuńcze. Chciał stanąć u jej boku jak prawdziwy mężczyzna. Ochronić, objąć, być całym jej światem.

Wciąż nie mógł uwierzyć, że to się dzieje naprawdę. Nie był człowiekiem, który lubi karmić się nadziejami czy też snuć marzenia. Raczej trzymał się faktów i twardo stąpał po ziemi. Pogodził się z myślą, że dziewczyna, która tam mocno zapadła mu w serce, oszukała go, po czym zniknęła bez śladu. Ułożył sobie życie na nowo. Nie rozpamiętywał, zakończył poszukiwania, próbował nawet budować kolejne związki.

Czasem tylko kiedy zostawał sam w pustym domu, chodził po pokojach albo błąkał się po oranżerii, jakby tam chciał ją odnaleźć. Jakby mogła wyjść mu na spotkanie tak samo, jak podczas tych kilku krótkich tygodni, kiedy byli razem. Każdy taki wieczór kończył się mocnym trunkiem. Cudem było, że jeszcze nie popadł w alkoholizm. Na razie trzymał się, ale z czasem mógłby stoczyć się w przepaść.

Anielka odwróciła się. Najwyraźniej poczuła na plecach jego wzrok. Uśmiechnęła się w zwykłym uprzejmym odruchu, pewnie jak do każdego człowieka, który pojawiał się w zasięgu jej wzroku, ale on miał wrażenie, jakby nagle cały świat się odmienił. Nabrał niespodziewanie mocy i sensu.

Ludwik ściskał torby w dłoniach i zachłannie patrzył na dziewczynę. Chciał na razie przynajmniej nasycić wzrok, był przygotowany, że na resztę pewnie przyjdzie mu trochę poczekać.

– Jeśli mnie natychmiast nie nakarmisz, możesz zapomnieć o tym, że pokażę ci zdjęcie – odezwała się Aniela.

– Przepraszam – ocknął się. – Już podaję.

Wyciągnął pojemniki na blat. Rozłożył byle jak, wciąż ukradkiem zerkając na dziewczynę, jakby w obawie, że mu zniknie. Włożył jej w dłoń plastykowy widelec, a sam usiadł naprzeciwko.

Aniela była przyzwyczajona do innego traktowania gości. W jej domu każdy był przyjmowany przy ładnie nakrytym stole, nawet jeśli wizyta była niezapowiedziana. Zdarzało się, że mama chowała się w spiżarni i nerwowo obywała konspiracyjną rozmowę z ciotką Martą na temat możliwości przygotowania jakichś potraw ze znajdujących się w domu składników, ale gość nigdy nie był tego świadomy. Dopieszczony rozmową, poczęstowany herbatą, zawsze dostawał w końcu jakiś smakołyk na porządnej porcelanowej zastawie.

Tutaj było inaczej. To jednak to nie miało znaczenia. Sałatka z plastykowego pojemnika też smakowała wspaniale. Aniela miała wrażenie, że wszystko jest doprawione mocniej, warzywa mają bardziej wyrazisty zapach niż zwykle, a sos stanowi wyjątkową kombinację smaku i aromatu.

Ale możliwe, że to adrenalina sprawiała, iż wszystkie jej zmysły były o wiele bardziej wyczulone. Tak było zawsze, kiedy Ludwik znajdował się obok. Nawet myśl o nim miała podobne działanie. Dlatego tęsknota była bolesna, a bliskość tak niezwykła.

Jadła, z trudem przełykając każdy kolejny kęs. Ludwik wpatrywał się w jej usta jak człowiek głodzony całymi tygodniami, który właśnie obserwuje posilającego się towarzysza.

– Poczęstuj się – powiedziała, odkładając na talerz kawałek pomidora. – Nie mogła jeść w takich warunkach.

– Nie jestem głodny – odparł szybko.

– To dlaczego tak na mnie patrzysz, jakbyś mi się zaraz chciał rzucić do gardła?

– Bo chcę – odpowiedział. – No, może niekoniecznie na początek akurat do gardła… Poza tym czekam.

– Na co? – zapytała, odkładając pojemnik. Na dobre straciła ochotę na jedzenie.

– Obiecałaś mi zdjęcie.

– Tak, to prawda. – Anielka wytarła usta. – Zaraz ci pokażę. Ale poczekaj, może nie tutaj – spojrzała na stół zawalony papierowymi torbami z plamami sosu i tłuszczu, pojemnikami z jedzeniem i plastykowymi sztućcami. – To przecież tak, jakbyś się dowiedział, że jestem w ciąży. Niech to będzie piękna chwila, uroczysta. Nie zobaczyłeś swojej córki pierwszy raz na USG, ale teraz też możemy przeżyć ten moment razem. Na chwilę zapomnieć o wszystkich błędach i całej naszej głupocie.

Wydobyła z czeluści torebki telefon i wzięła Ludwika za rękę. Pociągnęła go w stronę oranżerii. Wiele razy wyobrażała sobie tę chwilę. Dołożyła wszelkich starań, żeby zatrzeć za sobą ślady, ale gdzieś w głębi serca wciąż miała nadzieję, że zostanie odnaleziona. Wszystkie wątpliwości rozwiążą się w jakiś tajemniczy sposób i ta historia zyska szczęśliwe zakończenie. Widziała siebie wśród tych roślin, kiedy jeszcze była w ciąży. W wyobraźni kładła dłoń Ludwika na rosnącym brzuchu, a potem snuła marzenia o sobie z malutkim dzieckiem w ramionach, a na koniec z kilkuletnią córeczką w tym właśnie miejscu. Ale żaden z tych scenariuszy nigdy się nie spełnił.

Teraz stała przed Ludwikiem z aparatem w dło ni i czuła dreszcz przejęcia, podniecenia oraz strachu. Jak on zareaguje? Czy rozpozna w Ani swoje dziecko? Czy pokocha ją od razu, tak jak ona, gdy pierwszy raz dotknęła miękkich włosów dziewczynki?

– No daj! – Ludwik przerwał podniosłą chwilę pełnym zniecierpliwienia okrzykiem. Wyjął jej telefon z dłoni i nacisnął odpowiednią ikonkę. Zdjęć było mnóstwo. Pochodziły głównie z ostatnich miesięcy, ale było też kilka ujęć Ani z czasów niemowlęcych. Ludwik wpatrywał się w zdjęcia głodnym wzrokiem. Wszędzie doszukiwał się podobieństw, jakby się bał, że za chwilę czar pryśnie, a on wróci do rzeczywistości jeszcze bardziej obolały niż wcześniej. Szukał więc potwierdzenia, że ta śliczna dziewczynka, wyglądająca jak skóra zdjęta z matki, jest także jego córeczką.

Od ciągłego wpatrywania się w ekran bez jednego nawet mrugnięcia zaczęły mu łzawić oczy. Na siłę wymyślał podobieństwa. Prócz ciemnych oczu niczego jednak nie mógł znaleźć. Kiedy doszedł do wniosku, że włosy mała Ania ma chyba po nim, choć sam był kruczoczarnym brunetem, uznał, że jeszcze chwila, a oszaleje.

– Jest piękna, ale podobna tylko do ciebie – dodał z nagłym strachem w głosie.

– Uwierz mi – powiedziała Aniela, głaszcząc go uspokajająco po ramieniu, bo jego obawy wywołały w niej falę czułości. – Charakter ma po tobie. To świetnie zorganizowane dziecko. Sama się pakuje i pilnuje swoich spraw. Gra na skrzypcach i chodzi na lekcje tańca, nigdy się nie spóźnia, a cyfry to jej cały świat. Tak dobrze zarządza kieszonkowym, że kiedyś na pewno zostanie dyrektorem jakiejś korporacji. Oczywiście, mój tata twierdzi stanowczo, że to po nim.

– Nie ma mowy – obraził się Ludwik, gotów natychmiast przystąpić do obrony swoich świeżo nabytych praw. Od razu poczuł też odruchową niechęć do ojca Anieli, choć domyślał się, że dziadek miał wielki wkład w wychowanie małej. A może właśnie dlatego.

– Podejrzewam, że się nie polubicie – powiedziała Aniela z westchnieniem, po raz pierwszy artykułując swoje obawy. – Ale jeśli mamy spróbować wspólnego życia, będziesz musiał przynajmniej zawalczyć o jakieś pokojowe współistnienie, bo mój tata jest osobą bardzo ważną w życiu Ani. Nie chciałabym, żeby straciła z nim kontakt. Ja też bardzo go kocham.

Ludwik aż się zachwiał na te ostatnie słowa. A początkowa niechęć do dziadka Ani przerodziła się w zdecydowany opór.

On sam nigdy od Anieli nie usłyszał takiego wyznania, choć byli ze sobą tak bardzo blisko. Zazdrość na chwilę zaćmiła mu wzrok.

– Ja też cię kocham – wyrwało się z głębi zranionego męskiego serca, zdecydowanego nie dać się w niczym wyprzedzić jakiemuś starcowi, który zajmował tak ważne miejsce w życiu dwóch najbardziej bliskich mu kobiet. – Bardziej niż on – dodał zapalczywie.

Anielka poczuła wielką radość i ogromną ulgę. Dopiero teraz uświadomiła sobie, z jakimi obawami i lękami jechała do Warszawy. Wszystko przecież mogło się zdarzyć. Tak wiele złych, przykrych, nawet niebezpiecznych rzeczy. Bardzo się cieszyła, że zaryzykowała i odważyła stawić czoła wyzwaniu.

– W gruncie rzeczy to właśnie mojemu tacie zawdzięczmy fakt, że właśnie przed tobą stoję. To jego postawa mnie zainspirowała – powiedziała, a Ludwik poczuł, że teraz to już tego człowieka szczerze nie znosi.

Tyle zasług, jeden facet! Co to musi być za wredny typ – pomyślał ze złością, zdecydowany za wszelką cenę pod przykrywką udawanej uprzejmości schować fakt, że zamierza całkowicie zdominować zajęte przez pana Zagórskiego miejsce w sercu nie tylko jego córki, ale także wnuczki.

– Jutro jedziemy – zapowiedział stanowczo. – Nie zamierzam czekać ani jednego dnia dłużej.

ROZDZIAŁ 25

Wschodzące słońce obudziło chłopców. Kuba i Szymek, przejęci czekającą ich wyprawą w towarzystwie taty, spali tej nocy niespokojnie i płytko. Dlatego kiedy tylko w pokoju zrobiło się jasno, natychmiast otworzyli oczy, choć zwykle budzenie ich trwało długo i stanowiło dość żmudny proces. Maryla też spała słabo. Męczyły ją koszmary. Przewracała się w łóżku, szukając wygodnej pozycji, ale żadna nie wydawała jej się odpowiednia. Ciągle miała wrażenie, że jest jej za zimno. Dręczyło ją przejmujące poczucie pustki i samotności. Z ulgą przywitała dzień i dochodzące z pokoju obok głosy chłopców.

Zerwała się, narzuciła na siebie pierwsze lepsze ubrania i poszła ich uspakajać. Pozostała część rodziny nie miała dzisiaj w planach wyprawy do zoo, zapewne chcieli sobie spokojnie pospać.

Bo Maryla spędzała noc przed ważnym wydarzeniem pod dachem rodziców, choć to komplikowało dojazd. Ale znów potrzebowała chwilę tutaj pobyć.

– Ciszej – poprosiła, przykładając palec do ust, kiedy tylko stanęła w progu pokoju chłopców. Natychmiast poczuła na brzuchu uderzenie poduszki rzuconej ze znaczną siłą.

– Przepraszam – zawołał Kuba. – To nie było do ciebie, mamo – tłumaczył się. – Za szybko otworzyłaś drzwi, poza tym nie zapukałaś – dodał z wyrzutem.

– Tak, ja też nie słyszałem – przyznał natychmiast w geście braterskiej solidarności Szymek.

– Musiałam was szybko uciszyć, bo pobudzicie zaraz cały dom – Maryla natychmiast zaczęła się tłumaczyć. Uczyła synów, że należy zapukać, jeśli się wchodzi do czyjegoś pokoju, a oni byli bardzo wyczuleni na każdą niekonsekwencję wychowawczą. To nie jest nasze mieszkanie, nie jesteśmy tu sami. Jeśli chcecie jechać, musimy teraz cichutko się ubrać, zjeść śniadanie i wyjść z domu tak, żeby nas nikt nie usłyszał.

– Dlaczego? – Mały Szymek z przestrachu szeroko otworzył oczy. – Bo inaczej ktoś nas porwie albo stanie się coś gorszego? – dodał, nie mogąc wpaść chwilowo na żaden inny pomysł, ale w jego głosie zabrzmiała taka groza, jakby to drugie, nie do końca określone niebezpieczeństwo, było jeszcze bardziej przejmujące.

– O czym ty dziecko mówisz? – zdenerwowała się Maryla i postanowiła od jutra ograniczyć chłopcom dostęp do Internetu. – Skąd ci takie pomysły przychodzą do głowy?

– To dlaczego każesz nam być cicho? – zapytał mały, spoglądając spod nachmurzonego czoła w stronę brata, jakby chciał sprawdzić, czy bardzo się skompromitował swoimi podejrzeniami. Najbardziej na świecie obawiał się, że ktoś, a zwłaszcza starszy Kuba, mógłby go posądzić o dziecinne zachowanie.

– Bo dziadek z babcią są starsi, zmęczeni i potrzebują odpoczynku. Tylko tyle. Ania też jeszcze śpi, a położyła się późno – wyjaśniła Maryla.

Kuba skinął głową.

– Nie martw się, będziemy jak szpiedzy. Ten nowy wujek opowiadał nam, że amerykańscy są najlepsi. Nie do wykrycia. Ale my ich pokonamy – zawołał pełnym głosem, uciszając się w ostatniej chwili, przywołany do porządku gniewnym syknięciem matki. – Chodź – pociągnął Szymka. – Zakradniemy się do łazienki. Tylko żadnych dźwięków. Amerykański szpieg może być wszędzie, tak mówił nowy wujek.

Maryla uśmiechnęła na widok synków zmierzających na palcach w stronę łazienki i pokręciła głową nad teoriami wujka Alfreda. Widać, już mocno związał się z nową ojczyzną, bo opowiadał o niej wyłącznie w superlatywach. Tym razem miało to swój dobry skutek. Z łazienki, gdzie myli się chłopcy, dobiegał tylko łagodny szum wody, a zwykle hałas niósł się przez kilka pięter bloku.

Trzeba się będzie zaprzyjaźnić z tym amerykańskim szpiegiem – postanowiła. – Jego potencjał wychowawczy jeszcze nie raz może się przydać.

Zeszła na dół do pustej kuchni. Ciotki Marty nie było na wczorajszej kolacji, co bez trudu można było zauważyć. Brudne kubki wciąż stały na blatach, garnki na kuchence, a na stole królowały okruchy, ciesząc się tymi krótkimi chwilami, kiedy mogły się tutaj pysznić bez obaw. Jedna wizyta cioci i będzie po nich.

Albo moja – pomyślała Maryla. Najwyraźniej mama padła wczoraj po ciężkim, pełnym emocji dniu.

Maryla zabrała się do pracy. Nawet nie zdawała sobie sprawy, że instrukcję obsługi tego pomieszczenia ma wręcz wbudowaną w kod genetyczny. Poruszała się automatycznie, nieświadomie naśladując ruchy mamy. W jej własnej kuchni to nie działało, ale tutaj czuła się tak, jakby prowadziła ją łagodnie niewidzialna ręka.

Najpierw nastawić wodę na herbatę i mleko. Niech się gotują. Zetrzeć stół i zamieść podłogę, rzucić kontrolne spojrzenie w stronę garnka z mlekiem, przykręcić ogień. Potem szybkie wejście do spiżarni. Chleb, jajka, pomidory, szczypiorek i reszta wczorajszego ciasta drożdżowego. Z trudem przydźwigała wszystkie produkty. Wzięła więcej, na wypadek gdyby zapachy i dźwięki dobiegające z kuchni zwabiły jeszcze kogoś głodnego. Dokładnie tak samo zawsze robiła mama. Usmażyła jajecznicę i nałożyła na talerze, akurat w momencie gdy chłopcy zbiegli po schodach. Uciszając się nawzajem i tłumiąc wybuchy gwałtownego śmiechu, usiedli przy stole i zabrali się za pałaszowanie wszystkiego, co przygotowała. Zniknęły pajdy chleba z masłem, kakao i jajka.

Maryla stała przy kuchence, pogryzając kromkę chleba z pomidorem. Przyglądała się synom. Pasowali do tego dużego brązowego stołu, starych krzeseł i kredensów. To otoczenie tchnęło poczuciem bezpieczeństwa, stałością i spokojem. Dobrze się wychowuje dzieci w takim miejscu. Świat na zewnątrz pędzi w tak zawrotnym tempie, że każdemu przydaje się świadomość, iż jest jeszcze coś trwałego i niezmiennego.

Pomysł, by tu zamieszkać na stałe, powrócił z całą siłą. Moment był idealny. Za rok Kuba pójdzie do szkoły i wówczas wprowadzenie zmian będzie już trudniejsze.

Ale Maryla miała świadomość, że nie tylko emocje należało brać pod uwagę przy podejmowaniu tak ważnej decyzji. Była też strona finansowa. Ostatnie wydarzenia z życia rodziny wyraźnie pokazały, jak ważne jest, by od samego początku jasno określić warunki. Żeby – jak mówił tata – kiedy się człowiek obejrzy, mógł zobaczyć za sobą uporządkowaną historię.

A do tego potrzebne były pieniądze. Maryla ich nie miała. Jedynym wyjściem, by spłacić siostry, było zaciągnięcie kredytu. Zważywszy na fakt, że nie musiałaby utrzymywać mieszkania, może gdyby rozłożyła spłaty na jakiś niewyobrażalnie długi czas, dałoby się to udźwignąć, choć wartość domu z pewnością była niemała.

Pozostawała jeszcze kwestia utrzymania. Czy samotna kobieta z jednej pensji ma jakąkolwiek szansę na taki luksus? Na pewno mogłaby liczyć na pomoc rodziców, ale oni byli coraz starsi i bardziej zmęczeni. Wcale nie było pewne, czy tata podźwignie się po tej życiowej zmianie, jaka właśnie nastąpiła, i jeszcze kiedykolwiek zajmie się pracą zarobkową.

Maryla westchnęła. Chłopcy skończyli jeść. Ona też przełknęła ostatni kęs. Rachunki nie bardzo jej się zgadzały. Musiałaby poprosić w pracy o sporą podwyżkę, a to raczej nie zostałoby zaakceptowane przez szefa.

Ruszyła za synami, żeby założyć kurtkę i przygotować chłopców do drogi. Przed spotkaniem z Marcinem musiała jeszcze wstąpić do swojego mieszkania. Przebrać dzieci w ładniejsze ciuchy i dla siebie też poszukać czegoś sensownego. Nie przywiozła ze sobą zbyt wielu ubrań, bazowała na tych, które na wszelki wypadek zawsze były u mamy. Ale do dzisiejszego wyjścia należało się dobrze przygotować.

Zgarbiła się. Nie widziała w tym momencie żadnej możliwości, by przeprowadzić się do rodziców inaczej niż jako dorosłe dziecko przebywające na ich utrzymaniu, a takiej wersji nie brała pod uwagę. Bała się też, że wszystkie jej plany dotyczące byłego męża są tylko mrzonką.

Czuła, że przespała swoją szansę. Tak szybko biegała pomiędzy kolejnymi obowiązkami, że nie zauważyła upływu czasu. Miesiąc mijał za miesiącem, a nadzieja na naprawienie związku malała z każdym dniem.

Tłumaczenie, że dopiero teraz w pełni zrozumiała, co się stało, było dość dziwne. Rozmówca musiałby się wykazać życzliwością, podjąć przynajmniej próbę zrozumienia sytuacji, postarać się wyobrazić sobie, jak czuje się kobieta, która za późno rozeznała się w swoich uczuciach.

Maryla nie liczyła, że znalazłoby się wiele osób, które zdecydowałyby się na taki trud. Każdy woli ocenić od razu.

ROZDZIAŁ 26

Ciotka Marta weszła do kuchni, otwierając sobie drzwi domu zapasowym kluczem, który od niepamiętnych czasów zawsze wisiał na gwoździu za starym drewnianym kwietnikiem. Widok czystych blatów i nieskazitelnej podłogi trochę ją zaskoczył.

Czyżby Helena dostała nagle natchnienia do sprzątania?

Marta rozejrzała się wokół i doznała znajomego uczucia, że jest zbędna. Bardzo lubiła przychodzić do siostry, kochała jej dzieci jak własne, ale czuła się skrępowana, że spędza tutaj tyle czasu. Propozycje pomocy przy pracach domowych przyjmowała zawsze z wdzięcznością. Była młodsza od Heleny, całe życie ciężko pracowała. Trudno jej było po śmierci męża oraz przejściu na wcześniejszą emeryturą w wyniku likwidacji zakładu odnaleźć się w świecie bezczynności.

Jej niewielki dom był zawsze posprzątany, nikt bowiem w nim nie bałaganił. Posiłki można było przygotować szybko, zresztą Helena zawsze przysłała jej tyle jedzenia, że Marta nie nadążała tego zjadać. Dziewczynki urosły i zaczęły żyć własnym życiem, a ona wciąż codziennie przychodziła, złakniona nowych wieści. Dzisiaj też przygnał ją głównie niepokój o Anielkę.

Chciała być, kiedy dziewczyna wróci, żeby w razie czego pomóc. W czym? Tego nie wiedziała. Ale pragnienie było tak silne, że nie zdołała go opanować. Zdjęła buty i włożyła dyżurne pantofle. Kuchnia była posprzątana, ale jeśli ktoś kocha pracę, zawsze ją znajdzie. Marta otworzyła drzwi spiżarni i z przyjemnością przywitała panujący tu chaos.

Wczorajsza kolacja musiała trwać długo – pomyślała z satysfakcją. Zakasała rękawy i zabrała się do pracy.

Kończyła właśnie układać odkurzone słoiki, kiedy do wnętrza zajrzał Jan.

– Cześć. Nie ma śniadanka? – zapytał.

– No wiesz! – oburzyła się z pedagogicznego obowiązku, bo nie ma nic gorszego niż rozpuszczony mężczyzna. – Sam sobie możesz zrobić.

Jan wycofał się niezadowolony. Pewnie że mógł sobie zrobić, tylko co to za przyjemność. Postawił wodę na herbatę. Odwrócił się, słysząc szelest kroków, i zobaczył stojącą w progu Helenę. Pomyślał nawet odruchowo, że to fajnie, bo teraz z pewnością dostanie coś dobrego do jedzenia, ale szybko pohamował egoistyczne zapędy. Na widok bladej twarzy żony i podkrążonych oczu podbiegł i szybko posadził Helenę na krześle.

– Zaraz ci podam pyszną kawę – powiedział. – A może wolisz najpierw swoje ziółka?

– Niezłe ziółko to ty jesteś i to mi na razie wystarczy – Helena uśmiechnęła się bez przekonania. – Filiżankę mocnej kawy poproszę. Ale tylko dla mnie. Ty się napijesz herbaty z dzikiej róży i głogu, bo jest dobra na serce.

Jan nie odważył się zaprotestować. Czuł, że żona jest dzisiaj w wyjątkowo wojowniczym nastroju. Długo zachowywała godny podziwu spokój, ale najwyraźniej dotarła do jakiejś granicy. Jan dobrze wiedział, czym to się może skończyć. Wolał nie ryzykować awantury.

Zaczął kroić chleb i parzyć kawę. Co chwilę coś mu się rozsypywało albo upadało.

– Czekaj… – Marta nie wytrzymała i wyszła ze spiżarni. – Pomogę ci.

– Siadaj. – Trudno ocenić, czy było to zaproszenie, czy polecenie służbowe, ale Marta przestraszyła się powagi w głosie siostry i opadła na krzesło.

Jan, obserwowany przez milczące kobiety, kończył przygotowywanie posiłku. Efekty jego starań nie były imponujące. Chleb pokrojony na grube pajdy, twarde masło prosto z lodówki, konfitury i szynka. Tyle. Bardziej skomplikowane menu na razie go przerastało. Postawił przed Heleną i Martą filiżanki z kawą, rozlewając zaledwie trzy razy napój na spodki. Pieczołowicie wytarł talerzyki i wreszcie usiadł zmęczony, jakby właśnie przebiegł maraton.

– Co jest? – zapytał z pretensją w głosie. – Dlaczego czuję się jak podsądny, na którego ktoś zaocznie wydał wyrok? Nie należy mi się żadne wyjaśnienie?

Helena napiła się kawy. Ręka nawet jej nie zadrżała.

– Sądzę, że to nam należą się wyjaśnienia i to natychmiast – zażądała. – Jesteśmy właśnie w ścisłym zaufanym gronie zarządzania kryzysowego. Maryla z chłopcami już wyjechali, Anielka jeszcze nie wróciła. Alfred śpi, nasze czyste powietrze działa na niego jak środek odurzający. Ania też na razie się nie obudziła. Mamy chwilę czasu. Mów.

Jan nagle się wystraszył. Chciał oczywiście przedstawić żonie wszystkie szczegóły, wczoraj aż palił się do tego. Ale teraz, w świetle szarego poranka, pod dwoma uważnymi spojrzeniami kobiet, które znały go bardzo dobrze, nabrał wątpliwości.

Odchrząknął, żeby zyskać na czasie. Napił się herbaty z głogu i dyskretnie skrzywił wobec tego nieskomplikowanego i pozbawionego finezji smaku. Miał ochotę na jakąś własną kompozycję, ale nie chciał drażnić żony.

– Może czas wzbogacić asortyment o herbatki zdrowotne? – spojrzał na Helenę.

– Przypominam ci, że już nie masz herbaciani – przerwała mu bezlitośnie. – Mów, bo za chwilę wejdzie tutaj Alfred i nie będzie warunków do rozmowy.

Jan spojrzał na drzwi wejściowe, a ciśnienie od razu mu się podniosło. Wystarczyła jedna myśl o Alfredzie i niepokój został zdmuchnięty jak herbaciane wiórki, a męska duma znów doszła do głosu.

– Nie zamierzam się poddać – zapowiedział na wstępie. – Nie posiadam lokalu, to prawda, ale mam towar, nazwę, dobre imię i przede wszystkim umiejętności – powiódł zwycięskim wzrokiem po swoich słuchaczkach, jakby spodziewał się oklasków już na wstępie.

– Chcesz otworzyć nową księgarnię? – domyśliła się Marta.

– Tak. W galerii – wyrzucił wreszcie z siebie Jan.

– O rany! – Helena złapała się za usta. – Wiesz, jakie tam są niebotycznie wysokie czynsze?

– Może... – Jan nie miał teraz już żadnych wątpliwości. – Ale ruch też jest nieporównywalnie większy. Ludzie będą wpadać na herbatę, przygotujemy więcej stolików, imprezy kulturalne zyskają dodatkowych uczestników... Zawsze jest szansa, że jakiś przypadkowy przechodzień skusi się, by wejść na chwilę.

Helena wpatrywała się w męża i zupełnie nie wiedziała, co o tym wszystkim sądzić.

– Czy tam jest w ogóle jakiś wolny lokal?

– Jest. Sprawdziłem. Jak tylko Anielka wróci, przygotujemy biznesplan i wszystko obliczymy. Nie patrzcie tak na mnie. Przecież wiem, że interes musi się opłacać, w końcu całe życie prowadzę własną działalność. Nie traktujcie mnie jak dziecko. Może ostatnio faktycznie mamy trochę kłopotów, ale kto ich nie ma. Nawet galerie się z nimi borykają. Ale z pomocą Anieli dam radę. Dawno już mnie namawiała do wprowadzenia zmian. Teraz będzie miała swoją szansę. A ja nadal będę robił to, co potrafię najlepiej. Parzył herbatę i sprzedawał książki. Nie zabraknie ludzi, którzy chętnie spędzą czas w takim miejscu. Galeria pozwoli im do nas trafić. Trzeba grać zgodnie z regułami świata, w którym żyjemy – zakończył.

– Nie wiem… – Helena wyraźnie się wahała. – To się będzie wiązało z jakimiś kosztami, a my nie mamy oszczędności.

– Aniela ma. – Jan miał wszystko przemyślane. – Żyje skromnie, do utrzymania domu niewiele się dokłada. Wiem, że oszczędza, mówiła mi o tym. Zamienimy się rolami. Teraz to ona będzie szefem, a ja pracownikiem. Czuję, że dobrze na tym wyjdziemy.

– Może zanim zaczniesz wszystko planować, najpierw z nią porozmawiasz? – zaproponowała Helena.

– Jasne, ale naprawdę, uwierz mi, niewiele jest osób na tym świecie, z którymi przegadałbym więcej godzin niż z nią. Mieliśmy ostatnio wiele wolnych przedpołudni w księgarni.

– To prawda – przyznała Helena. – Ale sam wiesz najlepiej, że nasza najmłodsza córka potrafi tak pokierować rozmową, że gadasz głównie ty.

– Och! – Jan zmieszał się.

– A ona nic o sobie nie powie – dołożyła mu Marta.

– Może najpierw niech wróci bezpiecznie z tej... wyprawy i wtedy zobaczymy. – Kobiety wzięły Jana w dwa ognie.

– Och, ja nie mam żadnych wątpliwości – obruszył się mężczyzna. – Niech przywiezie tego miłego młodzieńca, z którym tak niefortunnie się pokłóciła. To w niczym nie przeszkadza. Miejsce na poddaszu się znajdzie. Jeśli chłopak będzie chętny do nauki i grzeczny, szybko się przyuczy. Możemy pracować razem. – Jan wspaniałomyślnie planował przyszłość nieznanego mężczyzny. Helena spojrzała na wyświetlacz telefonu. Nie było żadnych nowych wiadomości. To oznaczało tylko jedno. Anielka spędziła kolejną noc w Warszawie. Nie zdecydowała się na szybki powrót.

Jej wyobraźnia z większym oporem przyjmowała koncepcję miłego blondyna. Wiedziała, że możliwości jest o wiele więcej. Miała tylko nadzieję, że Anielka jest bezpieczna.

– A poza tym – Jan najwyraźniej zdołał już dokonać kolejnych przemyśleń – to niech sobie Alfred nie myśli, że będzie tutaj tylko siedział, jadł i sprzedawał rodzinne księgarnie. Dobry obyczaj nakazuje odwdzięczyć się za gościnę. Prawda? – zwrócił się w stronę żony i jej siostry.

– Nie wiem – ostrożnie odparła Helena. – Co masz na myśli?

– Trzeba wysprzątać sad. To męska robota. Jako przedstawiciel tej zdecydowanej mniejszości w naszym domu żądam pomocy. Skoro przyjechał mój brat chodzący na własnych nogach, sprawny umysłowo i biegle posługujący się dwiema rękami, to niech mi pomoże.

– Och – westchnęła tylko Helena, wyobrażając sobie delikatne dłonie Alfreda targające ciężką piłę spalinową.

– No co tak patrzycie? – zdenerwował się Jan. – W kategorii „zięć" ostatnio taka posucha, że jakoś muszę sobie radzić.

– Jest przecież Kornel – słabo broniła się Helena.

– Tak. Jego też zaproszę. Zajęliśmy się własnymi sprawami, nawet nie ma czasu porozmawiać. Czy znalazł pracę? Jak sobie radzą? Zobaczymy też, kogo Anielka przywiezie… Od razu zrobi mu się pierwszy test. Nie ma lepszego sposobu na poznanie człowieka niż wspólna ciężka praca. Ale czuję, że to będzie miły chłopak, który chętnie posłucha przyszłego teścia.

ROZDZIAŁ 27

Maryla puściła przodem rozbrykanych chłopców i zamknęła drzwi mieszkania. Szymek z Kubą przepychali się w przedpokoju. Wyraźnie podekscytowani, co było dość zrozumiałe, ale Maryla zauważyła także, że są też trochę zdenerwowani. Jak przed jakimś ważnym, ale nie do końca miłym wydarzeniem.

– Przebierzemy się, okej? Czeka nas wspaniały dzień – zawołała głosem, w którym nawet niezbyt wytrawny psycholog bez trudu dostrzegłby nutki sztucznej radości.

Zdenerwowanie dzieci udzieliło jej się mimowolnie. Ręce lekko jej drżały, kiedy rozsuwała zamek kurtki Szymusia.

– Pani Paulina też tam będzie? – zapytał chłopiec.

– Tak – odpowiedziała krótko, licząc na to, że taka odpowiedź wystarczy.

– Dlaczego? – Kuba szybko rozprawił się z jej nadziejami.

To było celne pytanie. Pełne wyjaśnienie mogłoby się zamienić w trzytomową powieść, pracę doktorską, wykład na kobiecym spotkaniu albo długą rozmowę przy kawie. To zależy, kto by się zabrał za rozpracowanie tematu.

Maryla miała naprawdę wiele do powiedzenia w tej sprawie. Ale kiedy zabrała się za selekcję informacji pod kątem przekazania ich dziecku, nagle poczuła pustkę w głowie.

– Tata tak chciał – pouczył brata Kuba. – Chodź, poszukam ci czystych spodni – pociągnął go w stronę ich wspólnego pokoju. – Tata będzie teraz mieszkał z panią Pauliną.

Spojrzenie małego Szymka pełne było niepewności. Jakby w otaczającym go świecie nie umiał znaleźć żadnych stałych elementów, na których mógłby się oprzeć.

To jeszcze nic pewnego – chciała za nimi zawołać, ale powstrzymała się w ostatniej chwili. Po co robić dzieciom mętlik w głowach. Skąd mogła wiedzieć, jakie Marcin ma tak naprawdę plany? Formalnie nie był już jej mężem, a jednak ona czuła z pewnością, jaka nie zdarzała się jej często, że ten związek wciąż trwa. Papier, jak się powszechnie mówi, nie gwarantuje trwałości małżeństwa. Słyszała takie określenia wielokrotnie. Teraz przekonała się na własnej skórze, że papier nie ma też mocy zakończyć związku.

– Gotowy! – Szymuś wyskoczył z pokoju w swoim najlepszym swetrze.

– Ja też! – Tuż obok pojawił się równie starannie ubrany brat. Spojrzeli obaj na mamę, najwyraźniej oczekując akceptacji, a jej ścisnęło się serce.

Co to za sytuacja, żeby dzieci czuły się przed spotkaniem z ojcem tak, jakby ich czekała jakaś groźna komisja egzaminacyjna? To, że tata jest po ich stronie, aprobuje, kocha, powinno być oczywistością, nad którą kilkulatek w ogóle nie powinien się zastanawiać.

Ale w tym przypadku tak nie było.

Dzieci są bardzo czujne. Też widzą, co się dzieje w rodzinie, i słyszą zwykle więcej, niż się dorosłym wydaje. Ze strzępów informacji tworzą sobie spójne historie, nie zawsze prawdziwe, często bardzo smutne. Najwyraźniej chłopcy też obawiali się, że mogą stracić ojca.

– Chodźcie tutaj, moje małe przystojniaki. Świetnie wyglądacie – złapała ich w objęcia. – Teraz jeszcze ja szybciutko się ubiorę i ruszamy. Czeka nas dzisiaj naprawdę dobry dzień – powtórzyła swoje zaklęcie.

Uścisnęła chłopców i poszła do pokoju, poszukać swojej jedynej ładnej sukienki w kolorze brzoskwini. Nie ma się co dziwić, że malcy przygotowywali się do wyprawy jak do kampanii wojennej, a nie rodzinnej wycieczki. Ona przecież robiła to samo.

Maryla przykładała sukienkę do twarzy i zastanawiała się, czy ma w niej jakieś szanse wobec agresywnej, pewnej siebie i zdeterminowanej konkurentki.

Na głowie to wszystko postawione – pomyślała ze złością, ale zamknęła się w łazience i zaczęła starannie układać włosy.

Kiedy wyszła, wyglądała naprawdę ładnie. Nie zdążyła jednak zbyt długo nacieszyć się swoim odbiciem w dużym lustrze wiszącym w przedpokoju. Zobaczyła bowiem dwie paskudne plamy na najlepszym sweterku Kuby.

– Znowu wyjadałeś nutellę palcami? – zwróciła się do niego ostrzejszym tonem, a postać odbijająca się w lustrze straciła sporo ze swej wytwornej elegancji.

Chłopiec natychmiast schował dłonie za siebie, brudząc w tym momencie zapewne także i spodnie.

– Pokaż – złapała go za rękę. Cała była upaćkana w czekoladowej masie.

– Mało było – tłumaczył się chłopiec. – Tylko trochę na samym dnie słoika, a Szymek też chciał. Musiałem mu wygrzebać.

Młodszy brat kiwnął głową i solidarnie stanął obok, gotów do przyjęcia konsekwencji także na siebie.

Maryla westchnęła. Oszczędzała ostatnio na słodyczach, bo jej sytuacja finansowa nie była, delikatnie mówiąc, najlepsza, ale przecież u babci wszystkiego mieli pod dostatkiem. Nie musieli rzucać się na czekoladę, jakby nigdy w życiu nie jedli niczego słodkiego.

– Nie gniewasz się? – Szymek podniósł na mamę swoje ufne spojrzenie.

– Ależ oczywiście, że nie – jej zdenerwowanie znacznie się zmniejszyło. – Musimy teraz tylko szybko poszukać dla was czystych ubrań.

– Dzięki mamo, jesteś wspaniała – zawołał Kuba i objął ją mocno za nogi, a młodszy brat natychmiast zrobił to samo. Nie do końca czyste buzie, umyte przez chłopców w kuchennym zlewie w celu zatarcia śladów przestępstwa, a także upaćkane nutellą dłonie zaznaczyły wyraźnie brzydkie plamy na jedynej ładnej sukience Maryli.

Chłopcy nawet tego nie zauważyli. Oderwali się od mamy i pobiegli przekopywać szafę w poszukiwaniu czystych ubrań. A Maryla stała w tym samym miejscu i – tak jak kilka minut temu – patrzyła w lustro. Widziała kobietę w poplamionej sukience. Skomplikowana konstrukcja loków też uległa pewnemu naruszeniu, kiedy Maryla pochylała się nad chłopcami. Nigdy nie miała talentu do czesania, a obfite kręcone włosy niełatwo poddawały się stylizatorskim zabiegom.

Westchnęła. Powyciągała spinki i palcami roztrzepała fryzurę, spinając tylko niektóre kosmyki nad czołem, jak co dzień. Potem spokojnie poszła do pokoju i wyciągnęła z szafy dżinsy oraz ulubiony t-shirt. Nie była zła, tylko trochę zrezygnowana.

To przecież i tak było pozbawione sensu. Takie mistyfikacje zwykle się nie udają. Jeśli mężczyzna pragnie ułożonej, eleganckiej kobiety, która na co dzień zakłada sukienki, ma zawsze gładko uczesane włosy i staranny makijaż, to taką sobie znajdzie. A udawanie, że się taką jest, na nic się nie zda. Przekonała się o tym niedawno. Jej spotkania z Andrzejem stawały się coraz bardziej męczące, bo zawsze grała. Przygotowywała się do każdego jak do kolejnego spektaklu. Zakładała odpowiedni strój, wykonywała charakteryzację, a potem starannie recytowała kwestie, które uznała za odpowiednie. Nie robiła tego świadomie. Wydawało jej się, że tak trzeba. Starać się o związek, dbać o relację.

Miała rację, ale nawet nie zauważyła, kiedy w tych staraniach straciła wszelką naturalność i prawdę o sobie.

Trudno – pomyślała, dopinając dżinsy. – Jestem zwykłą kobietą i mamą. Nie wyglądam jak z żurnala i nie mam czasu dopieszczać codziennie każdego kosmyka włosów. Jeśli dla Marcina jest to problem nie do przejścia, to rzeczywiście będzie oznaczało, że rozwód jest faktem. Że się pomylili.

ROZDZIAŁ 28

Zaparkowała samochód na poboczu, w miejscu co do którego legalności nie miała przekonania, ale nie starczyło jej teraz czasu na dokładną analizę prawno- -topograficzną. Wysłała Marcinowi wiadomość, że czeka, i wpatrywała się w drzwi wejściowe, w których zaraz miał się pojawić Marcin ze swoją partnerką i jej dziećmi, ignorując wesoło okrzyki dochodzące z tyl nego siedzenia. Chłopcy tak się rozbrykali, że nie sposób ich było uciszyć.

Żałowała, że nie umówiła się z byłym mężem już na miejscu. To było trochę bez sensu jechać jednym samochodem jak zgodna, wielodzietna rodzina. Ale Paulinka dysponowała służbowym busem na dziewięć osób (niech go jasny szlag trafi) i to ona wymyśliła taki plan. Z góry obliczony na to, żeby zdenerwować Marylę.

Stało się to jasne już od pierwszej chwili, kiedy drzwi otworzyły się i na chodniku pojawiły się dwie ciemnowłose dziewczynki ubrane w różnych odcieniach różu. Były uczesane w przemyślne warkoczowe fryzurki, miały nowe, czyste buty i starannie odprasowane spódniczki. Tuż za nimi szła Paulina, oczywiście w sukience z dekoltem i włosach wyprostowanych jak blacha podkładowa. Trzymała mocno Marcina pod ramię. Uśmiechała się z triumfem w oczach i tylko dyskretnie rozglądała wokół, jakby chciała sprawdzić, czy świat poświęcił dostatecznie dużo uwagi temu wspaniałemu rodzinnemu obrazowi, jaki zdołała właśnie stworzyć.

Maryla podniosła głowę. Jej ciśnienie nawet nie drgnęło. Czuła się jak uczestnik wyścigu, który już przed startem wie, że będzie ostatni, bo jego nie dość długie nogi nie mają szans wobec konkurencji. Nawet nie zamierzała podejmować walki. Spłynął na nią nagle zupełnie nieznany spokój. Spinanie się i tak nic by nie dało.

W przeciwieństwie do Pauliny ona była zwyczajna. Wychodziła z siebie, kiedy coś ją zdenerwowało, martwiła się, jak przeżyć od jednej wypłaty do drugiej, i nie zawsze miała czas na perfekcyjny makijaż.

Czy Marcin umiałby ją pokochać znowu? Taką właśnie?

Już wiedziała, a mądrość tę zdobyła za cenę wielu błędów, że tylko taka miłość ma sens.

Wyszła z samochodu i ze spokojem wysadziła dzieci. Tak naprawdę Paulinka swoim perfekcyjnym image'em sprawiła jej prezent. Z tym się wygrać nie dało, więc Maryla zajęła się czymś innym.

– Witaj – spojrzała na Marcina, a chłopcy rzucili mu się w ramiona. Córki Pauliny stały z boku, przyglądając się tej scenie. Chyba też czuły się niezręcznie. Widać było gołym okiem, że ta grupa będzie mieć poważne trudności, by osiągnąć wzajemne porozumienie. A wszystko to z powodu niewyjaśnionych spraw, niedomkniętych historii i zatajonych uczuć.

– Cieszę się, że jesteście! – Paulinka natychmiast rozpoczęła swoją paplaninę. – Dobrze, że dzieci lepiej się poznają – spojrzała na dwie grupki stojące w znacznym oddaleniu od siebie i na chwilę straciła natchnienie. – Prawda, kochanie? – przytuliła się mocniej do Marcina.

Ona też się boi – uświadomiła sobie Maryla, która dzisiaj była w wyjątkowym nastroju.

Czuła, że ważą się właśnie jej losy i nie miała zbyt wielu przesłanek, by liczyć na szczęśliwy wynik tej rozgrywki.

To już w ogóle nie było możliwe. Pewne rzeczy się wydarzyły i nie było szansy powrotu do dawnych czasów. Cokolwiek dzisiaj się stanie, ktoś będzie cierpiał. Kogoś czeka nieprzespana, być może nawet przepłakana noc. A najgorsze, że jak to często bywa, w rozgrywki dorosłych włączone są dzieci, które teraz, zamiast cieszyć się słonecznym dniem, spoglądały na siebie nawzajem jak dwie drużyny przed decydującym starciem.

Maryla otworzyła torebkę.

Dzieci dzielą się ponoć na brudne i szczęśliwe.

Pal sześć różowe bluzeczki – pomyślała. Wyciągnęła czekoladowe wafle i poczęstowała wszystkich. Córki Pauliny podeszły z pewną nieufnością, ale czekolada ma moc przełamywania lodów. W końcu wyciągnęły rączki po słodycze.

Te dzieci będą się dzisiaj dobrze bawić – postanowiła Maryla. – Wszystkie.

– Kto ostatni w samochodzie ten gapa – zawołała i zanim ktokolwiek zdążył zareagować, porzuciła myśl o powadze i pogalopowała w stronę zaparkowanego spory kawałek dalej samochodu. Dzieci ruszyły pędem za nią.

Dopadli auta zdyszani i roześmiani. Ruch, wysiłek połączony z zabawą i elementami rywalizacji to pewne sposoby na uśmiech. Napięcie trochę zelżało. Dzieci zaczęły śmielej na siebie spoglądać. Maryla uznała więc, że jest na dobrej drodze.

– To teraz do tego drzewa – wskazała samotną lipę stojącą na osiedlowym placu zabaw.

Nie musiała dwa razy powtarzać. Dzieci ruszyły natychmiast.

– Ja! – wołała starsza dziewczynka, wpadając na pień drzewa z takim impetem, że Maryla wystraszyła się o jej bezpieczeństwo.

– Wspaniale – powiedziała, a widząc rozczarowane miny pozostałych uczestników tego zaimprowizowanego konkursu, dodała szybko:

– Będzie jeszcze dzisiaj wiele takich zabaw. Każdy może wygrać. W końcu idziemy do zoo, żeby się bawić.

Teraz nie było już w tej kwestii żadnych wątpliwości. Roześmiane dzieci z zaróżowionymi policzkami w końcu wyglądały jak wesołe towarzystwo wybierające się na wycieczkę.

Tak właśnie powinno być. Maryla wzięła za rękę dwójkę najmłodszych. Szymka i córeczkę Pauliny. Ruszyła w stronę samochodu. Starsze dzieci podążały za nią. Była zgrzana, zmachana i miała sporą zadyszkę, choć dystans, który przebiegła, wcale nie był imponujący. Włosy zapewne sukręciły się już według własnych zasad. Patrzyła, jak z naprzeciwka godnie nadchodzi Paulina, trzymając się kurczowo swojego partnera.

Cóż, szpilki z pewnością są piękne – pomyślała Maryla – ale w niektórych sytuacjach znacznie ograniczają swobodę działania.

– Wsiadajcie – dość chłodnym tonem powiedziała Paulina, otwierając drzwi busa. Chyba już zaczynała żałować, że zaproponowała tę wspólną jazdę. Poprawiła swoim dziewczynkom spódniczki i starannie zapięła dzieci w fotelikach. Chłopcy poradzili sobie sami. Maryla usiadła z tyłu na ostatnim siedzeniu. To też było symboliczne. Patrzyła, jak jej były mąż zajmuje miejsce za kierownicą, a obok niego siada inna kobieta. To zupełnie coś innego wiedzieć, że oni się spotykają, a doświadczyć tak namacalnie.

Marcin do tej pory starał się oddzielać te dwie sfery swojego życia. Chłopców zapraszał do własnego wynajętego mieszkania, u Pauliny bywał tylko wtedy, gdy ich nie było. Nie angażował się też w wychowanie córeczek swojej partnerki. Ale teraz wszystko miało się zmienić. Marcin zastanawiał się nad przeprowadzką.

Dlatego uznał, że czas połączyć te rodziny w jakąś całość.

Ale to nie było łatwe zadanie. Tu nawet zwyczajne „dzień dobry" nabierało podwójnego znaczenia i dawało pole do różnorodnych interpretacji. Iskrzyło na każdym kroku.

Maryla cierpiała. A ból był tym bardziej dotkliwy, że miała świadomość, iż sama sobie na to zapracowała. To nie pomagało. Westchnęła z rezygnacją i odwróciła głowę, żeby spojrzeć w szybę. Byle dalej od widoku, który sprawiał jej tyle przykrości. Nic zauważyła więc spojrzenia Marcina, które odbiło się w lusterku. A mężczyzna zerkał w nie raz po raz, choć droga była wyjątkowo spokojna, a on nie miał zamiaru ani cofać, ani wykonywać żadnych innych manewrów.

ROZDZIAŁ 29

— Dzień dobry, Aniu.

Helena podniosła się na widok wyraźnie zaspanej wnuczki, która zeszła na dół, ściskając w dłoni swój telefon.

— Mama dzwoniła? — zapytała Marta, a wszyscy spojrzeli na dziewczynkę w napięciu, czekając na jej odpowiedź.

— Jeszcze nie — odparła Ania. — Ale zaraz to zrobi. Obiecała po dziesiątej. Już minęły dwie minuty — zerknęła kontrolnie na wyświetlacz. — Trzy — zaktualizowała informację.

— Usiądź — Helena wskazała jej krzesło. — Przygotuję ci śniadanie.

— Teraz nie mogę — poskarżyła się dziewczynka. — Coś mi zatkało gardło i nie dam chyba rady nic przełknąć.

– Chora – Jan szybko podał diagnozę. – Zapalenie, trzeba do lekarza, antybiotyk, łóżko, a może najpierw syrop z mniszka? To przecież dopiero początek.

– Poczekaj – zatrzymała go Helena i położyła wnuczce dłoń na czole. – Nie ma gorączki. Jest tylko blada. A może ty się dziecko czymś martwisz? – pochyliła się nad nią. – Powiedz babci.

– Trochę – cicho przyznała Ania.

– Tym, co ci ta Oliwia nagadała? – zdenerwował się Jan. – To trzeba sprawdzić – stanowczo zwrócił się do żony. – Dziecko poszło do pierwszej klasy, zmieniło środowisko, nie może tak być, że nikt nie kontroluje, z kim mała się przyjaźni.

– Nie – zawołała dziewczynka, a broda zaczęła jej drżeć.

– Spokojnie – zwróciła się do niej babcia, a w stronę męża posłała spojrzenie o mocy tysięcy kilowatów, żeby go skłonić do bardziej starannego ważenia słów.

– Czym się martwisz, kochana? Mama na pewno niedługo wróci do domu. Ona zawsze dotrzymuje słowa. Musiała na kilka dni wyjechać, ale to zwykła rzecz. Czasem dorośli muszą coś załatwić. Wszystko znów będzie jak dawniej.

Tym razem to jej mąż posłał pełne wyrzutu spojrzenie.

Nie był pewien, czy powinni uspokajać dziecko kosztem kłamstwa. Nawet niewielkiego. A nie było podstaw, by przypuszczać, że cokolwiek będzie jeszcze jak dawniej.

Ale Ania miała swój własny rozum i nie potrzebowała żadnych tłumaczeń.

– Myślisz, że przywiezie tatusia? – pytanie padło na stół jak piorun kulisty.

Helenie na moment zakręciło się w głowie.

– Ja... nie wiem – odparła, bo sytuacja zaczęła ją powoli przerastać. – Najlepiej będzie, jak do niej zadzwonisz i sama zapytasz.

Nie była pewna, czy dobrze robi, ale żadne lepsze rozwiązanie nie przychodziło jej do głowy.

* * *

Aniela i Ludwik wciąż siedzieli przy śniadaniu. Przegadali prawie całą noc. Oglądali zdjęcia na tablecie i dość chaotycznie dzielili się przeżyciami ostatnich lat. Nie dotykali się, nawet przez przypadek, niemniej bliskość fizyczna wytworzyła między nimi prawdziwe pole siłowe. Aniela czuła wręcz, że boli ją ramię, które znajdowało się tak niedaleko Ludwika, a jednak osobno. Niczego jednak nie dała po sobie poznać. Była poważna i skupiona. Ludwik też najwyraźniej otrząsnął się z pierwszego szoku i teraz szukał odpowiedzi na bardzo ważne pytania.

Poszli spać po czwartej nad ranem i teraz siedzieli milczący i niewyspani nad kubkami z kawą. Ludwik nerwowo skubał bułkę, zagryzając ją kabanosem. Cały stos tych kiełbasek ułożony na papierze, w który zostały zapakowane w sklepie, leżał na środku stołu. Obok niego bułki, cukierniczka i kilka łyżeczek. Zaiste prawdziwe kawalerskie śniadanie – pomyślała Anielka. – Jakby Ludwik nigdy nie miał trzech żon i całego korowodu narzeczonych i partnerek.

Nie przeszkadzało jej to, choć na kabanosa o tej porze zdecydowanie nie miała ochoty. Gardło miała zasznurowane stresem. Zrobiła to. Przyjechała, wyłożyła karty na stół. Można powiedzieć, że ryzyko się opłaciło. Jej dziecko stało się dla kogoś kimś niezwykle ważnym i była szansa, że to zmieni życie Ani, dopełniając je.

Ale to byłoby na tyle, jeśli chodzi o sprawy proste. Dalej bowiem pojawiały się już tylko komplikacje. Jak tę informację przekazać dziecku? Jak się wytłumaczyć z tajemnicy, którą się przed nim utrzymywało przez tyle lat? Jak połączyć życie dwojga dorosłych ludzi o ustabilizowanej już sytuacji zawodowej? I czy należy to w ogóle robić?

Aniela spojrzała na siedzącego naprzeciw mężczyznę. Żuł bez przekonania kęs bułki i wyglądał jak człowiek na ciężkim kacu. Blady, zarośnięty i nieuczesany, wpatrywał się z ponurą miną w stół. Teraz wyraźnie było widać, że jest od niej o te dziesięć lat starszy. Z czasem ten fakt będzie nabierał coraz większego znaczenia. To już Aniela wiedziała.

Czy Ludwik miał szansę zaaklimatyzować się w jej rodzinnym domu? Znała odpowiedź, jeszcze zanim zdołała sformułować pytanie. Nie było na to szans. Dwóch samców alfa w jednym domu to zwykle za dużo, zwłaszcza jeśli ktoś, tak jak tata, jest przyzwyczajony do niepodzielnego władania.

To ona musiałaby wyjechać. Postawić wszystko na jedną kartę. Zrezygnować z pracy z ojcem, bezpiecznego domu, znajomych, zmienić dziecku szkołę i odebrać przyjaciół. Wyjść spod opiekuńczych skrzydeł sióstr i po raz pierwszy tak naprawdę zacząć życie na własny rachunek.

Zaryzykować.

Tego Anielka bardzo nie lubiła. Była już mocno wyczerpana swoim odważnym postępkiem. Rozmową z Ludwikiem, wszystkimi nowinami, które musiała przyjąć. Teraz miała ochotę zanurkować pod kołdrę w swoim pokoju albo schować się w sadzie między starymi czereśniami i spokojnie pomyśleć.

Nie było jednak na to szans. Właśnie dzwoniła Ania.

– To ona – wyszeptała prawie bezgłośnie, a Ludwik nie miał żadnych wątpliwości, o kogo chodzi. – Już tyle razy w ciągu ostatnich dni udzielałam jej wymijających odpowiedzi, że dłużej już nie dam rady. Trzeba wreszcie coś postanowić.

– Co jej powiesz? – zapytał Ludwik.

– Nie mam pojęcia. To wszystko stało się za szybko. Wciąż nie zdążyliśmy porządnie porozmawiać ani tak naprawdę niczego konkretnego ustalić.

Telefon dzwonił, a każdy kolejny dźwięk mówił wyraźnie, że czas nagli. Po drugiej stronie czeka dziecko, a jego niepokój rośnie wprost proporcjonalnie do czasu, jaki Anielka poświęca na zwlekanie.

– Powiedz jej, że ją kocham – wyrwał się Ludwik.

– Chyba zwariowałeś. Ona nawet nie wie, że u ciebie jestem. To trzeba delikatnie. Podejrzewam, że miną miesiące, zanim jej o czymkolwiek powiemy.

Uspokoiła się i odebrała na ostatnim sygnale.

– Cześć, córeczko. Dobrze, że dzwonisz – przywitała się z uśmiechem, który zawsze sam bez udziału jej woli pojawiał się, kiedy rozmawiała z Anią.

– Gdzie jesteś? – zapytała dziewczynka. – Znalazłaś go wreszcie? – od razu przeszła do rzeczy, a Aniela zakrztusiła się niewielkim łykiem kawy, na którą nieopatrznie się skusiła, nie przewidując takiego mocnego otwarcia rozmowy.

Ludwik bez ceregieli klepnął ją mocno w plecy, co nie pomogło w sprawie zakrztuszenia, ale trochę ją postawiło do pionu.

– Co masz na myśli, kochana? – wypowiedziała, z trudem łapiąc powietrze. Jakoś nie mieściło jej się w głowie, że córeczka mogłaby wszystkiego się domyślić.

Nawet ona nie przypuszczała, że sprawy przybiorą taki obrót, więc co dopiero kilkuletnie dziecko.

– Nie znalazłaś... – w głosie córki słychać było rozczarowanie. – A może on po prostu nie chce przyjechać? Woli swoją nową rodzinę jak tata Oliwii. Mnie nie chce?

Aniela poczuła, jak robi jej się zimno. Nie zdążyła nawet się zastanowić nad odpowiedzią. Jej umysł przypominał zamarzniętą bryłę lodu. Przestał działać.

– Ależ skąd! – odparła błyskawicznie, bo wydawało jej się, że jeśli jeszcze choćby przez kilka sekund będzie słuchać tego pełnego smutku głosu, pęknie jej serce. – Bardzo chce cię poznać, znalazłam go... i jeszcze dzisiaj wieczorem będziemy w domu – wyrzucała z siebie słowa, a Ludwik uśmiechał się do niej.

– To wspaniale, mamusiu, pójdę się ubrać – Ania rozłączyła się gwałtownie. Widać, pociągnęły ją sprawy niecierpiące zwłoki.

– O rany! – Anielka przyłożyła dłoń do ust. – Jak to się stało?

Po zmęczeniu, które ją obezwładniało jeszcze kilka minut temu, nie pozostał nawet ślad. Czuła się pobudzona jak po dawce jakichś silnych środków.

– Co my teraz zrobimy? – zawołała. – Nic nie jest przygotowane. Żaden grunt. Może trzeba się poradzić szybko jakiegoś dobrego psychologa? Nie mogę uwierzyć, że jej to wszystko powiedziałam.

– Dobrego psychologa w Warszawie nie znajdziesz ot tak, bez umówienia się na wizytę z wyprzedzeniem, a kiepski tylko zmarnuje nasz czas – stanowczo odparł Ludwik.

– Ale jak to się mogło stać? – Aniela była mocno wzburzona. – Skąd jej to przyszło do głowy? Uwierz mi, ona właściwie nigdy nie pytała o tatę. Wszyscy mnie straszyli, żebym sobie wymyśliła dobre wyjaśnienie, bo wkrótce dziecko zacznie się tym interesować, drążyć, szukać. Ale nic takiego się nie stało. Ania rosła i nie sprawiała żadnych kłopotów.

– Jak ty swoim rodzicom – podpowiedział Ludwik. – Ale kiedy coś w tobie pękło, to na dobre. Czy w twoim domu jest chociaż jedna osoba, która przypuszcza, że żyłaś w Warszawie pod zmienionym nazwiskiem i miałaś fałszywy profil na fejsie tylko po to, żeby zdobyć faceta? Na dodatek takiego, który ma opinię notorycznego kobieciarza?

– Nikogo nie chciałam zdobyć – obraziła się Anielka. – To ty za mną chodziłeś. Ja tylko wolałam być ostrożna. Właśnie ze względu na twoją opinię. W ten sposób zawsze mogłam się bezpiecznie wycofać.

– To dlaczego w ogóle się zaangażowałaś? Skoro od razu, od pierwszej chwili miałaś już w głowie plan ucieczki? – Ludwik rzucił na stół nietkniętego kabanosa. – Dla zabawy?

– Jesteś głupi – odparła ze spokojem, choć emocje mocno dawały znać o sobie. – Po prostu na to, co się stało, nie byłam przygotowana. Jak teraz. Masz rację. Zobaczyłam cię wtedy w tej windzie, uśmiechnąłeś się, a ja przypomniałam sobie wszystkie opowieści. Inne dziewczyny dobrze cię znały. W kawiarni, w której pracowałam, bywało sporo twoich stażystek, asystentek i księgowych. Często o tobie opowiadały, a kelnerki słyszą, nawet jeśli nie chcą. Wiedziałam, kim jesteś, kiedy cię zobaczyłam. Dziewczyny nieraz pokazywały sobie ciebie przez okno kawiarni, jak szedłeś do pracy. Wiem, powinnam była wysiąść, odwrócić wzrok, nie odzywać się. Ale to było silniejsze ode mnie. Zdążyłam tylko tchórzliwie podać zmyślone nazwisko, którego wieczorem z tego przejęcia nawet nie mogłam sobie przypomnieć, i przepadłam…

– To było rzeczywiście coś niezwykłego. Nigdy później nie czułem takiego przyciągania. Sprawiałaś wrażenie, jakbyś po raz pierwszy w życiu umówiła się na randkę.

– Bo trochę tak było. Tata zgodził się na mój wyjazd do Warszawy, czego do tej pory mocno żałuje. Uważa stolicę za siedlisko rozwiązłości i moralnej degrengolady. W końcu skrzywdzili mu tam córkę. Ale ja czułam się w Warszawie jak odurzona. Wolna, sama w wielkim mieście. Nie wiedziałam, od czego zacząć. Zafarbowałam włosy, żeby choć raz zobaczyć, jak to jest nie być rudą – uśmiechnęła się. – A potem spotkałam ciebie i niczego innego już nie pragnęłam.

– Wiesz, że drugi raz nie zdołasz mi uciec – powiedział Ludwik. – Przysięgam, znajdę cię, gdziekolwiek się schowasz. Nie wiem, czy nie byłoby dobrze na wszelki wypadek zabezpieczyć twoje odciski palców. Nie chcę już nigdy za tobą tęsknić.

– Zobaczymy, jak będzie. – odparła ostrożnie. – Poznaj najpierw moją rodzinę.

– A co to ma do rzeczy? – obruszył się. – To nie z nimi chcę teraz żyć.

– Ale ja chcę i jakoś to się musi ułożyć – odparła stanowczo. – Moja rodzina może ci się wydać trochę trudna na początku.

– Rozumiem. Pewnie tatuś popija zdrowo, mama ma już piątego partnera, a brat w kryminale. O nic się nie martw. Ja wszystko rozumiem. Wypijemy razem z twoim ojcem ze dwie flaszki, nie bój się, mam mocną głowę. A potem zabiorę ciebie i malutką w bezpieczne miejsce i już nigdy nie będziesz musiała wracać do tego koszmaru.

Anielka tylko się uśmiechnęła wobec tych przypuszczeń.

– Jest o wiele gorzej niż przypuszczasz. Mój tata to relikt przeszłości. Przedwojenny dżentelmen, miłośnik książek i humanista. Mama jest piękną kobietą. Bardzo się kochają. Mamy dom niedaleko Krakowa otoczony jabłoniowym sadem. Śniadania jemy wspólnie przy pięknie nakrytym stole, w domu zawsze jest jakieś ciasto, a tradycja odgrywa wielką rolę.

– O kurwa zbita – przestraszył się Ludwik. – To rzeczywiście, przyznaję, jest problem. Ale nie aż tak wielki – szybko się pozbierał. Jego męska duma właśnie dostała potężne doładowanie. – Może i ten twój ojciec jest przedwojenny, ale ja mu nie pozwolę odebrać dwóch najważniejszych dla mnie kobiet. I tak miał was zdecydowanie za długo.

– Będą kłopoty – powiedziała Anielka i wstała od stołu.

– Poza tym – Ludwik najwyraźniej jeszcze nie skończył myśli. – Czuję jego rękę w całej tej historii na każdym kroku. W tym, że mnie okłamałaś i że uciekłaś. Tak cię karmił tymi wielkimi ideałami, że się przestraszyłaś prawdziwego faceta. Ale w realu są tylko tacy. I powiem ci, że właśnie oni są najlepsi.

– Chodź, najlepszy mężczyzno – zwróciła się do niego Anielka. – Mała nie może czekać. Zbierajmy się do drogi.

Ludwik wstał i wyprostował się. Był gotów do starcia. Adrenalina buzowała w nim, powodując gwałtowny przypływ energii. Za oknem wstawał na dobre piękny dzień, ogród pysznił się w słońcu, a on miał wspaniałą kobietę u swojego boku i ważne zadanie do wykonania. Poczuł się naprawdę szczęśliwy. A już na dobre zapomniał, jak to jest.

ROZDZIAŁ 30

Maryla śpiewała w samochodzie. Było jej wszystko jedno, czy fałszuje i jak często. Jako stała uczestniczka wszystkich dziecięcych uroczystości, a także mimowolna słuchaczka puszczanych w domu piosenek była fachowcem w zakresie przedszkolnego repertuaru. Właśnie przechodziła do swojego popisowego numeru. W piosence o ojcu Wirgiliuszu, na słowa: „róbcie wszystko to, co ja" robiła miny, jakich nie powstydziłby się orangutan w zoo, do którego właśnie zmierzali. Umiała też bardzo przekonująco podskakiwać, ale tego się w samochodzie pokazać nie dało.

Wszystkie dziecięce głowy były odwrócone do tyłu, a Paulina też nie mogła powstrzymać odruchu i co rusz zerkała w tamtą stronę. Ale nie śpiewała. Za to do zabawy włączył się Marcin. Trzymał ręce na kierownicy, więc o pokazywaniu nie mogło być mowy, ale kiwał głową w rytm melodii i mocnym głosem ciągnął wysokie tony.

Paulina nie mogła się teraz do niego przykleić. Powstrzymywały ją pasy bezpieczeństwa i konieczność dawania dobrego przykładu dzieciom. Przylgnęła więc wzrokiem do ogolonych policzków Marcina i trwała w dziwnym bezruchu. Wyraźnie nie mogła się w tej sytuacji odnaleźć.

A może, kto wie, tylko zbierała siły? Maryla popadła w jakiś wisielczy nastrój. Było jej wszystko jedno. Ta cała sytuacja i tak była patowa, a dobre wyjście nie istniało. Z tego wszystkiego wrzuciła na luz i zaczęła się dobrze bawić. Jak człowiek, który wie, że egzekucja jest nieunikniona i próbuje pożyć jeszcze przez te kilka dni pełną parą.

Kiedy zatrzymali się przed główną bramą, gdzie Marcin cudem znalazł miejsce parkingowe, dzieci stanowiły już zgodną paczkę. Wysiadły i przekrzykując się nawzajem, ustalały, gdzie w pierwszej kolejności należy się udać.

Marcin ruszył w stronę kolejki do kas biletowych, a wszystkie dzieci pobiegły za nim. Paulina obejrzała swoje buty, narażone na poważne niebezpieczeństwo wobec faktu, że większość alejek wysypana była drobnym żwirem. Potem wyciągnęła okulary słoneczne i zaczęła je starannie czyścić specjalną szmatką. Maryla przyglądała jej się z podziwem.

Ona również miała okulary... wrzucone gdzieś na dno torby. Istniało też etui, ale co do jego bliższego położenia nie było dokładnych danych. Może zostało na biurku albo w pracy? A może u rodziców? Po specjalnej szmatce do czyszczenia dawno ślad zaginął.

Fajna taka dobra organizacja – pomyślała. – Ale do szczególnie rozmownych dziewczyna nie należała. Jakby nagle skończyły jej się wszystkie wątki i liczne tak niedawno jeszcze pomysły na to, jak wyprowadzić byłą żonę swojego partnera z równowagi. Wydawało się, że pod tym względem Paulinka nie ma sobie równych. A teraz stała, wpatrując się smutno w wolno przesuwającą się kolejkę i biegające dookoła Marcina dzieci. Dokładnie tak samo jak Maryla. Różniły się bardzo. Temperamentem, wyglądem, zapewne historią rodzinnego domu i zwyczajami. Łączyło je jedno. Obie czuły się już na starcie przegrane w tej dziwnej grze, w której przyszło im brać udział.

Paulina nagle zaczęła żałować, że tak mocno naciskała na przeprowadzkę Marcina. Było dobrze. Spotykali się bez zobowiązań i nie najgorzej im się układało. Miała wrażenie, że historia pierwszego małżeństwa Marcina to dawno skończony temat. Chciała, żeby tak było. Starała się wspomagać ten proces. Ale chyba ostatnio trochę przesadziła. Uderzyła zbyt mocno i spowodowała niechcianą reakcję.

W Maryli obudził się strach o dzieci i obawa przed nieodwracalnym. A to były groźne siły.

Obie kobiety stały i patrzyły, jak mały Szymek zazdrośnie trzyma ojca za nogę, delikatnie odsuwając dziewczynkę, która też chciała stanąć w tym miejscu. Obie mamy zastygły w napięciu, każda wpatrzona we własne dziecko. Maryla miała świadomość, że ten konflikt można by rozwiązać pokojowo. Gdyby na miejscu Marcina był Andrzej, z pewnością byłaby bardziej skłonna do kompromisów. Z większą łatwością przypomniałby sobie nauki mamy, że w każdej sytuacji należy zachowywać się z honorem i szanować uczucia innych, starać się ich zrozumieć.

Teraz patrzyła, jak jej dziecko żałośnie przytula się do ojca i wszystkie nauki oraz szlachetne odruchy wyparowały z niej jak woda na ognisku. Pozostał tylko obłoczek pary.

– Jestem. – Marcin trzymał Szymka na rękach, a bilety w zębach. – Zabierzcie to ode mnie – pochylił się w stronę Pauliny, a Maryla odwróciła wzrok.

Paulina dumna, jakby co najmniej wygrała Telekamerę, odebrała lekko nadgryzione bilety i ruszyła w stronę wejścia. Była w zdecydowanie lepszym nastroju. Biust falował jej w rytm kroków, nogi pięknie się rysowały w wysokich szpilkach, a córeczki grzecznie szły obok niej. Tuż obok maszerował Marcin, niosąc młodszego synka, a starszy właśnie coś mu z przejęciem opowiadał.

Maryla wlokła się z tyłu.

Tego właśnie ci było trzeba? – myślała ze złością. – Naprawdę musiałaś to przeżyć, żeby zrozumieć, na czym ci w życiu zależy? A nie mogłaś być mądrzejsza przed szkodą?

Wydaje się, że człowiek jest dorosły, zna siebie, ma świadomość, na czym mu tak naprawdę zależy. A potem życie i tak go zaskakuje. Maryla przekroczyła czterdziestkę i po posmakowaniu różnych stylów życia zatęskniła nagle za domem, z którego wystrzeliła kiedyś jak pocisk z procy, kiedy tylko nadarzyła się pierwsza okazja. A także za mężem, choć osobiście wyrzuciła go za drzwi i długo nie wyrażała się o nim w innych słowach, jak tylko: głupi. Hodowała urazę równie starannie jak ojciec swoje kwiaty i osiągnęła podobnie spektakularne rezultaty.

Z westchnieniem spojrzała na biegające przy płocie z gospodarskimi zwierzakami dzieci i Paulinę ciasno przytuloną do jej byłego męża. Zastanawiała się, po co w ogóle tutaj przyszła. Była tylko ciemną plamą na ładnym obrazku.

ROZDZIAŁ 31

— Mamo, proszę cię, przygotuj dobrze tatę do tego spotkania. Nie było zaplanowane, nie zdążyłam z nim porozmawiać. Sądziłam, że zrobię to po powrocie. Ale jest już za późno. Ania jakimś tajemnym sposobem dowiedziała się o wszystkim i nie możemy teraz zwlekać z wizytą. Szczerze powiedziawszy, jestem przerażona już samym ich spotkaniem. Nie wiem, czy wytrzymam jeszcze jakieś komplikacje ze strony taty... — Anielka mówiła szybko, wykorzystując fakt, że Ludwik poszedł wyprowadzić auto z garażu.

Helena jak nigdy dotąd miała przemożną ochotę powiedzieć: „A nie mówiłam?", choć zwykle bez trudu opierała się tej matczynej pokusie.

Ale przecież tyle razy prosiła, żeby Anielka pozwoliła sobie pomóc, zrzuciła chociaż część tajemnicy na jej barki. Żeby się przynajmniej poradziła przed wyjazdem. Te pretensje nie miały jednak teraz żadnego sensu. Sprawy nabrały już własnego biegu i teraz pozostało jedynie wspierać swoje dziecko.

– Dobrze – powiedziała. – Nie martw się. Zresztą, nie rozumiem twoich obaw. Wiesz, że tata to kulturalny człowiek i zawsze umie się odnaleźć.

– Ale może się zdarzyć, że sytuacja przerośnie nawet jego. Mamo – mówiła jeszcze szybciej, bo już widziała Ludwika zamykającego bramę garażu. – On jest ode mnie trochę starszy, nie ma czystej biografii i nie jest może tak dobrze ułożony, jak tata by sobie tego życzył, ale ja go kocham – dokończyła szybko, a Ludwik usłyszał tylko ten koniec zdania.

Na chwilę zapomniał o wszystkich pilnych wyzwaniach. Śmiało podszedł do Anieli, złapał ją mocno i pocałował prosto w usta.

– Nigdy wcześniej mi tego nie powiedziałaś – zawołał, kiedy wreszcie zabrakło mu tchu i musiał się zdobyć na krótką przerwę. – Dlaczego?

– Bo wtedy jeszcze tego nie wiedziałam – odparła. – A wbrew temu, co mógłbyś sądzić, lubię mówić prawdę.

– Teraz mi za to zapłacisz. Wziął ją na ręce i skierował się z powrotem w stronę domu.

– Gdzie ty mnie niesiesz, wariacie. Dziecko czeka.

– To mądra dziewczynka – powiedział stanowczo Ludwik. Oparł się mocno o ścianę i jedną ręką próbował przekręcić klucz w zamku, na drugiej z coraz większym wysiłkiem utrzymując Anielkę. – Poczeka godzinkę dłużej.

– Puść mnie, pomogę ci.

– Nie ma mowy – odparł stanowczo, a jego oddech stawał się coraz bardziej urywany. Trudno było stwierdzić, czy to z powodu wysiłku, czy też podniecenia. – Już raz cię wypuściłem, więcej tego błędu nie popełnię.

Drzwi wreszcie ustąpiły i Ludwik wpadł do środka, lekko się zataczając.

– Mamy mało czasu – powiedział, kładąc ją na kanapie. – Więc nawet nie próbuj stawiać oporu. Zmrużył oczy jak kot i pochylił się nad nią.

– Nie mam takiego zamiaru – odparła Anielka. Czuła się tak, jakby wreszcie wróciła do domu.

ROZDZIAŁ 32

— Nie musisz się tak denerwować… – Helena chodziła nerwowo wokół stołu. – Chciałam cię jedynie prosić o zachowanie spokoju. Nie wiem, dlaczego Anielka uznała za stosowne uprzedzić nas o możliwych komplikacjach, ale widocznie ma jakieś powody. Dzwoniłam do niej z dziesięć razy, ale nie odbiera. Nie mam pojęcia, czym może być tak bardzo zajęta.

— Obrażacie mnie – Jan uniósł głowę. – Doprawdy, mało jest w okolicy ojców tak doświadczonych w kwestii przyjmowania młodzieńców starających się o rękę ich córki jak ja. Najlepszy komputer nie zliczy tych wszystkich herbat, które z nimi wypiłem. A także, nie ukrywam, mocniejszych nieco trunków.

— Ale to sytuacja wyjątkowa. Z tego, co zdołałam się domyślić, ten akurat mężczyzna może nie do końca przystawać do twoich ideałów.

– Daj spokój – prychnął Jan. – Mało to takich widziałem? Nawet w obliczu największego stresu zdołałem zachować spokój i godność. Twoje podejrzenia mi uwłaczają.

– Dobrze już – poddała się Helena. – Kończmy to śniadanie. Trzeba trochę posprzątać. Zaraz pewnie wstanie Alfred. Czuję, że czeka nas dzisiaj długi dzień.

– Tak – Jan również wstał energicznie. – Zaraz po obiedzie ruszamy do sadu. Całą rodziną. Może dzień nie jest najbardziej odpowiedni, ale obawiam się, że druga okazja już się nie trafi. Zadzwonię po Gabrysię, niech przyjadą razem z Kornelem. Męskie ręce dzisiaj na wagę złota. Może Maryla wróci z mężem?

– Ona jest po rozwodzie – kwaśno przypomniała mu Marta.

– Ach, wiem o tym – żachnął się Jan. – Zatelefonuję też do Julii. Niech kogoś ze sobą weźmie i też pomoże. Ruch na świeżym powietrzu dobrze jej zrobi. Ostatnio chodzi taka blada, że aż żal patrzeć.

– To akurat prawda – przyznała Helena.

– Mnie się też przyda trochę pracy fizycznej. Wtedy przychodzą mi do głowy najlepsze pomysły. A muszę mieć precyzyjny plan. Kiedy Anielka przyjedzie, wszystko jej wyłożę. Ucieszy się. Zawsze chciała mieć większy wpływ na to, co się dzieje w księgarni. Teraz będzie mogła urządzić ją od podstaw. Trzeba też będzie pomyśleć o jakimś remoncie poddasza.

Marylka wspomina, że chciałby się tutaj przeprowadzić. A Anielka też nie może przecież z tym miłym młodzieńcem mieszkać w jej dawnym pokoju. Roboty mnóstwo i świetnie – zatarł dłonie.

Sprawnie jak zgrana drużyna zabrali się do pracy. Kiedy Alfred wyspany i w doskonałym nastroju zszedł na dół, zastał pięknie nakryty stół, świeże ciasto, błyszczącą w słońcu porcelanę i czystą kuchnię. Nie mógł pozbyć się dziwnego wrażenia, że w tym domu wszystko dzieje się samo, jak za dotknięciem czarodziejskiej różdżki.

Usiadł przy stole i rozejrzał się. Nie miał ochoty na samotne picie kawy.

– Dzień dobry... – Magia najwyraźniej działała nadal, bo ledwie o tym pomyślał, w kuchni pojawiła się Marta. Niosła wielki kosz warzyw z piwnicy. – Czekaliśmy na ciebie – powiedziała uprzejmie. – Zaraz zawołam Helenę i Jana. Wyszli na moment.

Przeszła korytarzem i zapukała do drzwi sypialni.

– Za chwilkę przyjdziemy – usłyszała głos, w którym, miała wrażenie, czaił się stłumiony śmiech. Jak u nastolatków, do których rodzice zadzwonili w najbardziej nieodpowiednim momencie.

– Oni nigdy nie dorosną – wyszeptała z nutą nagany, ale jednocześnie westchnęła. Za swoją utraconą bezpowrotnie młodością, szczęściem małżeńskim, którym cieszyła się tak krótko i tymi wszystkimi radościami życia, dla niej już niedostępnymi. Szybko jednak odzyskała spokój. Miała sporą wprawę w odpędzaniu smutnych myśli i radzeniu sobie z nieodwracalnym.

– Napijesz się kawy? – zwróciła się do Alfreda, który ze sprawnością pompy ssącej pochłaniał zgromadzone na stole produkty spożywcze.

– Chętnie – odparł – Może wybralibyśmy się dzisiaj na rodzinną wycieczkę do Krakowa? – zaproponował. – Chciałbym się wam jakoś odwdzięczyć za gościnę. Czuję się tutaj jak król, choć przecież wiadomo, że nie przyniosłem dla was dobrych wieści.

– Jesteś bratem – powiedziała Marta, nie rozwijając myśli. Dla niej to wyjaśnienie było oczywiste.

– To jak będzie? – dopytywał się Alfred. – Pogoda nam sprzyja. Jest słonecznie i ciepło. Chyba już ostatnie dni złotej jesieni.

Jeśli chcesz się odwdzięczyć, to świetnie – Marta podała mu kawę. – Planujemy dzisiaj wspólne porządkowanie sadu. Wszyscy w okolicy już dawno sobie z tym poradzili, a niektórzy ponieśli nawet większe straty niż my. Tylko nasz ogród straszy przechodniów. Tak dłużej nie może być. Jan ma rację. Najwyższy czas się z tym uporać. A twoja pomoc bardzo się przyda.

Alfred skrzywił się lekko. Nie podobała mu się wizja zamiany przyjemnej wycieczki po krakowskim rynku, sączenia wina w starych kawiarenkach i spokojnego spaceru po Floriańskiej na harówkę w sadzie. To akurat pamiętał z dzieciństwa bardzo dobrze. Ciężką pracę w polu. Jemu wyłącznie z tym kojarzyła się wieś. Nie tak jak Janowi, który wszędzie dostrzegał piękno, magię i szukał głębszych znaczeń.

– Niech będzie… – Alfred znów się skrzywił, ale nie miał odwagi odmówić. Wszyscy traktowali go tutaj z wielką serdecznością.

– To świetnie! – usłyszał głos brata tuż za plecami. – Mam wobec ciebie mnóstwo planów.

– Tego się właśnie obawiałem. – Alfred odłożył filiżankę na spodek. Miał wrażenie, że to będzie jedna z droższych kaw w jego życiu. Przyjdzie mu za nią zapłacić ciężką pracą.

ROZDZIAŁ 33

Chłopcy biegali po zboczu niewielkiego wzniesienia, chowając się za cienkimi pniami drzew. Paulina z córkami stały w niekończącej się kolejce do damskiej toalety. To dawało Maryli pewną przewagę. Jej synowie bez problemu załatwili fizjologiczne potrzeby w pustawej, jak zwykle, części dla mężczyzn i teraz hasali po trawie, korzystając z wolnej chwili. Ich energia zdawała się być niewyczerpana.

Maryla natomiast była zmęczona. Usiadła na ławce obok Marcina i czując się jak przed ważnym egzaminem, postanowiła szybko przejść do rzeczy. Miała poważne obawy, że Paulina nie pozwoli już na podobną chwilę sam na sam. Przez cały czas pilnowała swojego mężczyzny jak oka w głowie, Maryli nie pozwalając nawet do niego bliżej podejść.

– Świetnych mamy synów – powiedziała.

– Tak – przyznał. – Rosną na fajnych chłopaków, choć nie mają pełnej rodziny.

Maryla skrzywiła usta. Ten komentarz jej się nie spodobał.

– Mogliby mieć… – przeszła od razu do rzeczy, bo kolejka do toalety nagle zaczęła się gwałtownie kurczyć. – Źle zrobiłam, wyrzucając cię wtedy za drzwi – powiedziała bez ogródek. – A ty głupio zareagowałeś. Uwierzyłeś w to, że… nie jesteś mi potrzebny – nie powstrzymała się. – Ale nie to jest teraz najważniejsze – mówiła dalej, zanim Marcin zdążył zareagować. – Chciałabym zacząć jeszcze raz, spróbować. Nie tylko dla ich dobra – spojrzała w stronę synów. – Ale także naszego.

– Daj spokój – Marcin lekko się odsunął. – Nie ma sensu o tym dyskutować. To nie jest odpowiednie miejsce ani czas.

– Nie wierzę, że jesteś z nią szczęśliwy – Maryla gestem wskazała Paulinę, która właśnie wdzięczyła się do jakiegoś tatusia. Stał w kolejce z córeczką pasującą kolorem ubrań do jej dziewczynek.

– Ależ jestem – odparł.

– Nie kłam. Dobrze cię znam. Lepiej niż ona. Są tematy, na które nie porozmawiacie.

– Może – przyznał. – To rzeczywiście nie jest taki związek jak nasz. Ale daje mi spokój. Szaleństwo już było. Sama wiesz, że nie skończyło się dobrze.

– Marcin, ja się zmieniłam. Ty zresztą też. Ale to, co najważniejsze, pozostało jak dawniej. Pasujemy do siebie. Tylko razem będzie nam naprawdę dobrze – mówiła szybko. Było jej wszystko jedno, czy właśnie się upokarza, czy też nie. Miała tylko jedną szansę. Paulina już rzucała w ich stronę pełne niepokoju spojrzenia.

– Proszę cię... – Marcin spojrzał na chłopców. Zgodziłem się na tę wspólną wyprawę, choć wiedziałem, że nie będzie łatwo. Ale jakoś musimy się nauczyć zgodnego układania niektórych spraw. Dla dobra dzieci. Nie spodziewasz się chyba jednak, że nagle zmienię zdanie i tak z dnia na dzień zostawię Paulinę? To, co proponujesz, to szaleństwo. Jesteśmy po rozwodzie.

– Ona doskonale sobie poradzi. – Maryla wskazała na partnerkę Marcina, która właśnie śmiała się z jakiejś kwestii wypowiedzianej przez stojącego obok niej „tatusia".

– Ty też nieźle sobie radzisz – odciął się Marcin. – Gubię się w imionach mężczyzn, o których opowiadają nasi synowie.

Maryla lekko się zaczerwieniła. Rzeczywiście, może ze zbyt wielką determinacją dążyła do celu, jakim było znalezienie nowego partnera.

– To dlatego, że bardzo cierpiałam – powiedziała szczerze. – I próbowałam znaleźć kogoś, kto zajmie twoje miejsce. Aż się przekonałam, że to niemożliwe. Jesteś tylko jeden. Proszę cię, przemyśl raz jeszcze swoje decyzje.

– Już to zrobiłem. – Marcin wstał. Dziewczynki właśnie wybiegły z toalety, a Paulina najwyraźniej postanowiła poświęcić swój pęcherz dla dobra związku, bo ruszyła zaraz za nimi, żeby natychmiast stać się uczestnikiem niepokojącej ją już od dłuższego czasu rozmowy.

– Będziemy chyba już wracać – spojrzała na Marcina znacząco. – Chciałabym, żeby dzieci zjadły obiad w domu. W tych budkach sprzedają tylko jakieś nędzne fast foody. Szkoda pieniędzy na takie śmieci.

– Zgadzam się – odparł Marcin, który nagle przeistoczył się w człowieka gotowego na każdy kompromis.

– Przepraszam – wtrąciła Maryla, bo już jej się nie chciało udawać grzecznej i miłej. – Dzisiejsze popołudnie należy się twoim synom – powiedziała stanowczo. – Taki jest nakaz sądu i zwyczajna ludzka przyzwoitość mówi, że nie wolno tego dzieciom odbierać. Chcesz to rozmienić na drobne? Wepchnąć ich do cudzego mieszkania? Oni czekali cały tydzień na spotkanie z tobą. Tylko z tobą – dodała, starannie omijając Paulinę wzrokiem.

Marcin zagryzł wargi, ale zanim jego partnerka zdołała się wtrącić, podjął decyzję.

– Masz rację – przyznał. – To mogłoby być dla nich za dużo jak na pierwszy raz. Pojedziemy do mnie. Wprawdzie nie mam przygotowanego żadnego posiłku, ale coś wspólnie wymyślimy. Może się okazać, że nawet nieźle się przy tym rozerwiemy.

– Możesz pojechać do dziadków – zaproponowała Maryla. – Moja mama się ucieszy. Wiesz, że cię lubi i zawsze ma kilka dodatkowych porcji na wypadek niespodziewanych gości.

– Dziękuję – odmówił stanowczo. – Bardzo szanuję twoich rodziców, ale nie chciałbym sprawiać kłopotu.

Eleganckie określenie na: spierdalaj – pomyślała Maryla i odwróciła się. Przynajmniej tyle osiągnęła, że chłopcy spędzą czas tylko z tatą.

Wrócili do samochodu w milczeniu, a w czasie drogi nikt już nie śpiewał. Dzieci były zmęczone i głodne, a dorośli zdecydowanie nie mieli nastroju. Tylko Paulina uśmiechała się zwycięsko, spoglądając w lusterko na pogrążoną w niewesołych myślach byłą żonę Marcina.

Rozmowa, której Paulina tak się obawiała, najwyraźniej nie była dla Maryli satysfakcjonująca. W przeciwnym razie nie siedziałaby teraz przygaszona i milcząca. Wyglądała, jakby jej przybyło dziesięć lat.

Cóż – pomyślała Paulina. – Takie życie. Jak mawiała babcia: jednemu smutek, drugiemu radość. –

Wyciągnęła szminkę z torebki i dyskretnie poprawiła kolor ust. Co do własnego wyglądu nie miała żadnych zastrzeżeń. Prezentowała się naprawdę świetnie. Nawet jeśli Maryla wywalczyła dla swoich dzieci to jedno popołudnie, to przecież wieczorem Marcin i tak przyjdzie do niej. Z czasem także z chłopcami. A nadejdzie i taki moment, że to jej córeczki staną się dla niego prawdziwą rodziną.

Taki Paulina miała plan.

ROZDZIAŁ 34

Julia zaparkowała swojego forda na trawniku, spodziewając się, że podjazd przed garażem zapełnią dzisiaj jeszcze inne samochody. Wyciągnęła dużą klatkę z chomikiem i ruszyła prosto do sadu. Kręcili się tam już rodzice.

Między drzewami czerwienił się dzianny polar ciotki Marty w kwistym kolorze, służący jej od lat do jesiennych prac, a centralne miejsce zajmował wujek Alfred. Jako jedyny jak na razie nic nie robił, a przynajmniej takie sprawiał wrażenie.

– Cześć wszystkim – krzyknęła. – Stawiam się na placu boju. Co mam robić? – zapytała.

Postawiła klatkę z chomikiem na trawniku i wyciągnęła podłogę. Dzięki temu zwierzak mógł sobie pobiegać.

– Jaki ładny – Alfred rzucił się czynić honory gospodarza, bo za grosz nie miał chęci do jakiejkolwiek innej roboty. – Jak ma na imię?

– Żwirek – odparła Julia.

– O – ucieszyła się wujek. – Jak ta postać z dawnej kreskówki.

– Tak – przyznała Julia. – Kiedyś był jeszcze Muchomorek, ale niestety przeniósł się do lepszego świata.

Rozumiem – wujek nie do końca pojmował, ale na wszelki wypadek uśmiechnął się.

– Możesz ściągać gałęzie, które nie są zbyt ciężkie, tam – ojciec przerwał tę miłą konwersację i wskazał plac przed szopą, gdzie stała duża mechaniczna piła. – A ty – zwrócił się w stronę brata – chodź ze mną. Pomożesz mi piłować ułamane konary.

Alfred westchnął, ale posłusznie ruszył za nim.

– Nikt więcej nie przyjedzie? – zatroszczył się, patrząc na długi sad, ciągnący się jego zdaniem prawie pod horyzont.

– To się jeszcze okaże – surowo odparł Jan.

W tym momencie usłyszeli trzaśniecie drzwiczek. Pod garażem zaparkowała Gabrysia z mężem. Wysiedli z samochodu i wesoło pomachali pozostałym.

Helena, która zbierała do taczek zniszczone gradem warzywa, od razu spojrzała znacząco na męża. W jej wzroku była ulga. Może chociaż to jedno dziecko znalazło spokój i szczęście.

Nowi pomocnicy szybko zostali przydzieleni do odpowiednich działań. Praca szła sprawnie. Świeże powietrze wszystkim poprawiło nastrój. Wciągnął się nawet Alfred, kiedy przyszło do odpalenia piły. Cięcie drewna nie kojarzyło mu się z pracami polowymi, chętnie więc zabrał się za to zadanie.

– A może my też na coś się przydamy? – Jan drgnął na drabinie, o mało nie zlatując na ziemię.

W swoim sadzie zobaczył Leszka. Po raz pierwszy od czterdziestu lat. Tuż za nim stał Feliks i wpatrywał się w Julię jak wygłodniały wędrowiec w miskę ciepłej zupy.

– Ty może na wszelki wypadek na początek zejdź na dół – szybko poradziła mężowi Helena. Nikt nie mógł przewidzieć, co ci dwaj teraz wymyślą. Jan bez protestów uznał radę za słuszną. Pewniej się poczuł, mając twardy grunt pod nogami.

– Witaj – wyciągnął dłoń. – Naprawdę się cieszę, że mogę cię tu znowu zobaczyć. Napijesz się herbaty? – wskazał dłonią dom.

– Nie – odparł Leszek i wyciągnął z przepastnych kieszeni kurtki ogrodowe rękawice. – Przyszliśmy pomóc, bo widziałem z tarasu, jak się zmagacie z tymi szkodami. Mnie to wszystko załatwiła firma ogrodnicza, więc się nie zmęczyłem, ale tutaj chętnie popracuję, jeśli można. Pamiętasz jeszcze ten dawny obyczaj, kiedy sąsiedzi pomagali sobie w każdej większej robocie?

– Jasne, że tak – uśmiechnął się Jan.

– Ale to ciężkie zajęcie – Helena spojrzała nieśmiało na sąsiada.

– Jestem przyzwyczajony – odparł krótko. Nie odwrócił wzroku po raz pierwszy od lat i choć bardzo szybko odszedł, Helena poczuła ciepło w sercu, jakby jakieś zamrożone miejsce nagle zaczęło tajać.

– Uprzejmie z twojej strony, że pomagasz. – Jan wspólnie z Leszkiem pociągnął sporych rozmiarów gałąź. – Ale nie będę ukrywał, że to mi się nie podoba – wskazał brodą Feliksa, który bardzo gorliwie pomagał Julii grabić liście spod jabłoni.

– Dlaczego? Czyżby twoja chęć pogodzenia nie sięgała wspólnych wnuków?

– Daj spokój. Takie rzeczy tylko w literaturze. Poza tym ten młokos już raz ją opuścił.

– Ani się waż go oceniać – Leszek silniej szarpnął gałęzią, tak że Jan o mało nie padł na zęby. – Gdyby spisać wszystkich facetów porzuconych przez twoje córki, to wołowej skóry by brakło.

– Lepiej pracuj, skoro sam się zgłosiłeś – pouczył go z godnością Jan. – Dorosłe dzieci niech sobie same układają życie. Ja już dawno doszedłem do wniosku, że nie ma sensu się wtrącać i tego się trzymam.

Leszek roześmiał się głośno, aż wszyscy odwrócili się w ich stronę.

– Chciałbym to zobaczyć – powiedział.

– Czy ty widzisz to samo co ja? – Marta szeptem zwróciła się w stronę siostry, choć znajdowały się w znacznym oddaleniu. – Pracują razem, śmieją się. Jakby się nagle czas cofnął.

– Tak, to dobra wiadomość – przyznała Helena.

– Ale się nie cieszysz – siostra spojrzała na jej twarz bez śladu uśmiechu. Jasne włosy związane w kok z warkocza dodawały jej powagi.

– Bo wciąż patrzę na Anię. Cały czas siedzi na tarasie i ściska w dłoniach komórkę. Aniela już jedzie. Ale na trasie podobno jakieś remonty, straszne korki. Będą dopiero pod wieczór. A dziecko czeka. Jeszcze jej nigdy nie widziałam w takim stanie.

– Nie ma się czemu dziwić – Marta pochyliła się i wrzuciła na taczki ostatnią część zniszczonych burzą cukinii. – Ma po raz pierwszy zobaczyć ojca. Sama jestem zdenerwowana i bardzo ciekawa, a co dopiero ona.

– To rozumiem – Helena oparła się na kopaczce i spojrzała w stronę ganku. – Ale to nie jest nowa sprawa. Myślę, że ona już od dawna tęskniła za ojcem, tylko my niczego nie zauważyliśmy. Sama nie wiem, jak to możliwe. Spędzamy ze sobą tyle czasu, jemy razem posiłki, rozmawiamy.

– Ania jest skryta, podobnie jak jej mama. Takie grzeczne dzieci czasem trudniej wychować. Przy niegrzecznym wiesz przynajmniej, co się dzieje, czego się spodziewać. Jesteś czujna i masz szansę zareagować w razie potrzeby. A taka cicha woda rośnie sobie spokojniutko i nagle może cię bardzo zaskoczyć.

– Myślisz, że to będzie bardzo nieodpowiedni mężczyzna? – Helena spojrzała na siostrę z nadzieją, że ta może jakimś cudownym sposobem obali jej niedobre przeczucia.

– Jak cholera – Marta nie zamierzała owijać w bawełnę. – W przeciwnym razie dawno już by go przyprowadziła.

– Tego się właśnie obawiałam.

– Idę to odwieźć do kompostownika. Zabierz się teraz za przekopywanie tej grządki i przestań się na chwilę zamartwiać. Będziesz musiała wysilić cały swój wdzięk i szafować uśmiechami na prawo i lewo, żeby dzisiejszy wieczór nie skończył się jakąś katastrofą.

Marta mocno ujęła pełne taczki w dłoń i skierowała się w stronę najbardziej odległego rogu ogrodu.

– Pomogę ci – Leszek pojawił się tuż obok. – Kto to widział, żeby kobieta wykonywała taką ciężką pracę?

– Mężczyzn u nas nigdy nie bywało zbyt wielu. Jakoś musimy sobie radzić.

– Jednego wam przyprowadziłem – Leszek złapał mocno taczki i szybkim krokiem ruszył przed sobie.

– Masz na myśli swojego syna? – zapytała spoglądając w stronę Julii, która nieskutecznie opędzała się od propozycji pomocy płynących ze strony Feliksa.

– Oczywiście. Nie sądzisz, że to świetny pomysł?

– Nie było cię tutaj wiele lat – westchnęła Marta. – To od razu widać. Gdybyś bywał u nas częściej, szybko byś się nauczył, że nie warto ingerować w życie uczuciowe dziewczyn z rodu Zagórskich. To bowiem grozi poważnymi komplikacjami.

– Może – Leszek nie należał do ludzi, którzy łatwo się poddają. – Ale nie zaszkodzi stworzyć małą koalicję. Czy ja mógłbym cię zaprosić na wieczorną herbatę do mnie? – sprawiał wrażenie, jakby ten pomysł przyszedł mu do głowy spontanicznie.

Marta przystanęła. Spojrzała badawczo na sąsiada. Próbowała sobie przypomnieć, kiedy ostatni raz miała okazję usłyszeć podobną propozycję. To było bardzo dawno temu. A może nigdy? Jej mąż był wspaniałym człowiekiem i żyli razem szczęśliwie, ale nie miał za grosz romantycznego usposobienia. Na rocznicę ślubu potrafił kupić nowy rozrusznik do samochodu, wychodząc z założenia, że przecież auto służy im obojgu. Marta akceptowała ten stan rzeczy, bo bardzo kochała męża.

Ale minęło już tyle lat od momentu, kiedy zmarł. A jeszcze więcej od czasu, gdy ktokolwiek zaprosił ją na kolację. Nawet jeśli była to tylko zwykła sąsiedzka uprzejmość.

– Dobrze – odpowiedziała, śmiało patrząc mu w oczy. – Przyjdę.

* * *

Maryla wróciła do domu, kierując samochodem jak automat. Nie pamiętała, w jaki sposób pokonała kolejne skrzyżowania. Z zamyślenia obudziła się dopiero, gdy na podjeździe przed garażem nie znalazła miejsca do zaparkowania. To ją lekko otrzeźwiło i zmusiło do wykonania znacznego wysiłku umysłowego, by stworzyć taką kombinację ruchów, cofnięć, skrętów i zwrotów, żeby ustawić się na trawniku tuż obok samochodu Julii, w wąskiej szczelinie między autem siostry a żywopłotem.

Udało się. Zmęczona wysiadła i spojrzała w stronę sadu. Dobiegał stamtąd gwar głosów.

Ale gromada! – Z zaskoczeniem liczyła osoby kręcące się pod drzewami. Wydawało jej się nawet, że widzi sąsiada Leszka Trąbskiego, który rozmawia z ciocią Martą. Ale uznała, że to jakieś przywidzenie. Otworzyła drzwi domu i weszła do pustej kuchni. Rzadko było tutaj tak cicho. Wszyscy pracowali w ogrodzie, ale czyjeś troskliwe dłonie już położyły na niewielkim ogniu gar zamrożonego bigosu. Powoli roznosił się po kuchni wspaniały aromat. Przez okno widać było

Anię. Siedziała skulona na tarasowym krześle i wyglądała na bardzo zmartwioną. Maryla porzuciła na chwilę własne troski, bo aż się jej serce ścisnęło na widok tego dziecięcego smutku.

Przeszła szybko przez salon, pchnęła drzwi prowadzące na taras i zobaczyła puste krzesła. Ania ulotniła jak mały duszek. Albo jak jej mama, która też posiadała zdolność bezszelestnego pojawiania się i znikania.

Czasem w wirze głośnych rodzinnych zdarzeń Anielka jakby się rozpływała w powietrzu. Ale teraz – pomyślała Maryla – miała znów zaznaczyć swoją obecność. Huk, jaki spowoduje swoim pojawieniem się, z pewnością statystycznie dopełni ciszę ostatnich lat.

Maryla usiadła na tym samym krześle, które jeszcze przed momentem zajmowała jej siostrzenica. Miejsce świetnie się nadawało do przeżywania trudnych chwil. Tarasowe ławki i krzesła były drewniane, ale leżały na nich miękkie poduchy. Z jednej strony przed wiatrem chroniły stabilne ściany domu, a z drugiej rozciągał się kojący widok na sad. To nie leczyło wszystkich ran, jednak pomagało okiełznać cierpienie.

– Coś poszło nie tak? – Maryla aż podskoczyła, słysząc głos cioci. Może właśnie dlatego Anielka wypracowała taką sprawną metodę znikania. W dużej rodzinie, jeśli ktoś chce zachować dla siebie jakąś część prywatności, musi się nauczyć tej sztuki.

Ale Maryla nie miała ochoty na samotność.

– Przyszłaś do mnie? – zapytała.

– Tak całkiem szczerze, to przyszłam do bigosu, ale kiedy cię tutaj zobaczyłam, od razu pomyślałam, że coś się dzieje.

– To zamieszaj spokojnie w garnku i porozmawiamy – uśmiechnęła się Maryla. – Moje problemy w tym czasie nie znikną, a bigos mógłby ucierpieć.

Ciotka Marta kiwnęła głową, uznając słuszność tego argumentu. Pobiegła do kuchni, ale dość długo jej nie było. Maryli zrobiło się nawet trochę przykro. Kiedy jednak zobaczyła tacę z dwoma kubkami, zrozumiała, że czeka ją rozkosz dla podniebienia. W tym domu tata uchodził za mistrza parzenia herbaty i nikt nawet nie próbował podważać jego pozycji. Jednak ciocia Marta była równie dobra.

– Proszę – podała jej napój. – Tylko uważaj, bo gorące – dodała odruchowo, choć para unosząca się nad kubkiem była dostatecznie wymowna.

– Dziękuję. Pewnie zaraz będziesz musiała do nich wrócić – zerknęła w stronę pracującej w sadzie rodziny. – Ja też powinnam pomóc, co?

– To może zaczekać – ciotka usiadła blisko niej. – Co się stało?

– Zaryzykowałam, postawiłam wszystko na jedną kartę i… przegrałam.

Ciocia wyraźnie się przestraszyła. Znała możliwości Maryli.

– Co ty wymyśliłaś tym razem? – zapytała.

– Nic takiego. Po prostu powiedziałam Marcinowi prawdę. Spokojnie – zastrzegła się od razu. – Ale to nic nie pomogło. Tylko się upokorzyłam.

– Nawet tak nie myśl. Może on był po prostu zaskoczony tą nagłą zmianą.

– Zaskoczony czy nie, sprawiał wrażenie człowieka, który wie, o co mu chodzi. Odpowiadał bez cienia wątpliwości. Dla niego nasze małżeństwo to skończona historia, a rozwód ostatecznie ją zamknął.

– No cóż, przyznaję, że wydarzenia ostatnich lat mogły dać mu podstawy do takiego myślenia – powiedziała ciocia ostrożnie i jednocześnie położyła dłoń na ręce siostrzenicy. – Ale nie upadaj na duchu, jak mawia twoja mama. W miłości i w hazardzie nigdy się nie da wszystkiego do końca przewidzieć.

– W tym przypadku akurat można. Marcin to racjonalista. Nie podejmuje decyzji ot tak, pod wpływem impulsu. Zakochał się spontanicznie tylko raz, porządnie na tym sparzył, więc teraz jest podwójnie ostrożny.

Marta milczała. Koniecznie chciała dodać siostrzenicy nieco otuchy. Ale nie za cenę taniej nadziei ani kłamstwa.

– Nie jest tak źle – Maryla przerwała milczenie. – Będę się musiała nauczyć żyć sama. To jest do zrobienia. Mam w tym sporą wprawę. Wiem, jak spędzać wieczory, kiedy dzieci już śpią. Książka, dobra herbata – wyliczała – ulubione programy i filmy. Umiem też cieszyć się małymi rzeczami i mimo wszystko czerpać z życia radość.

Zamilkła. Ciocia daremnie szukała recepty na rozwiązanie jej problemów.

– Tylko czasem tak bardzo tęsknię za miłością – dodała cicho Maryla.

– Jeszcze kiedyś ją spotkasz. – Marcie udało się w końcu powiedzieć coś pokrzepiającego.

– Już nie chcę – stanowczo odpowiedziała Maryla. – Zaczynać od nowa, ryzykować, udawać, starać się, grać? To nie ma sensu.

– A nie możesz po prostu być sobą?

– Mogę – odparła. – Ale na taką zwyczajną Marylę najwyraźniej nie ma zapotrzebowania.

– Och, proszę cię. Nie takie jak ty znalazły w życiu miłość.

– Może, ale jakie to ma znaczenie. Przecież nie przedstawię Marcinowi wyciągu z ksiąg statystycznych, z którego będzie wynikało, że nasza rodzina ma sens. Pomyliłam się – powiedziała, wstając od stołu. – I teraz muszę za to zapłacić.

Dopiła herbatę, która już zdążyła ostygnąć.

– Pyszna – uśmiechnęła się do cioci. – I dziękuję ci za rozmowę. Zawsze człowiekowi trochę raźniej. Ale chyba czas do nich wrócić. Zostało jeszcze sporo pracy, a czuję, że kiedy tylko Anielka przyjedzie, już nikt nie będzie miał do tego głowy.

– Tata chce zapędzić tego jej młodzieńca do pracy, żeby go od razu przetestować.

– Jeśli tylko on się na to zgodzi. Nie wszyscy mężczyźni łatwo poddają się takim poleceniom.

– To rzeczywiście może być punkt zapalny. Tym bardziej że twój ojciec precyzyjnie zaplanował już całą przyszłość tego związku. Oboje z Anielką zamieszkają na wyremontowanym nie wiadomo za co poddaszu, będą pomagać w prowadzeniu nowej księgarni i wieczorami oglądać zachody słońca na ganku. Dla ciebie też jest miejsce w tym sielskim obrazku – dodała. – Ojciec chciałby, żebyś się tutaj przeprowadziła.

– To miłe, ale nie sądzę, żeby jego wizja była realna. Ten dom nie jest tak duży, by pomieścić nieograniczoną ilość pojedynczych, niezależnych rodzin. Tata próbuje stworzyć utopię. Chodźmy mu pomóc, bo czuję, że będzie jeszcze dzisiaj potrzebował dużo sił. Coś mi się wydaje, że jego plany spalą na panewce.

Ruszyła w stronę sadu.

Praca – pomyślała. – Stary, sprawdzony rodzinny sposób na radzenie sobie z kłopotami. Czas go wypróbować, zobaczymy, jak się sprawdzi. Do tej pory pracowała tylko dlatego, że musiała z czegoś żyć. Była solidna, dobrze się wywiązywała z obowiązków, lubiła swoje zajęcie i nawet awansowała. Ale praca nigdy nie była dla niej pasją, jak na przykład dla Julii czy ojca i Anielki. Oni traktowali swój zawód jak misję.

Może czas znaleźć sobie coś takiego? – pomyślała. – Żeby przestać tak rozpaczliwie tęsknić za tym, co nieodwracalnie odeszło. Tylko jak to zrobić?

– Jak się udała wyprawa do zoo? – zapytała mama. – Chłopcy dobrze się bawili?

– Tak – odparła córka zgodnie z prawdą. – Teraz są z Marcinem, przywiezie ich wieczorem.

– To dobrze. A jak ty się czujesz?

– Słabo, ale daję radę – powiedziała. – Co wam jeszcze zostało? Trzeba się spieszyć, bo niedługo zacznie się ściemniać.

– Całkiem nieźle nam idzie. Drzewo już pocięte. Warzywnik z grubsza uprzątnięty, gotowy do zaorania. Kornel właśnie kosi trawnik. Trzeba jeszcze tylko pochować narzędzia i powoli można kończyć.

– To moja pomoc się nie przyda…

– Co ty mówisz! W domu zawsze jest robota. Kiedy się tutaj przeprowadzisz, sama się przekonasz.

– Zachowujecie się, jakby to była oczywistość. A przecież to poważna decyzja. Trzeba to spokojnie i rzeczowo przedyskutować.

– To prawda – przyznała mama. – Ale ja myślę, że to dobry pomysł. Czuję, że będziesz tutaj pasować.

– Są! – Przybiegła z nowiną Marta, aż straciła na moment dech z przejęcia.

Jakiś ciemny samochód wjechał przez bramę i zatrzymał się na ostatnim wolnym miejscu.

– Przyjechali! – Helena pobiegła w stronę męża. Jan natychmiast wyłączył piłę, pożegnał się pospiesznie z Leszkiem, dziękując mu za pomoc, po czym ruszył w stronę domu. Marta pobiegła w głąb sadu, by zawołać Julię i Gabrysię. Jan wszedł do sypialni i nie tracąc ani chwili, zaczął się rozbierać, rozrzucając po podłodze robocze ubranie. Wszedł pod prysznic i ledwie opłukał ciało, a już się wycierał. Zanim Helena zdążyła porządnie umyć ręce, on już zakładał swoją najlepszą koszulę.

Jego żona też musiała działać błyskawicznie. Koniecznie chciała być świadkiem tego pierwszego starcia. Zarzuciła na siebie lawendową sukienkę i lekko przypudrowała twarz. Więcej zrobić nie zdążyła. Jan już zmierzał do przedpokoju, żeby przywitać gości.

Ledwo jednak otworzył drzwi, tuż obok nóg śmignęła mu Ania. Pobiegła przez podwórko i stanęła na wjeździe.

Helena pociągnęła mocno męża za łokieć.

– Wracamy do domu – powiedziała stanowczo, zamykając wejście. – Dajmy im czas na przywitanie się.

– Ależ, oczywiście! – Jan szarpnął się do przodu, jakby chciał natychmiast pobiec za wnuczką. – Przecież wiem o tym. – Zatrzymał się i z niejakim trudem wykonał krok do tyłu. – Poczekamy przy stole – zarządził, a Helena tylko się uśmiechnęła.

Wspólnie z Martą zabrały się za przygotowywanie nakryć. Alfred poszedł się przebrać, a pozbawiony tej motywacji, jaką miał brat, potrzebował na to o wiele więcej czasu. Tylko Maryla nie musiała się przebierać. Siedziała spokojnie naprzeciw ojca i wpatrywała się w okno nieodgadnionym wzrokiem.

ROZDZIAŁ 35

Ludwik wysiadł z samochodu i nawet nie zdążył zatrzasnąć drzwi. Ściskał w dłoni kluczyki i czuł, jak stopy zaczynają mu wrastać w chodnik. Nie mógł ich podnieść i wykonać żadnego kroku. W szeroko otwartej bramie wjazdowej stała dziewczynka. Była ruda jak wiewiórka, drobna i miał wrażenie, że bardzo krucha. Ale kiedy podniosła głowę i spojrzała mu w oczy, zobaczył w nich niezłomność, którą dobrze znał, zdecydowanie i odwagę, a także... strach.

Jej wzrok był lustrzanym odbiciem jego własnego spojrzenia. On też się bał i był równie mocno zdeterminowany przystąpić teraz do zdecydowanych działań. Wpatrywali się w siebie nawzajem z równie wielkim głodem. Ale żadne nie wykonało nawet kroku.

Ludwik nie mógł w to wszystko uwierzyć. Już dawno pogodził się z faktem, że życie rodzinne nie jest dla niego. Nie była to zgoda, która wnosi w życie spokój, ale pełen urazy do całego świata żal, który zakopał głęboko i tylko czasem, kiedy był zupełnie sam, wyciągał, by się nim zadręczać.

Ta dziewczynka stojąca nieopodal była niezwykle podobna do Anielki, ale Ludwik jednocześnie miał wrażenie, że patrzy w oczy samemu sobie sprzed lat. To było bardzo przejmujące doświadczenie. Z wielkim wysiłkiem oderwał w końcu stopy od podłoża i powoli, krok za krokiem, zaczął pokonywać odległość dzielącą go od stojącego przy bramie dziecka. Podszedł blisko i przyklęknął na jedno kolano, tak by ich twarze mogły się znaleźć na tej samej wysokości.

– Dzień dobry – powiedział zachrypniętym z emocji głosem. – Mam na imię Ludwik. Wiesz, kim jestem?

Dziewczynka skinęła głową.

– Chciałbym cię przeprosić, że tak długo musiałaś na mnie czekać.

Ania wpatrywała się w niego, zagryzając dolną wargę.

– Czy mógłbym cię objąć? – zapytał.

Znów kiwnęła głową potakująco, więc nie czekał już dłużej, tylko porwał ją w objęcia i mocno przytulił. Obrócił się kilkakrotnie jak człowiek, który odzyskał cudem ocalałe z katastrofy dziecko. Wydawało mu się, że nie może już być na świecie większego szczęścia.

– Wynagrodzę ci to – wyszeptał jej do ucha. – Przysięgam.

– Ja tobie też – odparła dziewczynka i odważyła się także go objąć.

Anielka otarła łzy i podeszła do nich. Przypomniały jej się słowa wypowiedziane kiedyś przez Julię. Czasem są takie momenty w życiu, kiedy wszystko jest doskonałe. I masz ochotę zawołać jak Faust: „Chwilo trwaj, jesteś tak piękna".

Przytuliła się do nich i stali razem, jakby czas nagle się zatrzymał.

– Chodźmy do dziadka – pierwsza zareagowała Ania. – Muszę cię przedstawić. Dziadek jest fajny – dodała, a Ludwik od razu poczuł delikatne ukłucie zazdrości.

Nie dał jednak nic po sobie poznać.

– Dobrze. Prowadź – powiedział, ale nie wypuścił jej z objęć. Niósł córeczkę jak zwycięskie trofeum i taką właśnie miał minę. Jak rzymski triumfator.

Jan, który nie mógł utrzymać ciekawości na wodzy i co rusz spoglądał przez okno, otworzył, zanim jeszcze goście zdążyli zadzwonić. I już na wstępie wyraz twarzy stojącego przed nim mężczyzny mu się nie spodobał. Po miłym blondynku z jego marzeń nie został nawet ślad. Miał przed sobą ciemnowłosego postawnego faceta w wieku zdecydowanie dojrzałym, który ściskał jego wnuczkę, jakby już nabył do niej specjalne prawa. Nie sprawiał wrażenia kogoś, kto pragnie prosić o możliwość wejścia do rodziny, wpasowania się w zastany układ, by go dopełnić. Przypominał raczej rewolucjonistę, który za chwilę wywróci wszystko do góry nogami.

– Aniu, pozwól panu spokojnie się przywitać. – Jan zwrócił się dość chłodnym tonem do wnuczki, bo nie mógł znieść widoku obcego mężczyzny tak obcesowo trzymającego ją w objęciach.

– Ona zostaje – odparł Ludwik władczym tonem człowieka od lat nawykłego do wydawania poleceń.

Jan lekko się zachwiał.

– Zapraszamy do stołu – Helena podeszła bliżej. – Bardzo się cieszę, że możemy się poznać – mówiła swoim łagodnym głosem, dodając najcieplejsze uśmiechy, na jakie było ją w tym zdenerwowaniu stać. – Jestem mamą Anielki i babcią tej młodej damy – wskazała na Anię. – A to mój mąż – dopełniła prezentacji. – Marta, ciocia Anielki oraz Maryla – jej siostra. Za chwilę zejdzie jeszcze wujek Alfred i reszta rodziny. Właśnie siadamy do kolacji. Serdecznie zapraszamy.

Duży okrągły stół w kuchni, na który Ludwik odruchowo zerknął, lekko oszołomiony ilością postaci, których imiona powinien w szybkim tempie zapamiętać, był pusty. Nakryto w salonie. Kobiety, którym adrenalina dodała sił i energii, wytoczyły najcięższe działa. Kremową porcelanę, najlepsze świeczniki, re-prezentacyjny zestaw sztućców i kwiaty w wazonie. Tylko ciasto było skromne, bo już nie zdążyły upiec niczego nowego.

Ale Ludwik nawet nie zwrócił na to uwagi. Bywał na kolacjach w różnych miejscach. Także bardzo wy-stawnych. Brał udział w przetargach na zamówienia publiczne, jego firma współpracowała z różnymi in-stytucjami. Przepych zwykle go nie peszył.

Teraz jednak, w tym pięknym pokoju, pod spoj-rzeniem licznej rodziny, która zdawała się tworzyć jednolity i zwarty zespół, poczuł się trochę zmieszany. Senior rodu sprawiał wrażenie tradycjonalisty, które-mu wszystko się w życiu udaje i dlatego nie rozumie dziewięćdziesięciu procent ludzkości. Wyglądał jak... beton. Próby porozumienia były raczej skazane na klęskę.

Ludwik miał ochotę wyjść. Nie zależało mu na uznaniu tych ludzi i nie chciał tłumaczyć się przed nimi ze swoich najbardziej intymnych spraw. Lekką sympatię poczuł tylko do mamy Anielki. Poza tym najchętniej obróciłby się na pięcie, zabrał swoją córkę i natychmiast odjechał do Warszawy. Ale dziewczyn-ka spoglądała na niego ufnie i wyraźnie miała ochotę zostać. Anielka też witała się serdecznie z każdą oso-bą po kolei. Nie mógł już na wstępie zafundować im stresu i konfliktu.

Ale nie zamierzał udawać, że jest kimś innym, niż naprawdę był.

– Dziękuję za zaproszenie – powiedział godnie, dostosowując się do panujących zasad. Miał wrażenie, że Aniela odetchnęła z ulgą.

Posadził Anię na krześle i sam usiadł na wskazanym przez Helenę miejscu, dokładnie naprzeciw pana domu. Mężczyźni mierzyli się niezbyt przyjaznymi spojrzeniami.

Ludwik zerknął na znajdującą się na ścianie imponującą biblioteczkę. To wywołało pierwszy życzliwy uśmiech na twarzy Jana.

– Ten zbiór gromadziły całe pokolenia – pochwalił się. – A pan lubi czytać książki? – To było kluczowe pytanie, nie tylko ze względu na chęć poznania charakteru, ale także dalsze mocno dalekosiężne plany, jakie miał Jan wobec córki i jej nowego partnera.

– Szczerze powiedziawszy, nie bardzo – odparł Ludwik, śmiało podnosząc wzrok. – Zawsze lubiłem konkrety, a te wszystkie lektury w szkole często wydawały mi się pozbawione jakiejkolwiek praktycznej strony. A już dzielenie włosa na czworo podczas analizy to była prawdziwa męka. Skończyłem z tym natychmiast po zdaniu matury. Ale szanuję ludzi, którzy mają literackie pasje.

Na nic się zdała ta łyżka miodu dodana na koniec.

– A pan czym się zajmuje zawodowo? – zapytała szybko Helena, chcąc powstrzymać męża przed komentarzem. To pytanie było dość obcesowe, ale utrzymanie konwencji lekkiej rozmowy wobec panującego przy stole napięcia było po prostu niemożliwe.

Maryla z Martą dyskretnie wyszły do kuchni. Czuły, że tematy, które za chwilę zostaną poruszone, będą dotykać bardzo osobistych spraw, a wszyscy i tak byli już dość spięci. Nie potrzebowali dodatkowych świadków.

– Przystojny mężczyzna, to trzeba przyznać. – Ciotka Marta z ulgą usiadła przy kuchennym stole i nalała sobie herbaty z dzbanka. Czuła się tutaj o wiele bardziej swobodnie.

– Możliwe, ale to mu nie pomoże w relacjach z tatą.

– Nie sądzę, żeby należał do mężczyzn, którzy się przejmują takimi rzeczami.

– W takim razie się nie martwimy – powiedziała Maryla i podeszła do okna. Czekała. Za chwilę powinien przyjechać Marcin z chłopcami. Denerwowała się przed tym spotkaniem.

* * *

– No cóż... – Jan dla dobra sprawy próbował udawać, że jego tolerancja nie zna granic. – Ludzie mają różne pasje – przyznał. – My z Anielką uwielbiamy książki. A teraz wspólnie mamy zamiar otworzyć nową księgarnię – pochwalił się i spojrzał na córkę z dumą, spodziewając się, że bardzo się ucieszy. – Aniela będzie tam właściwie szefową – dodał.

Ale córka nie zareagowała zgodnie z oczekiwaniami. Rzuciła tylko w stronę Ludwika zaniepokojone spojrzenie.

– Będzie jeszcze okazja porozmawiać o planach na przyszłość – powiedziała dyplomatycznie. – Myślę, że teraz nie czas na to. Może spróbujesz tych grzybków – zaproponowała. Tata osobiście marynował.

Ludwik nawet nie zdążył wyciągnąć ręki po talerzyk, gdy usłyszał głos Jana:

– Ale jak to? – Ojciec nie mógł dopuścić do nieporozumienia w tak ważnej dla niego sprawie. – Nie cieszysz się? – zwrócił się do Anielki. – Nasza stara księgarnia sprzedana, ale to nie szkodzi. Stworzymy nową, bardziej nowoczesną.

– Jeszcze nie wiemy, w jaki sposób ułożymy swoje sprawy – odparła Anielka, czujnie spoglądając na córkę, która słuchała każdego słowa. – Ludwik ma w Warszawie swoją firmę, dom i całe życie. Jeśli chcielibyśmy być razem…

– To się przeprowadzisz, prawda? – Wytrenowany na powieściowych zwrotach akcji umysł Jana bez trudu dopisał dalszą część. Nie była przecież niczym zaskakującym. To zrozumiałe, że młodzi mają prawo zamieszkać razem i podjąć na nowo próbę stworzenia rodziny.

A jednak serce mocno go zapiekło, bo oto po raz kolejny w tak krótkim czasie jego plany legły w gruzach. Tak naprawdę bał się galerii i całego pełnego szumu oraz chaosu świata, który się z nią wiązał. Wszystkie swoje nadzieje pokładał w młodej i energicznej Anielce. Tyle że przecież ze swoimi nieszczęsnymi marzeniami nie może stawać na drodze do jej szczęścia...

Westchnął tylko. Jeszcze raz na nich spojrzał. Ten mężczyzna wyglądał na trochę starszego i nie był pokornym człowiekiem, ale może to dobrze. Życie niesie wiele wyzwań i trzeba siły, by się z nimi zmierzyć. Oboje z Anielką wyglądali na mocno zafascynowanych sobą nawzajem, a policzki Ani też płonęły rumieńcem z przejęcia. Jan czuł, że na jego oczach rodzi się właśnie coś prawdziwego i niezwykłego.

Był gotów dla dobra tego związku poświęcić własne marzenia.

– Więc macie zamiar się pobrać? – zapytał bez żadnej złej intencji. To po prostu wydawało mu się oczywiste.

Ludwik przez chwilę sprawiał wrażenie oszołomionego, ale szybko odpowiedział:

– Nie wiem. Jeszcze się nad tym nie zastanawialiśmy – spojrzał na Anielę. – Ale nie sądzę, żeby to miało prędko nastąpić. Małżeństwo nie jest moją mocną stroną. Trzy razy próbowałem, mam na koncie trzy rozwody i dobrze się zastanowię, zanim znów podejmę taką decyzję.

Boże drogi – pomyślał Jan. – Komu moja córka oddała serce i naszą ukochaną wnuczkę? Zupełnie nieznajomy człowiek, trzykrotny rozwodnik, ignorant, który nie przeczytał nawet szkolnej lektury. Gdyby chociaż zamieszkał z nimi, żeby można by go było mieć na oku, ale on chce zabrać dziewczyny ze sobą!

Nie można do tego dopuścić – pomyślał Jan.

Nagle poczuł w okolicy serca dziwne gorące pieczenie, po czym osunął się na podłogę. Nie słyszał już przerażonych krzyków żony. Ogarnęła go pełna spokoju ciemność, odcinając jednym stanowczym ruchem od wszelkich zmartwień.

ROZDZIAŁ 36

Maryla stała przy bramie. Nie było już żadnego wolnego miejsca, więc przypuszczała, że Marcin zaparkuje na chodniku i będzie się spieszył, żeby wracać. Czekała na niego w napięciu, którego przyczyny nie umiała podać. Nie sądziła, żeby kolejna rozmowa z byłym mężem mogła przynieść jej coś więcej niż tylko rozczarowanie.

Jednak kiedy zobaczyła światła samochodu, serce ścisnęło jej się mimowolną nadzieją. Auto zatrzymało się i po chwili wysiedli z niego chłopcy.

– Mama, mama – wołali, biegnąc w jej stronę. – Było super. Smażyliśmy z tatą kotlety. Spaliły się nie wszystkie – relacjonowali jeden przez drugiego.

– Cześć – przywitał się Marcin. – Chłopcy, pobiegajcie chwilę po ogrodzie – polecił. – Ja muszę porozmawiać z mamą.

– Obiecałeś, że nie powiesz o tych rozwalonych jajkach – zabezpieczył się na wszelki wypadek Szymek.

– Nie martw się o to – uspokoił go Marcin. Miał bardzo poważną minę, która sprawiła, że serce Maryli zabiło mocniej. Jakby za chwilę miał nastąpić w jej życiu jakiś ważny moment.

Chłopcy pobiegli się bawić. To była jedyna czynność, do której nie trzeba ich było zachęcać.

– Myślałem o tym wszystkim, co mi dzisiaj powiedziałaś – zaczął Marcin, a Maryla z przejęcia zagryzła wargę. – Rzeczywiście nie byłem wobec ciebie, was – poprawił się, spoglądając na hałasujących między drzewami chłopców – całkiem w porządku. Dałem plamę, zwłaszcza tuż po narodzinach Szymusia.

Maryla odetchnęła. Wreszcie to zrozumiał. Teraz już nic nie stało na przeszkodzie, by zaczęli nowe życie. Jak Anielka i Ludwik. Oni przecież mieli o wiele mniejszą szansę, że cokolwiek im się uda, tymczasem sprawy przybierały coraz bardziej optymistyczny obrót.

– Miałaś też rację – mówił dalej Marcin – że kasa to nie wszystko, ale jest ważna i kolejne przelewy będziesz dostawać zawsze w terminie. Nie powinienem obarczać cię tyloma obowiązkami. Będę się bardziej angażował w wychowanie chłopców. Nie chcę im fundować dzieciństwa bez ojca.

Maryla wstrzymała oddech. Teraz powinny paść najważniejsze słowa.

– Dlatego będę ich zabierał także w tygodniu, jeśli nie masz nic przeciwko temu. Ty będziesz miała trochę czasu na odpoczynek, a ja zyskam dzięki temu szansę, by naprawdę uczestniczyć w ich życiu. Tak na co dzień.

Maryla miała ochotę krzyczeć.

Obudź się, głupku. Są lepsze sposoby, by być częścią życia dzieci. Na przykład przeprowadzić się na stałe do ich matki.

Ale nie mogła tego powiedzieć na głos. Bo Marcin nie był głupkiem. Zachowywał się jak odpowiedzialny mężczyzna i wiedziała dobrze, że wiele kobiet po rozwodzie nie może nawet marzyć o takiej postawie byłego męża.

Serce jej krwawiło, ale to dla nikogo nie miało znaczenia.

– Jadę – powiedział Marcin. – Odezwę się w przyszłym tygodniu. Na razie.

Odwrócił się, a ona miała wrażenie, że jego plecy przesłaniają cały świat. Nie widziała niczego więcej. Stały jej przed oczami, nawet kiedy samochód Marcina już odjechał. Otarła szybko łzy.

– Wracamy do domu – zawołała chłopców. – Jest już późno, a dziadkowie mają gości. Nie będziemy przeszkadzać.

Zapięła synów w fotelikach, po czym ruszyła. Postanowiła już na miejscu zadzwonić do mamy i pożegnać się. Pewnie i tak nie mieli teraz głowy do takich drobiazgów.

Pogrążona w myślach skręciła na główną drogę i nie zobaczyła już karetki pogotowia pędzącej na sygnale w kierunku jej rodzinnego domu.

ROZDZIAŁ 37

Ludwik stał na schodach prowadzących do domu Zagórskich i palił trzeciego już papierosa. Lekarz odjechał, nie zdoławszy żadnymi argumentami, prośbą ani groźbą przekonać opornego pacjenta, by dla pewności spędził dzisiejszą noc w szpitalu.

Przed domem stał także Leszek, którego karetka pogotowia przywiodła z powrotem do sąsiadów. To były stare nawyki, pochodzące z lat, kiedy Leszek praktycznie każdy dzień zaczynał od wizyty u przyjaciela. Bez problemu wrócił do tych zwyczajów. Miał wrażenie, jakby ta przerwa trwała najwyżej kilka dni. Zrozumiał, jak brakowało mu tego miejsca, poczucia, że uczestniczy w życiu rodziny Zagórskich, a nie tylko biernie obserwuje z balkonu, zagryzając usta w bezsilnej złości.

Jan był dla niego jak brat.

– Myśli pan, że on ją teraz szantażuje? – Ludwik rzucił pet na wygrabiony przez Martę kwietnik. – Straszy, że umrze, jeśli Anielka się ze mną zwiąże? To wstrętne, żałosne, obrzydliwe! – Na samą myśl czuł wściekłość.

– Nie sądzę – uspokoił go Leszek. – Dobrze znam Janka. Ma wiele wad. A nawet mnóstwo, ogrom. Ale jest człowiekiem honoru. Nie stosuje chwytów poniżej pasa. Raz w życiu zachował się jak świnia i tym samym chyba wyczerpał swój limit, bo w gruncie rzeczy to przyzwoity chłop.

– To dlaczego wezwał ją do siebie, a mnie kazał czekać za drzwiami? – Ludwik nie był przyzwyczajony do takiego traktowania.

– Bo chce mieć wpływ na jej decyzję. Masz rację – przyznał Leszek. – Będzie ją teraz karmił cytatami z książek, Helena dołoży z pięć złotych myśli, ale na tym koniec. Jeśli Anielka powie, że jest zdecydowana wyjechać z tobą, jej ojciec nie stanie wam na przeszkodzie. A jeżeli w dodatku Ania weźmie cię w obronę, to już wygrałeś.

– Nie potrzebuję, do cholery, żeby mnie dziecko ratowało! – oburzył się Ludwik. – Jestem dorosły, sam potrafię zadbać o swoje interesy.

– Z pewnością – przyznał Leszek. Podobał mu się partner Anielki. Dziewczyna miała dobry gust. Nie poszukała sobie jakiegoś romantycznego niedojdy, tylko prawdziwego mężczyzny z krwi i kości, co to potrafi nie tylko zauroczyć kobietę, ale i zakląć, zapalić, firmę poprowadzić. Leszek byłby z takiego zięcia bardzo zadowolony. Ale wiedział, że Jan będzie stosował inne kryteria. Czepiał się manier, przeszłości i trząsł nad bezpieczeństwem córki, choć ta wyraźnie udowodniła, że sama świetnie sobie radzi.

Leszek butem schował niedopałek papierosa pod kępkę wrzosu, żeby oszczędzić Marcie zdenerwowania, i spojrzał na Ludwika.

– Ja bym na twoim miejscu ojca Anielki tak od razu nie skreślał. Twoje dziewczyny bardzo go kochają i jeśli się pokłócicie, na każdym kroku będziesz miał problem. Warszawa jest daleko, na co dzień nie będziesz musiał go znosić. Spróbuj załatwić sprawę pokojowo, jak przystało na człowieka interesu. Ale w kwestii natychmiastowej przeprowadzki nie ustępuj. Nie czekaj, aż Jan podniesie się po chwilowej słaboćci i zabierze za organizowanie twojego życia.

– Jest słaby, będzie potrzebował czasu – powiedział Ludwik nieco już uspokojony.

– Nie łudź się. Jutro rano zasiądzie z wami do śniadania, a najpóźniej wieczorem będzie miał gotowy plan.

– Anielka przecież nie zgodzi się wyjechać tak z dnia na dzień.

– Nie musi. Wystarczy, że w ogóle się zgodzi. To twarda dziewczyna, jak jej ojciec, i ma chyba podobny jak on limit życiowych błędów. Jeden, ale mocny. Już go popełniła, teraz będzie mądrze i dobrze żyć.

Ludwik westchnął. Zazdrościł każdemu, kto lepiej znał Anielę. Wiedział o niej więcej. A wydawało mu się, że nikt nie jest w tej sprawie tak mało poinformowany jak on.

– Chodźmy do środka – zaproponował Leszek. – Jest zimno, a poza tym jestem ciekaw, co słychać. Jak się Janek czuje.

Sam nie mógł uwierzyć, jak bardzo jest zaniepokojony. To byłaby paskudna ironia losu, gdyby właśnie teraz, gdy się pogodzili, Jan zachorował lub, nie daj Boże, zmarł.

Leszek już zapomniał, jak spokojne jest życie bez przyjaciela, choć prowadził je przez wiele ostatnich lat. Jan był jak wiatr. Wokół niego wiecznie się coś działo. Rozwiązywał jakieś problemy, do czegoś dążył, tworzył tajne plany. Wygrywał, przegrywał, podnosił się, martwił, cieszył. Leszek patrzył na to zjawisko z fascynacją. Jego życie było proste jak księga rachunkowa. Kilka kolumn, wypełnianych według wzorca tego samego od dziesięcioleci. Bez problemu mógł powiedzieć, co będzie robił za dwa tygodnie w czwartek. Jego plan dnia był do bólu konsekwentnie taki sam.

A Jan zmiótł tę przewidywalność w kilka minut. Wystarczyło tylko otworzyć drzwi i wpuścić go do środka. Wpadł jak wicher i od tej pory jedno zaskoczenie goniło drugie. Ledwo Leszek się otrząsnął z historii sprzedaży księgarni, pojawiło się sprzątanie sadu, w wyniku którego on, od lat samotny i zdecydowany pozostać w tym stanie, spontanicznie zaprosił kobietę na kolację. Nie zdążył się jednak nawet nad tym dobrze zastanowić, bo już pędził zaniepokojony widokiem karetki parkującej na podwórku sąsiada.

Leszek zamknął za sobą drzwi i wszedł do środka. Znowu pachniało jakimś ciastem, choć okoliczności naprawdę nie sprzyjały kulinarnym zmaganiom. A może po prostu ściany tego domu przesiąkły przez lata takimi zapachami?

– Wejdźcie – przywitała ich Marta. – Poczęstuję was babką czekoladową. Musiałam zająć czymś ręce, bo z tego zdenerwowania nie mogę po prostu usiedzieć w miejscu.

– Czy Anielka też tak dobrze piecze? – zainteresował się mimochodem Ludwik. Nigdy nie zwracał uwagi na takie rzeczy. Jadł, co było proste do zdobycia. Czasem zimne parówki, czasem obiady w restauracji naprzeciwko firmy lub służbowe lunche. W gruncie rzeczy było mu obojętne, co leży na talerzu. Ale nawet jemu udzieliła się atmosfera tego domu i spodobał przenikający go wszechobecny zapach czegoś pysznego.

– Nic nam w tej sprawie nie wiadomo – odparła Marta. – Jak na razie Anielka omija kuchnię szerokim łukiem. Ale geny odpowiednie ma, nie da się przewidzieć, kiedy się ujawnią.

– Ja potrafię – zaszczebiotała Ania. Głos Ludwika ściągnął ją z pokoju na górze.

– Aha… – ciocia Marta nie wiedziała, jak skomentować to nagłe wyznanie. Córka Anielki bowiem dotąd interesowała się kuchnią dokładnie tak mało jak jej mama.

– Nie mam wątpliwości – mężczyzna spojrzał na dziecko ze szczerym zachwytem. – A zwierzęta lubisz? – przyszedł mu do głowy spontaniczny pomysł. – Bo ja bardzo.

– Pewnie, że tak – odparła szybko Ania, a Marta pomyślała, że gdyby nowo odnaleziony ojciec zaproponował małej skok do zimnego jeziora, to też by się nie wahała ani chwili.

– Jakie najbardziej? – zapytał Ludwik.

– Chyba koty – szybko odparła dziewczynka.

– To chodź – Ludwik wskazał stojącą pod ścianą szeroką ławkę. Wyciągnął tablet z plecaka. – Poszukamy w sieci. Może znajdziemy dla ciebie jakiegoś nowego przyjaciela.

– Mama nic zgodzi się go tutaj trzymać. – Ania głosem osoby doświadczonej przez życie szybko pozbawiła go złudzeń.

– O tym, jak ją przekonać, pomyślimy za chwilę. – Ludwik włączył urządzenie. – Na razie tylko przejrzymy oferty, ale przyznam ci się, że mam już pewien pomysł, jak moglibyśmy to zorganizować. Cały gotowy plan.

Ania spojrzała na niego z podziwem.

– Jesteś bardzo podobny do dziadka – pochwaliła go, a Ludwik musiał z całej siły ściągnąć usta, by nie ułożyły się w grymas niezadowolenia. Za nic nie chciał przypominać tego mężczyzny.

Marta zerknęła na Leszka i uśmiechnęła się, widząc, że myśli o tym samym. Ania trafiła w sedno z typową dla dzieci celnością. Jan pewnie zareagowałby podobnym oburzeniem, ale ta prawda była oczywista. Ci dwaj mężczyźni byli do siebie w pewien sposób podobni, a to oznaczało, że mają przed sobą burzliwą przyszłość.

ROZDZIAŁ 38

W sypialni panował delikatny półmrok. Jan leżał na łóżku, a tuż przy nim siedziały Helena z Anielką. Omdlenie na szczęście nie okazało się zawałem, tylko ostrzeżeniem, jakie serce wysłało w stronę właściciela, dając mu ostatnią szansę na poprawę.

– Nic mi nie jest! – Jan nie mógł już znieść tych zaniepokojonych spojrzeń. – Naprawdę. Zwykły szok i tyle. Szkoda nawet pieniędzy na te leki – wskazał na stos recept leżący na nocnym stoliku.

– Właśnie – zerwała się Helena. – Zostawiam cię pod opieką Anieli, a ja pędzę do całodobowej apteki. Tylko proszę nie poruszać żadnych trudnych tematów – nakazała stanowczo. – Ojciec jest wyczerpany, a ty wciąż pod wpływem silnych emocji – zwróciła się do córki. – I tak nic teraz nie ustalicie.

– Jedź spokojnie. Jesteśmy rozsądni – odparła Anielka.

Helena nie wyglądała na przekonaną, ale wstała i zaczęła się przygotowywać do wyjścia.

– Mężczyźni się nie zmieniają – wyszeptał Jan, ledwo tylko zamknęły się drzwi za żoną. – To ci tylko chciałem powiedzieć.

– Oj, tato – uśmiechnęła się Anielka. Nie miała wątpliwości, że ojciec poruszy ten temat jak tylko zostaną sami. – Też tak kiedyś myślałam, jednak to mnie nie poprowadziło w dobrym kierunku.

– Wiem... – Jan przymknął oczy, naprawdę był słaby. – Ale ten facet mnie niepokoi. Jest w nim jakaś niepokorność.

– Ułańska fantazja. – Anielka wprawnie prowadziła ojca na tematy, które lubił.

– Skąd! – oburzył się. – Nie możesz tego wiedzieć. Może to tylko upór. Uważaj na siebie.

– Obiecuję – powiedziała Anielka uroczyście. – Nie martw się. Sprawy ruszyły swoim biegiem. Nie da się ich zatrzymać. Ania na to nie pozwoli. Teraz już musimy zbudować jakieś sensowne relacje. Zresztą oboje tego chcemy, więc nie powinno być większych trudności.

– A jeżeli on się okaże niedojrzały? – zapytał Jan. Było mocno zaniepokojony.

– Tato – Anielka położyła rękę na bladej dłoni ojca. – Ludzie są różni. Popatrz, na przykład taki Kmicic z *Potopu* Sienkiewicza – próbowała rozładować atmosferę. – Ty byś mu nie dał szansy, a on się diametralnie zmienił.

– Muszę ci zdradzić pewną tajemnicę powiedział cichym głosem Jan, a jego córka pochyliła się nad nim z ciekawością. – Sienkiewicz nie zawsze mówił prawdę. Nawet jeśli chodziło o fakty historyczne, a co dopiero o męską naturę. Nie wierz mu.

– Jesteś niemożliwy – roześmiała się Anielka. – Przecież zawsze mówiłeś, że to jeden z twoich ulubionych autorów. Ale dobrze. Będę się kierować własnym rozumem.

Milczała chwilę i obserwowała łagodnie falującą pierś ojca, która podnosiła się w rytm nieregularnego oddechu. Zastanawiała się, ile jeszcze może powiedzieć, czy to odpowiedni moment. Bardzo kochała swojego tatę i nie chciała dostarczać mu najmniejszych nawet powodów do zmartwień. Jednak jej życie się skomplikowało. Dłużej już nie mogła być wyłącznie grzeczną córką. Stała się kobietą i musiała pójść własną drogą. Postanowiła jednak, że na razie jeszcze tego tacie nie powie.

– Chcesz się wyprowadzić na dobre? – Jan nie dał jej szansy na zachowanie swoich planów w tajemnicy.

– Tak odpowiedziała stanowczo, obserwując go z niepokojem. Nie mogła teraz kłamać. – Chociaż jeszcze nie postanowiliśmy, w jaki sposób i kiedy to zorganizować – dodała. – Trzeba wziąć też pod uwagę dobro Ani. Ale co do przenosin nie ma wątpliwości.

Ludwik ma w Warszawie dom i pracę. Nie wyobrażam sobie, by miał wszystko rzucić, a już o tym, by mieszkał z nami, nie ma nawet mowy.

– A to dlaczego? – oburzył się Jan.

– Nawet nie pytaj, tato.

– Dobrze, ale jeśli o mnie chodzi, to jestem otwarty. Miałbym nawet dla was kilka pomysłów.

– Dziękuję – przerwała mu. – Ludwik ma tyle własnych, że na razie i tak nie wiem, jak sobie ze wszystkimi poradzić.

– Ludwik – wymamrotał Jan bez cienia sympatii. – Niech mu będzie. Tylko żeby o was dbał. Na niczym innym mi nie zależy. Już raz cię skrzywdził.

Aniela nie chciała teraz o tym dyskutować, tłumaczyć się ani przekonywać do swoich racji.

– Muszę zajrzeć do małej i sprawdzić, gdzie się Ludwik podziewa – powiedziała, po czym wstała i wygładziła spódnicę – Jak na pierwszy dzień w nowym miejscu miał dzisiaj sporo wrażeń.

– Dobrze – zgodził się Jan. Jego rola już się skończyła. I choć lista ojcowskich zastrzeżeń w stosunku do nowego mężczyzny w życiu córki nie miała końca, to jednak towarzyszył mu dziwny spokój. Poczucie, że wypuszcza Anielkę w świat przygotowaną.

Gorzej było z tymi, którzy mieli pozostać. Musieli od nowa zorganizować domową codzienność i do wielu tęsknot dołożyć jeszcze jedną.

ROZDZIAŁ 39

Nadszedł poniedziałek.

Telefon zastał Marylę w drodze. Włączyła zestaw głośnomówiący.

– Już wiesz? – zapytała ją Gabrysia.

– O czym?

– Tata prawie miał zawał.

– O rany... – Maryla poczuła, jak traci panowanie nad kierownicą. Ledwo zdołała zjechać na pobocze. Szybko włączyła światła awaryjne. Ręce jej się trzęsły z przestrachu.

– Co to znaczy: prawie zawał? – zapytała. – Na litość boską, jesteś pielęgniarką, wyrażaj się jasno.

– Przepraszam cię, to z tego przejęcia. Tak naprawdę nie wiem, co tam się dzieje. Mama zadzwoniła przed chwilą. Coś mi naopowiadała chaotycznie i szybko się rozłączyła. Teraz nikt nie odbiera. Nawet ciocia Marta. Miałam nadzieję, że od ciebie się czegoś dowiem. Strasznie się niepokoję.

– To jedźmy tam – zaproponowała Maryla.

– Ja nie mam samochodu, bo Kornel pojechał na rozmowę w sprawie pracy.

– Ale ja mam – przerwała jej Maryla. – Marcin odebrał dzisiaj dzieci z przedszkola – westchnęła. – Dysponuję więc również czymś tak niezwykle rzadkim jak wolne popołudnie.

– Nie sprawiasz wrażenia specjalnie zadowolonej z tego powodu – Gabrysia zaniepokoiła się.

– A co w tym dobrego? – zapytała Maryla, lekko podnosząc głos. – Moim marzeniem nie jest pozbycie się dzieci.

– Jednak trochę odpoczynku zawsze się przyda – łagodziła Gabrysia.

– Pewnie, że tak. Ale nie za taką cenę. Szkoda, że nie słyszałaś, jak lodowatym tonem Marcin poinformował mnie, że ich dzisiaj zabierze. Aż mi ciarki przeszły po karku.

– Masz bujną wyobraźnię, zawsze tak było. Może twój były mąż po prostu się spieszył? Wiesz przecież, że w pracy nie ma łatwo. Miał prawo być zmęczony.

– Nie broń go – zaprotestowała stanowczo Maryla. – Jeśli się spieszył, to tylko do nowego życia, a ja mu tylko przeszkadzam. Jednak dość o tym. Przygotuj się, jadę po ciebie. Wybierzemy się razem do rodziców i zbadamy sprawę na miejscu. Ale ja bym się tak bardzo nie martwiła. Gdyby coś poważnego się stało, mama z pewnością by do mnie zadzwoniła.

– Pewnie masz rację – Gabrysia odetchnęła. – Czekam na ciebie i bardzo się cieszę. Nie wiem, jakie Marcin miał intencje, kiedy wpadł na pomysł, żeby dzisiaj zaopiekować się waszymi chłopcami, ale jestem mu wdzięczna. Fajnie, że po mnie przyjedziesz. Buźka – pożegnała się. – Za chwilę będę.

Ledwo jednak ruszyła, telefon znów się rozdzwonił. Maryla przejechała kawałek i zatrzymała się na chodniku. Nie ryzykowała już rozmowy w drodze, mimo iż posiadała zestaw głośnomówiący. Nie chronił on przed zaskakującymi nowinami.

– Cześć, mamo – przywitała się i od razu przeszła do rzeczy. – Dobrze, że dzwonisz. Gabrysia się niepokoi, ja też, szczerze powiedziawszy. Nie odbieracie telefonów. Co się stało? Katastrofa jakaś? Wszyscy pomarli, czy co?

– Jeśli pozwolisz mi dojść do słowa, to coś wyjaśnię – mama próbowała włączyć się do rozmowy.

– I bardzo dobrze – przerwała jej Maryla. – Kto to słyszał, żeby w takiej sytuacji mieć wyłączone komórki, i to wszyscy naraz! Już myślałam, że jakiś zmasowany atak kosmitów albo coś jeszcze gorszego. Czy wy nigdy nie spoważniejecie? Gabrysia martwi się jak cholera. I ja też.

– Nie można się martwić i tyle gadać jednocześnie. – Mama złapała moment, kiedy Maryla była zmuszona zaczerpnąć tchu. – Daj mi dojść do słowa, to wszystko ci wyjaśnię. – Skąd ten bojowy nastrój? – zapytała. – Stało się coś?

– Jeszcze się pytasz? Tata schodzi na zawał, Marcin nie chce ze mną nawet rozmawiać. Świat jest do chrzanu – Maryla szybko wyjaśniła jej swoją zawiłą sytuację.

– Och, to rzeczywiście nie jest łatwo – przejęła się mama. – Ale nie martw się tak bardzo. Ojcu nic poważnego się nie stało. Tylko zasłabł. Jednak od tej pory powinien bardziej uważać, a sama wiesz najlepiej, jak trudno go upilnować. A jeśli chodzi o twojego męża...

– Błagam, nie! – zawołała Maryla. – Żadnych rad. Ja już nie mam siły. Jeszcze dobrze nie przetrawiłam poprzednich, a poza tym i tak żadnej nie udało się wprowadzić w życie. Ale jeśli mówisz, że tacie nic nie jest, to my sobie z Gabrysią urządzimy babskie popołudnie. Wino, mężczyźni, seks...

– Rany boskie, co ty mówisz? – wystraszyła się Helena.

– Ha, ha, to tylko taki mało śmieszny żart – Maryla nawet się nie uśmiechnęła. – Nie martw się. Będziemy się dobrze prowadzić. I tak nie ma wyboru. Mężczyzn jak na lekarstwo, a wina nie mogę, bo prowadzę.

– I świetnie – skwitowała mama. – Zadzwonię jeszcze do was wieczorem. Pa! – pożegnała się.

– Cześć – Maryla się rozłączyła.

Ruszyła dalej, w stronę mieszkania siostry. Miłe kobiece popołudnie to rzeczywiście było wszystko, na co teraz mogła liczyć, ale cieszyła się na spotkanie z Gabrysią. Wiedziała, że u niej zapomni na chwilę o swoich kłopotach.

ROZDZIAŁ 40

Kolejny poranek zastał dom w jabłoniowym sadzie pogrążony w ciszy i bezruchu. Po burzliwych wydarzeniach wczorajszego wieczoru nikt nie miał siły, by zrywać się skoro świt. Nawet Ania w tej wyjątkowej sytuacji została zwolniona z konieczności udania się do szkoły. Wszyscy spali.

Sad szumiał ostatnimi liśćmi, na trawnikach bieliła się rosa.

Leszek siedział na tarasie, otulony starą kurtką, do której miał tak wielki sentyment, że postanowił nie wyrzucić jej nigdy w życiu. Było mu zimno, chociaż zapiął wszystkie guziki. Nie wszedł jednak do ciepłego domu. Poprawił się na wygodnym fotelu i patrzył nadal na dom i sad sąsiadów. Znał każdy, najmniejszy nawet szczegół tego widoku. Karmił się nim od lat. Patrzył zafascynowany na liczną rodzinę, obserwował prace w ogrodzie. Sam we własnym nie robił niczego. Wynajął odpowiednią firmę, której pracownicy przyjeżdżali, kiedy on był w pracy, i wykonywali, co trzeba. Owszem, miało to swoje zalety, bo dawało czas na odpoczynek. Ale Leszek odnosił też czasem wrażenie, że jego ogród jest martwy – zbyt perfekcyjny, sztuczny.

Jedno krótkie popołudnie spędzone w sadzie Zagórskich uświadomiło mu tę różnicę. Zmęczył się, zgrzał, pośmiał w dobrym towarzystwie. To było coś niezwykłego. Wydawało mu się, że nawet powietrze ma inny zapach, a trawa jest bardziej zielona.

Teraz patrzył z dumą na sad sąsiada, zadowolony z efektów wspólnej pracy, jakby ten kawałek ziemi należał także do niego. Jan, jak zwykle, namieszał w jego życiu. Zrobił to błyskawicznie, mimochodem, bez wysiłku.

Leszek odprowadził wczoraj wieczorem Martę do domu. Przesunęli termin wspólnego spotkania na dzisiaj. Można było mieć nadzieję, że dzień będzie spokojniejszy.

Leszek nie czuł się pewnie w tej sytuacji.

Nie zwykł składać kobietom takich propozycji. Tych ładnych przedstawicielek płci pięknej się bał, nauczony doświadczeniem z młodości, a brzydkich właściwie nie spotykał. Był sam i czuł się bezpiecznie w dobrze zorganizowanym, przewidywalnym świecie. Synowie wyjechali zaraz po studiach, zaczęli życie na własny rachunek, wypełniał więc swoje dni pracą, którą lubił.

Szło mu nieźle, odnosił sukcesy, ale nie był szczęśliwy.

Wczoraj sam był zaskoczony, jak miło mu się rozmawiało z tą kobietą, którą znał od dziecka. Wychowali się, mieszkając niedaleko, poznali lepiej, kiedy był zaręczony z jej siostrą. Marta w niczym nie przypominała Heleny. Była spokojna, rzeczowa, zwyczajna. Dla takich dziewczyn mężczyźni zwykle nie tracą głowy.

I robią błąd – pomyślał Leszek.

Odwrócił się w stronę wejścia do salonu. Zaprosił Martę na kolację, ale nie był przekonany, czy to dobry pomysł.

Co powie na to Feliks? – zastanowił się, pocierając gładko ogoloną brodę. – Czy będzie się śmiał, że ojcu odbija na stare lata?

Na samą myśl Leszek wzdrygnął się lekko.

Może zrezygnować? – pomyślał. Właściwie to nawet był pewien, że to jedyne dobre wyjście w tej sytuacji. – Tylko jak to zrobić? – zastanawiał się. Nie znał numeru telefonu do Marty, a nie zamierzał w tej sprawie prosić Zagórskich o pomoc. Kto wie, co by sobie pomyśleli.

Wrócił do domu. Zamknął za sobą drzwi balkonu i zadrżał z zimna dopiero w tym ciepłym pomieszczeniu. Rozejrzał się wokół, próbując sobie wyobrazić, jak gości tu kobietę. Żadna, prócz jego żony, nie przekroczyła tych progów w związku z jakąś romantyczną okazją. A żona też nigdy nie była tutaj specjalnie szczęśliwa.

Leszek stracił resztki pewności siebie. Organizowanie randek nie było jego mocną stroną nawet w młodości, kiedy był jeszcze w miarę przystojny i nie tak mocno skopany przez życie. A co dopiero teraz…

Ale z drugiej strony nie godziło się tak traktować kobiety. Wymyślać wymówek, kręcić, odwoływać w ostatniej chwili.

Szanował Martę. Była do niego trochę podobna. Też prowadziła spokojne, ułożone życie. I zasługiwała na coś więcej.

Wiedział, że takimi racjonalnymi argumentami nie można się zmusić do miłości. Serce bije bowiem według własnego rytmu. Ale może chociaż spróbować nawiązać piękną, prawdziwą przyjaźń? To przecież też coś wyjątkowego.

No właśnie, przyjaźń – uspokoił się nieco. Na tym terenie czuł się trochę pewniej.

W takim razie kolacja bez świec – postanowił. – Za to w dobrej atmosferze i przy smacznym jedzeniu – zdecydował i od razu przystąpił do działania. Sam przed sobą ukrywał napięcie i rosnącą z każdą chwilą nadzieję, kiedy spokojnym, rzeczowym tonem przekazywał Feliksowi wiadomość, że będzie dzisiaj wieczorem gościł sąsiadkę, dawną znajomą.

– Zostawię wam chatę wolną – syn tylko się uśmiechnął i poklepał go po ramieniu. – Wrócę rano – dodał, po czym szybko pozbierał swoje rzeczy i wyszedł. Leszek nie wiedział, dokąd. Syn już od dawna nie tłumaczył mu się ze swoich planów.

Leszek został sam. Zaczął przygotowywać listę zakupów i nawet przed sobą ukrywał rosnące z każdą chwilą przejęcie. Czekał. Przed nim był jeszcze cały długi dzień, wypełniony zwykłymi zajęciami. Co miał mu przynieść wieczór? Tego nie wiedział. Ale czuł się trochę jak przed Gwiazdką.

ROZDZIAŁ 41

Jan wstał z łóżka. Łyknął porcję pastylek. Starał się cichutko wyciągać je z opakowań, ale Helena i tak się obudziła.

– Co robisz? – zawołała. – Wracaj w tej chwili pod kołdrę.

– Przykro mi, kochanie. Takie zaproszenie z twoich ust to była zawsze dla mnie czysta przyjemność, ale dzisiaj muszę odmówić. Wyjątkowo czuję się trochę niedysponowany.

– Przestań myśleć o głupotach i skup się na faktach! – zawołała. – Jesteś chory. Musisz się oszczędzać.

– Proszę cię… – Jan był już nieco zmęczony tą troską. Kochał żonę, jednak czasem czuł, że brak mu powietrza. – Nic mi nie jest. Po prostu zasłabłem. Ale to tylko z szoku. Zrozumiałego – dodał z naciskiem. – Dzisiaj zamierzam pracować.

Helena przewróciła oczami. Nie chciało jej się powtarzać po raz kolejny tych samych argumentów. Księgarni już nie ma. Anielki też prawie. O czym tu jeszcze mówić?

Jan zniknął już za drzwiami łazienki. Spędził tam trochę więcej czasu niż zwykle. Ale kiedy wyszedł, prezentował się bardzo dobrze. Ogolony, starannie uczesany, wyglądał atrakcyjnie w niebieskiej koszuli z podwiniętymi rękawami i dżinsach. Jakby w ogóle nie chorował.

Helena powstrzymała cisnące się na usta ostrzeżenia, żeby uważał na siebie. Tyle razy już to powtarzała, bez skutku.

– Jaki masz plan na dzisiaj? – zapytała tylko.

– Popracuję najpierw nad zięciami, byłym i przyszłym, a zaraz potem zabieram się za organizację księgarni. Nowi właściciele przejmują nasz lokal z początkiem przyszłego miesiąca. Trzeba spakować towar, zrobić inwentaryzację. Podpisać umowę wynajmu nowego pomieszczenia i wszystko przenieść. Dobrze, że to niedaleko. Ale i tak czeka mnie moc pracy.

Pochylił się nad żoną i pocałował ją w policzek.

– Pośpij jeszcze – zwrócił się do niej z nadzieją, że posłucha. Czekała go dzisiaj trudna przeprawa i nie chciał zaczynać dnia od słuchania ostrzeżeń, żeby się nie przemęczał. Czuł się po nich jeszcze bardziej osłabiony. A potrzebował energii.

* * *

Skoro tylko Jan wszedł do kuchni, zobaczył Ludwika siedzącego przy stole i wpatrzonego w ekran laptopa. Spojrzał na gościa z minimalną akceptacją. Należało przyznać, że mimo bardzo licznych, ewidentnie rzucających się w oczy wad ten mężczyzna posiadał też pewne zalety. Na przykład od rana pracował. Jan nie szanował leni wylegujących się do południa. Po drugie, Ludwik skorzystał z małego niewygodnego tapczanu w pokoju Gabrysi, rezygnując ze wspólnego spania z Anielką, co było taktownym zachowaniem w stosunku do dziecka, które przecież należało powoli przyzwyczajać do zmian. Chroniło też układ nerwowy dziadka. Mógł się przynajmniej łudzić, że sprawy nie zaszły jeszcze aż tak daleko.

– Mam prośbę. – Jan stanął nad mężczyzną i lekko się pochylił. – Czy byłby pan tak miły i zechciał podwieźć mnie do Krakowa? Mam pilną sprawę do załatwienia, czas nagli, a ze względu na wczorajsze przygody wolałbym sam nie prowadzić.

– Ależ oczywiście! – Ludwik zerwał się, wyraźnie zaskoczony. Zatrzasnął klapę laptopa i stanął przy drzwiach, gotów do działania.

Jan niechętnie przyznał, że ta energia i pozytywne nastawienie godne są pochwały. Nie mógł być gorszy. Zrezygnował więc z szybkiej porannej kawy, choć miał ochotę napić się jej przed wyjściem (póki żona nie widzi), i założył buty.

– Możemy ruszać – powiedział.

Wyszli z domu, wsiedli do samochodu Ludwika, który szybko wystukał w telefonie wiadomość do Anielki, i wyjechali z bramy.

Jan milczał. Ludwik spoglądał co chwilę w jego stronę. Bojowa mina starszego pana zaczęła go bawić.

– Nie wykorzysta pan okazji i nie przestrzeże mnie, co mi grozi, jeśli skrzywdzę pańską córkę? – zapytał z uśmiechem. – To by pasowało do sytuacji.

– Mój drogi – odparł Jan godnie. – Nie wiem, na jakiej podstawie podejrzewasz mnie o takie ograne chwyty fabularne, ale nie zamierzam ich stosować.

– Dlaczego? – zapytał Ludwik.

– A cóż ja mógłbym ci zrobić? – westchnął filozoficznie Jan. – Przecież cię nie zabiję, nawet gdybym miał na to ochotę. W takim bowiem przypadku Ania miałaby nie tylko martwego ojca i nieszczęśliwą mamę, lecz jeszcze na dodatek dziadka kryminalistę.

Ludwik roześmiał się serdecznie.

– Tu nie ma z czego żartować – pouczył go Jan. – Jestem może trochę porywczy, ale nie głupi.

– Proszę wybaczyć. – Ludwik nawet nie zauważył, kiedy zaczął naśladować sposób bycia ojca Anielki. – Nie miałem nic złego na myśli.

– Mam nadzieję – odparł Jan. – Teraz proszę skręcić w prawo i prosto aż do ronda.

Ludwik włączył kierunkowskaz i wykonał polecenie. Jechali w ciszy. W tle grało radio, ale mężczyźni milczeli. Delikatna, wątła nić sympatii zawiązała się między nimi, ale była tak słaba, że mogło ją zniszczyć jedno nieopatrzne słowo, a obojgu zależało na tym, by utrzymać dobre stosunki.

– Teraz w lewo – odezwał się Jan – i proszę zaparkować pod tym blokiem – wskazał pomarańczowy budynek.

– Mam zaczekać? – zapytał Ludwik.

– To by było bardzo uprzejme z pańskiej strony – odparł Jan.

– Proszę mi mówić po imieniu – zwrócił się do niego Ludwik. – Będzie mi bardzo miło.

– Dobrze – odparł Jan, ale nie zaproponował tego samego.

Otworzył drzwi samochodu.

– Życz mi powodzenia – poprosił, odwracając się w stronę Ludwika. – Czasem relacje z zięciem nie są łatwe. Jeszcze tego nie wiesz, ale kiedyś się przekonasz, jak to jest. Masz przecież córkę.

Widać było, że Ludwik zupełnie nie ogarnia umysłem ani wyobraźnią takiej opcji. Jeszcze nie do końca do niego dotarło, że jest ojcem, a tu ktoś wymagał od razu przejścia na wyższy poziom.

W ostatniej chwili powstrzymał się, żeby nie zaproponować kopa na szczęście.

– Trzymam kciuki – powiedział.

Jan skinął głową. Ruszył przed siebie. Był przejęty i skupiony, a także chyba trochę zestresowany. Szedł powoli, jakby stawianie kolejnych kroków stanowiło dla niego wysiłek. Miało się ochotę podbiec i podać mu ramię. Ale jednocześnie wiadomo było, że taka pomoc może się skończyć awanturą.

Ludwik poczuł nagle, że szczerze kibicuje ojcu Anielki. Ten mężczyzna był czasem irytujący, momentami zabawny, ale trudno było chociaż trochę go nie lubić.

ROZDZIAŁ 42

—————

– Tata? Tutaj? – Marcin wyciągnął z ust szczoteczkę do zębów i nieporadnie witał się z byłym teściem.

– Dziękuję, że mi otworzyłeś – przywitał się Jan, podając mu rękę. – Wiem, że jesteś zaskoczony, ale zależało mi bardzo, żeby cię złapać przed pracą.

– Nie mam wiele czasu… – Marcin wytarł usta w podkoszulek i zaprosił gościa do środka. – Ale jeśli to pilne, oczywiście możemy porozmawiać.

– Dziękuję ci – Jan rozglądał się z zainteresowaniem po mieszkaniu.

Meble i całe wyposażenie należały zapewne do właściciela lokalu. Wnętrze było bezosobowe, ale praktyczne. Marcin niewiele dodał od siebie. Widać, nie traktował tego miejsca jak prawdziwego domu.

– Jak mnie tata tutaj znalazł? – Były zięć nie zdecydował się na użycie oficjalnej formy „pan". Ale widać było, że ten serdeczny zwrot nawiązujący do dawnych stosunków bardzo go krępuje.

– Towarzyszyłem raz Maryli, gdy podwoziła do ciebie dzieci. Zapamiętałem nawet numer mieszkania. Czułem, że się przyda.

Marcin westchnął i usiadł naprzeciw. Czuł, że to będzie niezręczna rozmowa, podczas której zostanie zmuszony do wypowiadania twardych i nieprzyjemnych słów. Teść nie da mu wyboru, postawi pod ścianą, będzie chciał do czegoś zmusić.

– Nie denerwuj się – Jan próbował się uśmiechnąć. – Moja wizyta jest pokojowa. Chciałem tylko porozmawiać. Doszły mnie bowiem słuchy, że planujesz w swoim życiu znaczną zmianę.

– Tak, to prawda. – Marcin wstał i włączył czajnik, żeby zaparzyć herbatę. Czuł, że spóźni się dzisiaj do pracy. Mógł oczywiście wyprosić byłego teścia za drzwi, raz a dobrze dając mu do zrozumienia, że nie życzy sobie tak daleko idącej ingerencji w swoje prywatne sprawy, ale szanował tego człowieka i lubił go. Nie było niczyją winą, że życie postawiło ich po dwóch stronach barykady.

– Naprawdę nie zamierzam kwestionować twoich wyborów – powoli powiedział Jan. Wziął do ręki podany mu kubek, ale nawet nie spróbował herbaty. Może na swoje szczęście, bo była bardzo gorąca. – Mam do ciebie tylko maleńką prośbę.

Marcin westchnął. Czuł, że ta niewielka ponoć przysługa będzie go sporo kosztowała. Na pewno to jakiś podstęp. Musiał się skupić i twardo bronić swoich pozycji.

– Człowiek często jest zmuszany do podejmowania decyzji. Niektóre nie są warte, by się nad nimi długo zastanawiać, ale są też i takie, które mogą trwale zmienić nasze życie.

– Wicm – odpowiedział mu Marcin.

– To dobrze. – Jan odłożył kubek. – Nie masz przypadkiem kawy? – zapytał.

– Słucham? – zdumiał się Marcin. Jego teść należał do zapalonych miłośników teiny, a kawę zwykle uznawał za barbarzyństwo.

– Jakoś mi ostatnio lepiej służy – wyjaśnił Jan. – Ale na razie publicznie się do tego nie przyznaję. Może to minie – uśmiechnął się.

Marcin zaparzył kawę.

– To wspaniale, że dobrze się rozumiemy – powiedział Jan, a jego były zięć spojrzał na niego niespokojnie. Przeczuwał, że gdzieś niedaleko czaiła się pułapka, a on zbliżał się do niej z każdą minutą tej rozmowy. – Będzie łatwiej. Widzisz, ty naprawdę słusznie rozumujesz. Maryla mi to i owo opowiadała. A moje wnuki też się czasem podzielą jakimś spostrzeżeniem i stąd wiem co nieco o twoich planach. Kierujesz się rozsądkiem i to jest godne pochwały.

Marcin był skupiony jak w pracy przy najtrudniejszym projekcie. Miał nieodparte wrażenie, że ta wiązka komplementów nie wróży niczego dobrego.

– Tylko widzisz, mój drogi – kontynuował Jan. – Pojawiły się nowe okoliczności. Każdy roztropny człowiek w takiej sytuacji daje sobie trochę czasu, by raz jeszcze przemyśleć sprawę. Ryzyko popełnienia błędu jest bowiem ogromne.

– Proszę pana... – Marcin wstał i teraz już bez trudu przeszedł na oficjalną formę. – Nie chcę o tym dyskutować. Ja wszystko rozumiem, każdy ojciec odruchowo staje po stronie swojego dziecka i broni jego interesów, ale w tej sprawie jest jeszcze ktoś trzeci. Obca osoba. Nie będę z panem omawiał szczegółów, które dotyczą prywatnej sfery jej życia.

– Szanuję wszelkie przywileje pani Paulinki – odparł Jan, starając się ukryć fakt, że ostatnia wypowiedź byłego zięcia sprawiła mu przykrość. – Ale ona była druga. Pojawiła się w życiu mężczyzny, który miał ułożone życie. Żonę i dzieci. W takim przypadku zawsze trzeba się liczyć z komplikacjami.

Marcin gwałtownie poczerwieniał.

– Nie miałem już żony! – zawołał, zastanawiając się jednocześnie, w jaki sposób szybko i skutecznie zakończyć tę rozmowę.

– Ależ wciąż ją masz. – Jan zdenerwował go jeszcze bardziej. – Małżeństwo to coś więcej niż papier.

Marcin obracał w dłoniach kubek z herbatą, nie zauważając nawet, że napój chlapie mu po dłoniach. Cała jego postawa wyrażała sprzeciw.

– Przyznaję… – Jan trochę złagodził przekaz. – Są czasem takie momenty, kiedy niebo drży w posadach, widząc, że niektóre osoby łączą się w pary, za nic bowiem nie można znaleźć sposobu, żeby zaczęły stanowić jedność. Ale to nie jest wasz przypadek – dodał po chwili.

– Czy to już wszystko? – Marcin wstał, wyraźnie dając do zrozumienia, że uważa rozmowę za zakończoną.

– Tak. – Jan też się podniósł. – Jeszcze tylko moja prośba. Nie bój się, naprawdę nie oczekuję wiele.

– Słucham – poddał się Marcin. Pragnął ponad wszystko, żeby ta rozmowa jak najszybciej się zakończyła.

– Chciałbym cię prosić tylko o troszkę czasu. Dwa miesiące, może trzy. To w przypadku tak ważnej sprawy naprawdę niewiele. Stoisz przed decyzją, która zmieni życie wielu osób, w tym także dzieci. Nie tylko twoich. Daj swojej rodzinie chociaż jedną szansę. Łączy was z Marylą coś niezwykłego. Szkoda, żeby się zmarnowało.

– Dziękuję. – Marcin podszedł już do drzwi. – Nie chcę być nieuprzejmy, ale spieszę się do pracy i nie jestem pewien, czy mogę w tej sprawie pomóc.

– Ale obiecasz mi tę drobną przysługę? – Jan spojrzał mu w oczy. – W imię dawnych dobrych czasów?

Marcin westchnął. Lubił swojego teścia, zawsze czuł, że jest przez niego akceptowany, mógł liczyć na jego pomoc. To prawda, mieli za sobą dużo dobrych chwil i niejeden przegadany wspólnie wieczór.

No dobrze – odparł, nie mogąc się oprzeć sile tego spojrzenia.

– Dziękuję ci – Jan uśmiechnął się ciepło.

– Ale to niczego nie gwarantuje – zastrzegł się Marcin. – Dwa miesiące nie są w stanie zmienić sytuacji.

– Może – przyznał Jan. – Ale pozwolą ci lepiej poznać Paulinę, bo teraz spojrzysz na nią inaczej. Ona szuka miłości, szczęścia, partnera, może męża. To zrozumiałe, ale tym mężczyzną nie musisz być ty. A dla Maryli i twoich dzieci jesteś kimś niezastąpionym.

Jan założył kapelusz i wyszedł.

– Jasna dupa – podsumował Marcin głębokie wywody rannego gościa. Miał ochotę skopać drzwi. Były teść do niczego nie mógł go zmusić. Dysponował tylko słowami. A jednak zmienił nimi rzeczywistość. Zwyczajny poranek przeobraził się w zmagania z kłębiącymi się w głowie ważnymi pytaniami.

Marcin mógł zlekceważyć daną obietnicę. Ale wiedział, że tego nie zrobi. Po pierwsze gardził ludźmi, którzy nie dotrzymują słowa, a po drugie teść bez wątpienia tą krótką rozmową zasiał w jego umyśle wątpliwości. Marcin był przekonany, że dobrze zna Paulinę. Wie, czego się po niej spodziewać. Była zorganizowana jak szwajcarska armia. Jej sprytne postępowanie sprawiło, że szybko uwierzył, iż on sam jest kimś wyjątkowym. To było naprawdę przyjemne.

Maryla zachowywała się zupełnie inaczej. Emocje drgały w każdym jej słowie. Czy jednak to właśnie nie jest oznaką zaangażowania uczuciowego? Czy można do miłości podejść tak na zimno? Zawsze być w dobrym nastroju i przyznawać partnerowi rację?

Marcin poczuł, jak już kilka chwil po wyjściu teścia zaczyna myśleć inaczej. Spoglądać na wydarzenia ostatnich miesięcy z zupełnie innej strony.

Wydawało się, że to właśnie Maryla skacze z kwiatka na kwiatek, to ona nie chce byłego męża, ma go dość. Paulinka była przy niej jak spokojne jezioro. Łagodne. Ale czy prawdziwe?

Marcin nagle przypomniał sobie, jak go ostatnio naciskała. Zależało jej na czasie. Chciała, żeby koniecznie się do niej przeprowadził. Dzielnie zniosła informację, że kolejne popołudnie będzie należało do jego synów, ale widać było, że sporo ją to kosztuje. Czy kiedy zamieszkają razem, nadal będzie jej się chciało tak starać?

– Jasna cholera – zaklął Marcin i wyciągnął kurtkę z szafy. – A było tak dobrze.

Spojrzał w stronę niewielkiej kuchni, ale na śniadanie nie miał już szans. I tak było bardzo późno.

Po co ja w ogóle otwierałem te drzwi? – zastanawiał się, zbiegając po schodach. Wiedział, że teść nie jest obiektywny. Że walczy wyłącznie po jednej stronie. Ale nie mógł zupełnie zignorować faktu, że jego słowa wzbudziły niepokój, zasiały wątpliwości. A przecież tak być nie powinno. Dobra decyzja niesie za sobą spokój, a tego Marcin nie odczuwał w tej chwili w żaden sposób.

Może to nawet dobrze – pomyślał, wsiadając do samochodu. – Rzeczywiście, ten czas się przyda. Paulina pokaże klasę. Zachowując w tej sytuacji cierpliwość i łagodność, rozproszy wszelkie wątpliwości co do swojego charakteru. Jeśli jej naprawdę zależy na tym związku, to przecież poczeka te dwa miesiące. A on przyjrzy się swoim uczuciom na spokojnie. W grę wchodziły dzieci, nie można było igrać ich emocjami.

Decyzja podjęta po takim czasie z pewnością będzie dobra. Mimo całej miłości, jaką czuł do synów, wszystko w nim skłaniało się ku Paulinie. Pragnął stabilizacji, spokoju i bezpieczeństwa.

Teść by pewnie powiedział, że to tchórzliwe rozwiązanie – pomyślał, skręcając na rondzie.

Czy można bać się miłości? – To pytanie zaskoczyło go na firmowym parkingu. Nie zwykł się w życiu zastanawiać nad takimi kwestiami. Raz tylko się zakochał. Raz stracił głowę. Jednak widać nie był godny takich przeżyć, bo sobie nie poradził. Bronił się przed tym, oponował, ale w głębi duszy dobrze wiedział, że jako facet zawiódł na całej linii.

Tyle że zgodnie z przekorną męską naturą te wnioski nie skłoniły go do podjęcia prób naprawienia sytuacji, lecz do ucieczki. W łatwiejsze, bardziej bezpieczne, mniej wymagające miejsce. Marcin nazwał swój problem i nawet zdiagnozował go z trafnością, jakiej nie powstydziłby się zawodowy psycholog.

– Niech to szlag – zawołał i uderzył dłonią w kierownicę. – Jak można człowiekowi jedną krótką rozmową tak namieszać w życiu?

Jedyną jego nadzieją była teraz Paulina.

W obliczu tych kłopotów powinni byli stanąć razem. Jak dobrze dobrana para, która się rozumie i wspiera. Jak kiedyś on i Maryla.

Tfu – splunął, wysiadając z samochodu, bo nie spodobało mu się to porównanie. Był zdecydowany zaprzeczać, że coś jeszcze do byłej żony czuje, że łączy ich cokolwiek innego niż opieka nad dziećmi.

Wyciągnął telefon. Trzymał się go kurczowo jak szalupy ratunkowej.

– Cześć, misiaczku – zaświergotała Paulina, ledwo zdążył przebrzmieć pierwszy sygnał, a jego, nie wiedzieć czemu, zdenerwował ten niepoważny ton, choć do tej pory nie zwracał na niego uwagi.

– Spieszę się – powiedział, kierując się szybko w stronę wejścia do firmy. – Ale mam ważną sprawę.

– Ja też. Zamówiłam na wieczór ekipę. W mieszkaniu trzeba będzie zrobić mały remont, żeby każdemu było wygodnie po twojej przeprowadzce. Pomyślałam, że przy okazji wymienię meble w kuchni, żeby nam się cudownie jadło wspólne śniadanka.

Marcin zgrzytnął zębami. Cudowne śniadanka to było ostatnie, co mu teraz zaprzątało głowę.

– Chciałbym porozmawiać poważnie – powiedział.

– Ależ oczywiście, misiaczku, będzie, jak zechcesz – natychmiast odparła Paulina. – Jeśli chciałbyś wybrać kolor szafek, powiedz tylko słowo. O nic innego nie musisz się martwić, wzięłam w pracy pożyczkę na dobrych warunkach.

Czy to jest możliwe, zdrowe i realne, żeby jedna strona zawsze ustępowała? – zastanowił się Marcin.

– Pozwól mi powiedzieć – poprosił i szybko zaczął mówić dalej, żeby powstrzymać spodziewany napływ kolejnych słów Paulinki. – Chciałbym na razie wstrzymać się z przeprowadzką. Jeszcze raz to sobie przemyśleć.

W słuchawce zapadła cisza.

To zrozumiałe – pomyślał Marcin, odruchowo szukając argumentów na obronę swojej partnerki. – Jest zaskoczona i ma do tego prawo.

– Mogę zapytać, co się stało, że tak nagle zmieniłeś zdanie? – Głos Pauliny stracił swoje promienne nuty, ale wciąż była w nim spolegliwość i chęć szukania ugody.

– Rozmawiałem dziś rano z teściem – odparł Marcin szczerze. Nie chciał niczego ukrywać, zależało mu na dobrej radzie i jasnym osądzie sprawy.

– Ach tak… – miał wrażenie, że Paulina wycedziła te słowa przez zaciśnięte zęby. – Nie musisz go słuchać – zawołała. – Nic cię już z nim nie łączy, powinieneś w ogóle nie wpuszczać całej tamtej rodziny za próg.

– W czym ci to przeszkadza? – zapytał, czując, że zaczyna się denerwować. – Przecież jesteśmy pewni swoich uczuć, dwa miesiące nam nie zaszkodzą.

– Ile? – zawołała Paulina. – W ciągu dwóch miesięcy ta rozczochrana małpa zrobi z tobą, co tylko będzie chciała. Już i tak widzę, jak na każdym kroku świecą ci się do niej oczy. Misiaczku, błagam cię – jej głos znów był ciepły i łagodny. – Ty słuchaj lepiej mnie, a nie tej mafii Zagórskich. Kiedy się przeprowadzisz, dopilnuję, żebyś miał z nimi jak najrzadszy kontakt.

– Muszę kończyć – powiedział Marcin. Znalazł się pod drzwiami swojego biura. Na korytarzu stał szef i bardzo wymownie spoglądał na zegarek.

– Dzień dobry – powiedział zjadliwym tonem, a Marcin szybko się ukłonił i schował w służbowym pokoju. Był wyczerpany, choć dzień dopiero się zaczynał. Paulina mu nie pomogła. Może popełnił błąd? Należało dać jej więcej czasu, znaleźć bardziej stosowny moment? W końcu taka wiadomość może zaskoczyć każdego – myślał, włączając służbowy komputer.

Ale niepokój pozostał

ROZDZIAŁ 43

— Ja nie mam co na siebie włożyć! — Helena odwróciła się na te słowa i zastygła z książką w dłoni.

Powieść należała do tych, którym natychmiast po
przyniesieniu do domu wyrastają nogi. Gdy tylko zostanie odłożona na właściwe miejsce w biblioteczce,
zaczyna wędrówkę po wszystkich pomieszczeniach.
Takie sprytne uciekinierki można było w domu Zagórskich znaleźć wszędzie. W łazience, na kuchen-
nych krzesłach, pod poduszkami, w szufladzie. Helena całymi naręczami odnosiła je na miejsce, ale to
pomagało tylko na krótko.

Teraz jednak zdanie wypowiedziane przez siostrę
zatrzymało ją w miejscu. Marta nigdy nie miewała takich dylematów.

— Co się stało? — zapytała Helena. — Potrzebujesz
sobie coś kupić?

– Chyba tak. W szafie mam tylko same praktyczne swetry, wygodne spodnie i ciepłe piżamy. Nic z tego się nie nadaje na taką okazję.

– A gdzie się wybierasz? – Helena poczuła, jak rozpala ją nagła ciekawość.

– Nie wiem, czy powinnam ci mówić... – Marta oglądała z uwagą własne paznokcie. – Ale przecież nie będę ukrywać jak dziecko. Poza tym to nic ważnego. Zwykłe zaproszenie na kolację.

– Od kogo!? – Siostra aż się pochyliła nad stołem, jakby to mogło jej pomóc w szybszym uzyskaniu odpowiedzi.

– Od Leszka – Marta wyrzuciła z siebie to imię i szybko spojrzała na Helenę. – Nie masz chyba nic przeciwko temu?

– Ależ skąd – pospiesznie odpowiedziała siostra. – Przecież od lat nic nas nie łączy. Poza tym to zawsze było moje marzenie, żeby on w końcu ułożył sobie życie i dał spokój starej historii. Przyznaję jednak, że nie spodziewałam się takiego zwrotu akcji.

– Proszę cię – Marta patrzyła na przejętą Helenę z niezadowoleniem. – Nie twórzcie od razu jakichś opowieści. To tylko zwykła sąsiedzka uprzejmość.

– Może – powiedziała Helena. – Tego się nigdy nie wie. Bywa, że nic nie wynika z długoletnich związków, a czasem jeden spacer może odmienić całe życie. Jedno jest pewne, musimy cię dobrze przygotować.

– Nie ukrywam, że na to liczę – odparła Marta. – Skoro już idę, to nie chciałabym wyglądać jak uboga krewna. Leszek to bardzo szykowny mężczyzna.

– O nic się nie martw, pomogę ci z przyjemnością. Wspaniale będzie wrócić do tych dawnych czasów, kiedy się szykowałyśmy na randki. Pamiętasz, jak dobierałyśmy ciuchy, fryzury?

– Tobie – podpowiedziała Marta, pozwalając sobie na drobną złośliwość. Tak właśnie było. To Helena wiecznie gdzieś biegała, szykowała się, przeżywała. Szybko zyskała cenny wówczas status oficjalnej narzeczonej, by szybko go porzucić na rzecz innego związku i równie prędko zostać żoną i mamą.

Siostra zwykle stała z boku. Podawała sukienki, pomagała układać włosy, sprzątała dom. Jej własny ślub nie wzbudził w rodzinie większych emocji. Wyszła za mąż za porządnego chłopaka, gospodarza dobrze znanego rodzicom. Wszyscy byli tak zajęci perypetiami Heleny, że Marty nie zauważali. Specjalnie jej to nie przeszkadzało. Nie czuła się stworzona do bycia na świeczniku. Lubiła pozostawać w cieniu i kochała swoją siostrę. Jej sukcesy nie wzbudzały w niej zawiści.

Czasem tylko zastanawiała się, czy życie mogłoby także jej zaoferować coś cennego.

– Pewnie jak zwykle masz rację – odparła Helena. Widać było, że jest jej przykro.

– Nie przejmuj się – Marta wstała i od razu do niej podeszła. – Tak tylko powiedziałam. To jak będzie, pomożesz mi czegoś poszukać?

– Oczywiście! – ucieszyła się Helena. – Myślę właśnie, którą córkę poprosić o pomoc. Aniela czeka na Ludwika, mają gdzieś razem wyjść Julia w pracy, Maryla też. Jedziemy do Gabrysi – zdecydowała. – Wyciągniemy ją z domu. Zrobimy zakupy.

– Co się dzieje? – Anielka zeszła na dół. – Wybierasz się gdzieś, mamo? Jakieś ważne spotkanie?

– Nie. – Helena nie była zadowolona z tego przypuszczenia, które tylko potwierdzało wcześniejsze słowa siostry. – Tym razem to ciocia Marta ma dzisiaj wieczorem randkę.

– Kolację, kolację – poprawiła Marta.

– To wspaniale! – Anielka usiadła przy stole. – Mówcie, w czym wam pomóc. Jestem do dyspozycji. Zrobimy z cioci królową.

– Ależ ja nie chcę – wystraszyła się Marta. – Poza tym ty masz teraz własne ważniejsze sprawy.

– Wszystko zdążę. Tata zabrał Ludwika nie wiadomo dokąd. Pewnie przeprowadza jakieś tajne testy – westchnęła. – Mam tylko nadzieję, że obaj to przeżyją. Ale to dorośli mężczyźni, niech sobie radzą. My mamy teraz ważniejsze sprawy na głowie. Ciociu, ja bym sobie do końca życia nie darowała, gdybyś mi teraz nie pozwoliła pomóc.

– W czym, mamusiu? – do kuchni weszła Ania.

– Moja siostra ma randkę. Trzeba ją wyszykować – odpowiedziała wnuczce Helena.

– Kolację, kolację – bez większych sukcesów próbowała prostować Marta.

– To ja też będę pomagać – zawołała Ania. – Wszyscy lubią ciocię Martę.

– Mądrość przemówiła ustami dziecka – roześmiała się Anielka i przytuliła wyraźnie wzruszoną Martę. – A ja zaraz zadzwonię jeszcze do Julii i zobaczysz, że ona dla ciebie wszystko rzuci i też zaraz się tu zjawi.

– Dokładnie – powiedziała Helena. – Na zgodną grupę kobiet nie ma siły. Leszek to dla nas zbyt słaby przeciwnik. Nogi się pod nim ugną, jak tylko otworzy ci drzwi. Gwarantuję.

ROZDZIAŁ 44

Ludwik siedział w samochodzie i patrzył na wychodzącego z bloku ojca Anielki. Starszy mężczyzna szedł z wyraźnym trudem. W naturalnym odruchu znów chciał podejść do niego i pomóc. Ale w tym przypadku należało uważać. Jan Zagórski sprawiał wrażenie człowieka, który nie znosi, kiedy się go traktuje jak staruszka.

Mężczyzna podszedł do samochodu, otworzył drzwi i z wyraźnym westchnieniem ulgi usiadł na przednim siedzeniu.

Sprawiał wrażenie bardzo zmęczonego. Pod oczami rysowały się sine podkówki, twarz była blada, a oczy pełne troski.

– Jak poszło? – zapytał Ludwik.

– Nie wiem – odpowiedział Jan z westchnieniem. – W takich przypadkach nie da się wszystkiego przewidzieć. Łatwo nie było. To w końcu nie moja sprawa, zięć ma rację. Ale musiałem chociaż spróbować. Rozumiesz?

Był smutny, jakby przegrał właśnie jakieś ważne starcie.

Ludwik zrozumiał. Teraz wyobraził to sobie bez trudu. Można być bardzo silnym mężczyzną, zarówno pod względem fizycznym, jak i duchowym. Ale co z tego, gdy naprzeciw stanie delikatna sfera uczuć twojej córki... Co możesz zrobić, jeśli niewiele zależy od ciebie? Na co się zda cała moc i starania? Jeśli ktoś będzie chciał jej zrobić krzywdę, nie zapyta ojca o zgodę.

Ludwik wyobraził sobie, co on czułby w takiej sytuacji.

Poczuł solidarność z tym facetem, którego jeszcze chwilę temu uważał za starego raptusa.

– Może nie będzie tak źle – powiedział.

– Może – przyznał Jan. – Dziękuję ci. Wracajmy. Dziewczyny czekają – zapiął pas, po czym spojrzał przez szybę.

Kilka metrów przed nimi w stronę zaparkowanego w zatoczce samochodu zmierzał jakiś mężczyzna. Wsiadł i odjechał.

– To on – domyślił się Ludwik i włączył silnik swojego volvo.

– Tak – przyznał Jan. – Ale nie mówmy już o tym. – Opowiedz lepiej o swojej firmie. Czym się zajmujesz?

Ludwik zaczął od początków swojej działalności i droga minęła bardzo szybko.

Weszli do domu, spodziewając się, że zostaną powitani przez liczne grono. Jednak w kuchni zastali pustkę, w pokojach na dole też nie było żywego ducha.

– Gdzie one się wszystkie podziały? – Na schodach stal Alfred, wyraźnie niezadowolony z faktu, że stół nie był nakryty do śniadania. Zdążyl się przyzwyczaić przez te kilka dni do obsługi na najwyższym poziomie.

– Coś ważnego musiało się stać – Jan poczuł niepokój.

– Jest jakaś kartka. – Ludwik podał gospodarzowi złożony na pół list.

– „Jesteśmy na zakupach" – przeczytał głośno Jan. – „Na pewno sobie poradzicie. Miłego przedpołudnia".

Skandal! – mówiła wyraźnie mina Alfreda.

Normalka... – Ludwik przyjął wiadomość z całkowitym spokojem.

ROZDZIAŁ 45

Wieczorem Maryla odebrała chłopców od Marcina i wróciła do mieszkania. Nie zamieniła z byłym mężem ani słowa. Kiedy zadzwoniła, podprowadził chłopców na parking, skinął jej głową na powitanie, po czym odwrócił się na pięcie i odszedł. Nie było to przyjemne, ale powoli zaczynała się przyzwyczajać. Przynajmniej na tyle, by zachować jako taki spokój.

Kusiło ją, by znowu odwiedzić rodziców, ale uznała, że czas przystopować te częste najazdy. Jej synowie zaczynali żyć na trzy domy. Trochę tutaj, coraz częściej u ojca, do tego u dziadków. Nadeszła pora na jakąś stabilizację.

– Bajka – zarządził Kuba, kiedy tylko weszli do środka.

– A może najpierw klocki? – Maryla próbowała negocjować.

– Były wczoraj – odparł Szymek.

– Puzzle? – walczyła Maryla.

– Nie – zgodnie zaprotestowali jej synowie.

– Plastelina! – przypomniała sobie Maryla.

– Co to? – nieufnie zapytał Szymek.

– Znasz. Macie przecież w przedszkolu. Świetna rzecz – kusiła Maryla. – Jak ciastolina. Do lepienia. Babcia kiedyś przyniosła. Chodźcie, zrobię wam porządek na kuchennym stole i ulepicie sobie zwierzątka, zagrodę, płotek.

– Traktor – podpowiedział Kuba.

– Oczywiście, nawet dwa – ucieszyła się Maryla. Nie ustawała w wysiłkach, żeby odciągnąć dzieci od telewizora, przy którym mogliby spędzać całe popołudnia, gdyby im tylko pozwolić.

Otworzyła opakowanie z plasteliną, rozłożyła sprawiedliwie na środku i odsunęła się. Chłopcy nie mieli już żadnych problemów, żeby się wciągnąć w zabawę. Zanosiło się na co najmniej półgodzinne zaangażowanie. Najprawdopodobniej.

Wyszła do pokoju. Czuła, że natrętne myśli tylko czekają, aż zostanie sama. Nie pozwoliła im jednak na atak.

Była przygotowana. Rozmowa z Gabrysią dodała jej siły i wlała w nią odrobinę optymizmu, a także pomogła pogodzić się z faktem, że jej życie może potoczyć się inaczej, niż by chciała.

Szanse są jak autobusy – ktoś jej kiedyś powiedział. – W końcu zawsze przyjedzie następny. Trzeba tylko poczekać.

Ale ona stanęła najwyraźniej na złym przystanku albo nastąpiła jakaś zmiana trasy, bo to powiedzonko w jej przypadku się nie sprawdziło.

Nie chciała jednak teraz tego rozpamiętywać. Umówiła się jeszcze dzisiaj późnym wieczorem z Andrzejem. Nadszedł czas, żeby na dobre zakończyć ten związek. Nie była aż tak nowoczesna, by robić to za pomocą esemesa. Zarezerwowała stolik w miłej restauracji i wyprasowała swoją dyżurną sukienkę. Nie przewidywała kłopotów. Andrzej chyba się domyślał, do czego to wszystko zmierza. W ostatnich dniach już nie dzwonił, w pracy też nie znajdował czasu, by podejść. A gdy przypadkiem mijali się na korytarzu, był uprzejmy jak przystało na zawodowca.

Maryla westchnęła. Kolejny związek opierający się wyłącznie na staraniach z jej strony. I tak nie miał szans, by przejść próbę czasu. Czuła się zażenowana, kiedy przypomniała sobie, z jakim przejęciem i zaangażowaniem opowiadała jeszcze niedawno o Andrzeju swoim siostrom.

Zaczęła sprzątać mieszkanie. Wieczorem miała przyjść Gabrysia, by zająć się chłopcami podczas jej nieobecności. Chciała ogarnąć najpilniejsze zajęcia przed jej przybyciem.

ROZDZIAŁ 46

Leszek obrzucił pokój uważnym spojrzeniem. Wszystko było gotowe. Stół nakryty bez przesadnej ostentacji, ale gustownie. Potrawy zwyczajne. Sałatka z jarzyn i śledź na przystawkę. Popisowe dania pana domu. Potem pieczony pstrąg i sałata. Wszystko własnoręcznie przygotowane i osobiście przyprawione.

Leszek umiał gotować, po śmierci żony przez wiele lat prowadził dom z niewielką tylko pomocą firmy sprzątającej. Wychowywał synów początkowo prawie wyłącznie na pieczonej kiełbasie i mrożonych frytkach, ale szybko zrozumiał, że jeśli chce mieć zdrowe dzieci, musi poszerzyć menu.

Zrobił to, nauczył się całkiem nieźle gotować, więc teraz przyrządzenie kolacji nie stanowiło dla niego problemu. Starał się jednak nie przesadzać, żeby

Marta nie wyciągnęła jakichś niepotrzebnych wniosków. Żadnych świec, półmroku ani serduszek.

Kiedy zadzwonił dzwonek przy furtce, spojrzał w ekran pokazujący obraz sprzed wejścia. Stała tam kobieta, której w pierwszym momencie nie poznał. Miała na sobie elegancki płaszcz z szerokim kołnierzem i buty na wysokim obcasie. Włosy upięła w ładny kok. Wyglądała jak jakaś aktorka, której nazwiska Leszck nie mógł sobie przypomnieć. Wspaniała kobieta.

Nagle zmienił zdanie na temat dzisiejszego wieczoru.

Przywitał się i nacisnął guzik otwierający bramkę, po czym biegiem wrócił do pokoju i postawił na stole dwa solidne lichtarze. Zdążył jeszcze zapalić świece, kiedy rozległo się pukanie do drzwi.

– Co za kobieta! – mruczał, pędząc z powrotem. Otworzył i zachwycił się jeszcze mocniej.

– Wyglądasz jak milion dolarów – w tym oszołomieniu nie umiał wymyślić lepszego komplementu. Ale jej to chyba nie przeszkadzało, bo uśmiechnęła się serdecznie.

Jak mógł wcześniej nie zauważyć, że Marta ma tak niezwykłą twarz?! Może nie była klasyczną pięknością, ale z pewnością atrakcyjną kobietą.

Leszek sądził, że to już minęło. Że przeżyte w młodości fatalne zauroczenie wyleczyło go z fascynacji kobiecym pięknem. Postawił na rozum. Ale teraz zrozumiał, że to się nigdy nie kończy. Okłamywał sam siebie. Nie umiał zakochać się w kobiecie, która go nie pociągała, choć bardzo się starał.

Widok odmienionej nagle Marty podziałał na niego jak porażenie prądem. Może po prostu był zaskoczony? A może całe życie na to czekał…

Otarł pot z czoła i podjął próbę uspokojenia rozszalałych nagle emocji.

– Wejdź, proszę – powiedział. – Kiedy tu ostatnio byłaś, dom wyglądał zupełnie inaczej.

– To prawda. Teraz jest piękny. – Marta uważnie rozejrzała się wokół. – A wszędzie widać twój charakter.

– Naprawdę? – zdziwił się i rozejrzał, ale niczego takiego nie zdołał zauważyć – Dlaczego tak sądzisz?

– Meble są dobrej jakości, bardzo ładne, ale i praktyczne. Nie ma tu żadnych zbędnych przedmiotów. Wszystko ma swoje miejsce i funkcję. – Marta spacerowała po kolejnych pomieszczeniach, po których oprowadzał ją gospodarz, i tylko utwierdzała się w swojej opinii. – Myślę, że dobrze się tu mieszka, choć, szczerze powiem, że nigdy w życiu nie byłam w tak wspaniałym miejscu i dotąd rezydencje kojarzyły mi się raczej z muzeum albo jakąś wystawą. Ale to prawdziwy dom – przyznała z uśmiechem, a Leszek poczuł dumę. O wiele większą niż wtedy, gdy specjaliści czy koledzy biznesmeni chwalili jego dobry smak.

– Siadajmy – zaprosił Martę do stołu. Ale ona stała wciąż kilka metrów dalej i wpatrywała się w dekorację.

– Jesteśmy oboje już bardzo dorośli, że tak oględnie powiem – zwróciła się do Leszka. – Nie miej żadnych obaw. Ja naprawdę dobrze rozumiem, że to tylko sąsiedzka przysługa, zwykła uprzejmość. Ale pozwól, że będę się cieszyć. Całe życie marzyłam, aby ktoś przygotował dla mnie kolację przy świecach.

Takie małe marzenie – pomyślał Leszek ze zdumieniem i westchnął. Ta kobieta zasługiwała na wiele więcej. Jakie to smutne, że czasem ktoś przeżyje całe życie i nie spełnią się jego najprostsze nawet pragnienia.

– Zaczynajmy – powiedział i poczuł się naprawdę podekscytowany. – Niech to będzie piękny wieczór dla nas obojga.

ROZDZIAŁ 47

Następnego dnia przed południem Helena siedziała przy stole i planowała na kartce wyrwanej z zeszytu Ani pożegnalny obiad dla Alfreda. Robiła to sama. Marty wciąż nie było. Jej komórka nie odpowiadała. I choć ciekawość dręczyła Helenę już od wczesnych godzin rannych, nie odważyła się dobijać do siostry co chwilę. Czekała, wychodząc z założenia, że jeśli Marta będzie chciała, odezwie się sama.

W domu panowała dość niezwykła po ostatnich dniach cisza.

Alfred pojechał do Krakowa w poszukiwaniu pamiątek i prezentów dla żony oraz przyjaciół. Anielka z Ludwikiem od rana byli w szkole Ani i dowiadywali się, jak wyglądają formalności związane z przeniesieniem dziecka. Podczas pamiętnej kolacji mówili wprawdzie o spokojnym wprowadzaniu zmian, ale z każdym dniem coraz wyraźniej widać było, że aż się palą do wspólnego życia.

Cieszyli się każdą chwilą, którą mogli spędzić we dwoje. Chcieli być razem. Sami.

Helena westchnęła. Taka kolej życia i każdy to wie. A jednak nie jest łatwo się to tego przyzwyczaić.

Usłyszała delikatny szczęk zamka i odgłos cicho zamykanych drzwi. Tak wchodziła do domu tylko Anielka.

– Witaj – odwróciła się i zgodnie z przewidywaniami zobaczyła córkę. – Jesteś sama?

– Tak – Aniela usiadła przy stole. – Zostawiliśmy Anię na lekcjach. I tak jej wolne trwało już zbyt długo. Ale zabieramy ją ze szkoły – dodała po chwili.

– Spodziewałam się tego… – Helena podniosła wzrok znad kartki.

– Myślisz, że robię błąd? – Córka po raz pierwszy zapytała ją o zdanie. – Ojciec patrzy na mnie takim wzrokiem na każdym kroku…

– Nie traktuj tego poważnie – przerwała jej Helena. – Jest tylko trochę zazdrosny i niepokoi się. To wszystko.

– Nie odpowiedziałaś na moje pytanie – przypomniała jej Aniela.

– Bo nie wiem, jak będzie. To zależy głównie od was. Ale patrzycie na siebie w taki sposób, że na pewno nie da się tego zatrzymać. Nie wiem, jak wytrzymałaś bez niego tyle lat. Nie zmarnuj swojej szansy. Pamiętaj, że drugi raz możesz nie mieć takiego szczęścia.

– Wiem. Też trudno mi uwierzyć, że mogłam tak żyć. Jakby bez czucia, w uśpieniu. Dobrze, że to się skończyło – położyła głowę na ramieniu mamy. – Wujek już nas opuszcza? – zapytała, spoglądając na kartkę. – A ty jak zwykle głowisz się nad menu?

– Tak. Załatwili wszystkie formalności. Pieniądze są już na jego koncie. Co ciekawe, podliczył raz jeszcze swoje kolumny cyfr i wyszło mu ponoć, że dla nas zostaje dziesięć tysięcy złotych. Ale traktuję to jak prezent albo darowiznę.

– Nie dziwię mu się – odparła Anielka. – Był tak serdecznie goszczony.

– Różnie bywało – westchnęła Helena. – Trafił w sam środek rodzinnej burzy. Drogo wujkowi wyszedł pobyt w naszym domu, nie mam jednak odwagi odmówić przyjęcia tych pieniędzy. Cieszę się, że Alfred tak ładnie się zachował. Ojcu będzie trochę łatwiej z jego nowym projektem.

– Mam wyrzuty sumienia, że tak was zostawiam w trudnym momencie.

– Nie martw się. Są przecież telefony, pociągi i samochody. Nie wyjeżdżasz aż tak daleko. A Ludwik, który ma takie doświadczenie w biznesie, może się dla ojca okazać cennym wsparciem. Patrzę na to optymistycznie. A właśnie, gdzie jest Ludwik?

– Wdraża się do roli, którą mu wyznaczyłaś – uśmiechnęła się Anielka. – Tata do niego zadzwonił z prośbą, żeby rzucił okiem na ten nowy lokal, zanim się zdecyduje na wynajem. I sprzedam ci pewnego newsa. Z panem Leszkiem przyszła nasza ciocia Marta – puściła oko do mamy. – Niezłe jesteśmy. Chyba nasz drogi sąsiad padł wczoraj z wrażenia, tak ją wyszykowałyśmy.

– Nie mogę się przyzwyczaić do tej myśli. Życzę Marcie jak najlepiej, ale Leszek? Jeszcze nie tak dawno z trudem się powstrzymywał, żeby nie splunąć waszemu tacie pod nogi. A teraz? Sprząta z nami sad, umawia się z moją siostrą… Doprawdy, ludzie łączą się w pary według przedziwnych zasad.

– Najważniejsze, że zgodnie – odparła Anielka. – A mnie się wydaje, że oni do siebie dobrze pasują.

– Czas pokaże – odparła krótko Helena. – Teraz pomóż mi. Kto wie, kiedy znów będziemy miały szansę wspólnie planować obiad.

– Może zaprosimy Gabrysię? – Anielka szybko starała się wprowadzić do rozmowy optymistyczny ton. Zależało jej też na pomocy. Chętnie pracowała w domu, często z własnej inicjatywy, ale nie przepadała za tymi zajęciami.

– Już to zrobiłam – odparła mama.

– I co u niej słychać?

– Pytasz zapewne, czy jest w ciąży? – domyśliła się Helena. – Nic się w tej sprawie nie zmieniło. Jeszcze się nie skończył kolejny cykl. Ale ma się to stać lada moment. Znów czekamy.

– Odkąd wyczekujemy na to dziecko, wydaje mi się, że cykl kobiety trwa w nieskończoność. Tyle nadziei, a potem kolejne rozczarowanie.

– Gabrysia już trochę zmieniła nastawienie – powiedziała Helena. – Przestała się skupiać tylko na tych staraniach. Wraca do pracy. U Kornela tez podobno dobre widoki na zatrudnienie.

– Myślisz, że się im ułoży?

– Nie wiem, ale taką mam nadzieję. Moja nadzieja jest wielka, tłusta i dorodna. Ma się dobrze, codziennie ją pielęgnuję. Bez niej nie mogłabym być matką czwórki dzieci.

Anielka uśmiechnęła się i już chciała się pochylić nad kartką, żeby sprawdzić menu, kiedy zadzwonił telefon.

– Ludwik – zawołała z przejęciem, choć nie było to przecież żadne zaskoczenie.

– Tak, tak – westchnęła Helena. Domyśliła się, że to już koniec współpracy.

ROZDZIAŁ 48

―――――――

– Nie będę ukrywać, że jestem zła. – Paulina bez-
wiednie zaciskała pięści. Utrzymanie pogodnej twarzy i lekkiego tonu rozmowy zdawało się być ponad
jej siły.

– To tylko dwa miesiące.

– Moim zdaniem aż.

– Dlaczego tak bardzo ci się spieszy? – zapytał
Marcin. Patrzył na nią czujnie. Chciał dobrze, stał po
jej stronie, ale nie mógł zapomnieć o słowach teścia:
że pojawiły się nowe okoliczności, które trzeba zbadać,
zanim się podejmie ostateczną decyzję. Towarzyszyło
mu także podejrzenie, że Paulina nie jest z nim do
końca szczera.

– Nie spieszy mi się – oddech kobiety był nierówny,
ale mówiła spokojnie. – Jeśli chcesz, możemy zaczekać. – Najwyraźniej już się opanowała, bo uśmiechnęła

się w zwykły sposób, ale on teraz bez trudu dostrzegał, że w poskromienie swoich emocji wkładała ogromny wysiłek.

– A nie mogłabyś mi powiedzieć tak normalnie, szczerze, o co chodzi? – zapytał. – Chciałbym cię dobrze zrozumieć.

Spojrzała na niego zdziwiona. W tym momencie z pewnością nie udawała.

O co tobie, cholera, chodzi? – pytały wyraźnie jej oczy, choć usta wciąż nie pozwalały sobie na tak nieelegancko ułożone zwroty.

– Przecież mówię normalnie, że będzie, jak zechcesz – odparła.

Marcin westchnął. Czuł się jak książę wpuszczony w bajkę. Na początku wszystko jest pięknie, pojawia się nowa kobieta, wydaje się nie mieć wad, a już na pewno w niczym nie przypomina żony. Zero wymagań, pretensji, żalów. Randka dwadzieścia cztery godziny na dobę. Czułe słówka, pochwały za nic, wesołe rozmowy. Kto by się nie skusił na taką opcję?!

Taki piękny odpoczynek od prozy życia. Obowiązków, nieprzespanych nocy. Marcin nigdy nie podawał w wątpliwość prawdziwości tego świata. Zbyt wiele miał do stracenia.

– Przepraszam, że cię narażam na taki stres – podszedł do Pauliny i przytulił ją. – Masz prawo być zdenerwowana.

– Ależ skąd – odparła szybko. – Nie jestem twoją byłą żoną. Ona by już pewnie ciskała poduszkami.

Marcin musiał przyznać jej rację. Maryla z pewnością nie umiałaby zachować takiego spokoju w podobnej sytuacji.

Ale przynajmniej zawsze wiedziałem, co ona myśli, co czuje – uświadomił sobie. Kiedy szuka innych, to pełną parą, ale gdy kocha jednego, to też całym sercem.

– Możemy o niej nie mówić? – poprosił. Nie podobały mu się wnioski, do których właśnie doszedł. Nawet sobie nie wyobrażał, że mógłby wrócić do Maryli. Minęło zbyt wiele czasu, więź się zerwała. Pocałować ją teraz, znaczyło zrobić to z obcą kobietą. Może nie zupełnie, ale prawie.

– Jasne – ucieszyła się Paulinka. – Chodź tu do mnie, mój misiaczku. Zapomnijmy o całym świecie i wszystkich problemach – przytuliła się mocno.

– A gdzie są twoje córki? – zapytał Marcin, odruchowo rozglądając się wokół.

– Zawiozłam je do mamy – odparła Paulina. – Chciałam być dzisiaj tylko dla ciebie. Jesteś nie tylko moim misiaczkiem, ale także prawdziwym tygrysem.

Marcin wyswobodził się z jej objęć. Czuł, że jeśli natychmiast nie zaczerpnie zimnego powietrza, udusi się.

– Przepraszam cię – powiedział. – Nie mogę zostać. Obawiam się, że nie jestem misiaczkiem ani żadnym tygrysem, tylko zwykłym facetem.

Dobrze o tym wiem – mówiły oczy Pauliny, a na jej twarzy coraz wyraźniej rysowało się rozczarowanie.

– Chciałbym czasem porozmawiać normalnie – dokończył Marcin.

– Nie wiem, co cię ugryzło? – Paulina wreszcie pokazała jakieś szczere emocje. – Ale proszę cię bardzo, idź. I tak jesteś dzisiaj nie do wytrzymania. Żadnego pożytku z ciebie nie ma. Tylko pamiętaj, jakie podejmujesz ryzyko. Ja nie będę wiecznie czekać jak twoja rozczochrana żoneczka.

Tym razem Paulina nie trafiła. Jeśli chciała go w ten sposób nastawić negatywnie do byłej żony, to osiągnęła odwrotny efekt. Jedną bowiem z piękniejszych rzeczy, jaką zdarzyło się Marcinowi widzieć w życiu, były targane morskim wiatrem włosy Maryli. Tamtego lata, kiedy się poznali.

Założył kurtkę i zaczął ją pospiesznie zapinać.

– Spokojnie – poradziła mu Paulina, zorientowawszy się szybko w sytuacji. Nagle się wystraszyła i postanowiła wzmocnić nacisk. – Nie ma do czego tak pędzić – powiedziała dość nieprzyjemnym głosem. – Chcesz wrócić do dawnego życia? Myć gary, targać siaty z zakupami, niańczyć dzieciaki?

Marcin spojrzał na nią w napięciu. Nie rozumiał, do czego zmierza.

– Tylko ja mogę dać ci prawdziwe życie. Dobrze się zastanów.

To ostatnie zdanie brzmiało dokładnie jakby je wypowiedział Jan Zagórski i Marcin musiał przyznać im obojgu rację. Teraz nie miał już najmniejszych wątpliwości, że potrzebuje czasu do namysłu. Ale Paulina niepotrzebnie się martwiła. Ostatnim miejscem, jakie chciałby teraz odwiedzić, było mieszkanie byłej żony.

Aż tak zmienny w uczuciach nie był.

Pragnął tylko chwili spokoju. Z ulgą zamknął za sobą drzwi.

Pożył trochę w ładnej bajce, ale miał poważne obawy, że raz otworzywszy oczy, nigdy już nie zdoła uwierzyć, że jest misiaczkiem. A bez tego środka znieczulającego w postaci pewnego oszołomienia, blokującego zdolność trzeźwej oceny sytuacji, życie z Pauliną mogło stać się nie do zniesienia.

ROZDZIAŁ 49

Helena liczyła nakrycia i raz po raz kręciła głową ze zdumieniem. Jeszcze niedawno taka konfiguracja gości byłaby w tym domu niemożliwa. A teraz dostawiała dodatkowy talerz nie tylko dla ojca Ani, który pojawił się w domu jak meteor, błyskawicznie burząc ustalone reguły, ale także dla odwiecznego wroga rodziny – Leszka.

– Znalazłam jeszcze w ogrodzie jakieś spóźnione róże – w kuchni pojawiła się Gabrysia. Opłakawszy kolejny koniec cyklu, który niczego nowego nie przyniósł, przyjechała, by ze względnym spokojem pomagać mamie w przygotowaniach. – Będą ładnie wyglądać na stole – dodała. – Nakrywamy w salonie? – zapytała jeszcze.

– Nie wiem – Helena spojrzała w okno. – Zapowiada się słoneczny dzień. Może już ostatni tego roku. Jak sądzisz, warto zaryzykować i nakryć na tarasie?

– Byłoby pięknie. Już dawno nie siedzieliśmy tam wspólnie. A z tego, co mi wiadomo, rodzina ma się dzisiaj stawić w komplecie. Aż się boję cieszyć. Pamiętam, jak ostatnio mieliśmy się spotkać i rozpętała się ta okropna burza, a na dodatek wujek zadzwonił.

– Teraz wyjeżdża. Czas zatoczył koło. Nic złego już się nie wydarzy. Z duchami przeszłości się rozprawiliśmy, teraz będzie już tylko dobrze.

– Oby – westchnęła Gabrysia. – To ja pójdę wszystko przygotować. – O, Julia przyjechała! – zawołała, wyglądając przez okno. – Bardzo dobrze, pomoże mi. Ma lepiej wyrobiony zmysł artystyczny, zrobimy ładne dekoracje.

– Świetnie – ucieszyła się Helena. Marty dzisiaj znów nie było i Helena czuła się tak, jakby jej ktoś prawą rękę odciął. Każda pomoc była na wagę złota.

– Julia jest sama – powiedziała Gabrysia. – A ja się jeszcze gdzieś w głębi serca łudziłam, że może zaprosi Ksawerego. Że dadzą sobie jeszcze jedną szansę. Przyznaj, że to by była miła niespodzianka.

– To prawda – przyznała mama. – Ale ten scenariusz nie wydaje mi się prawdopodobny. Za to będzie Feliks.

– Jego zaprosiła? – Gabrysia zatrzymała się w drzwiach.

– Nie. Tata to zrobił, choć bez specjalnego entuzjazmu. Ale wypadało. Przyjdzie z ojcem.

– To jeszcze nic nie znaczy – westchnęła Gabrysia. – A gdyby tak zadzwonić potajemnie do Ksawerego? Masz przecież gdzieś jego numer... – zapytała z wypiekami na twarzy. – Byli taką świetną parą.

– Ani mi się waż! – zawołała Helena. – Żadnego więcej wtrącania. Choćby ci serce miało krwawić. Julia musi wybrać sama.

– Co takiego? – pani weterynarz stanęła właśnie w drzwiach. – O mnie mówicie? – domyśliła się.

– Tak – przyznała Helena. – Ale tylko dobrze – uśmiechnęła się i ucałowała córkę. – Cieszę się, że już jesteś. Chcemy podać obiad na tarasie i potrzebujemy twojej fachowej pomocy w sprawie dekoracji.

– Już się zabieram do pracy. – Julia umyła ręce i uścisnęła siostrę. – Idziemy – objęła ją w pasie. – Tęskniłam za tym miejscem – powiedziała, otwierając drzwi prowadzące na drewniany taras. Słońce oświetlało sad, drzewa powoli traciły liście i przygotowywały się do zimowego snu. Julia przypomniała sobie, jak kiedyś, gdy była nastolatką, bardzo im tego zazdrościła. Tej możliwości przespania ponurego czasu.

– Wyciągamy stół – zawołała i dźwignęła ciężki mebel.

– Dlaczego my nie mamy odruchu, żeby do takiej pracy wołać mężczyzn? – Gabrysia sapnęła po drugiej stronie. – Najwyższy czas wprowadzić nowe zasady, bo mi kręgosłup siądzie.

– Ja się zgłaszam na ochotnika – Ludwik pojawił się na tarasie. Wziął mocno stół i samodzielnie przeniósł na środek tarasu. Stąd rozciągał się najładniejszy widok.

– Nieźle – doceniła jego wysiłek Julia. – W nagrodę możesz jeszcze ułożyć krzesła – roześmiała się.

– A gdzie wasz tata? – zapytał Ludwik.

– Jeśli liczysz na pomoc, to raczej nie ma szans. – Gabrysia przybyła dzisiaj jako pierwsza i dobrze się orientowała w rodzinnych rozstawieniach. – Pojechał po ciocię Martę, zabrał ze sobą chłopców Maryli, bo od rana roznosili dom. – Ale pewnie nie wrócą wcześnie, bo się zagadają o pracy. Ciocia bardzo się zaangażowała w temat nowej księgarni. Dlatego dziś to ja i Maryla od rana dyżurujemy przy mamie.

– Nie widziałem Maryli. – Ludwik sprawnie układał krzesła.

– Bo ona z kolei pojechała do sklepu. Już trzeci raz dzisiaj. Mama zawsze przygotowuje sobie listy zakupów, a potem i tak się okazuje, że czegoś brak.

– Proszę mnie tutaj nie obgadywać. – Helena wyszła na taras i sprawdziła ułożenie stołu. – Właściwie to wszystko gotowe – powiedziała. – A zostało jeszcze sporo czasu. Jak ci się u nas podoba, Ludwiku? – zwróciła się do mężczyzny.

– Jest świetnie – odparł. – Choć początkowo byłem dość oszołomiony. Moja rodzina jest niewielka. Mam tylko brata, ale nie spotykamy się zbyt często. Moi rodzice od lat uważają, że jestem dorosły i powinienem sam sobie radzić. Teraz to już nie wiem, czy to dobrze, czy źle. Myślę sobie, że każdy człowiek powinien chociaż raz na jakiś czas usiąść przy takim dużym stole i poczuć się częścią wspólnoty.

– Dziękuję ci – powiedziała Helena. – To miłe, co mówisz. Ale nie jesteśmy jakimiś ideałami. Każdy z nas z czymś się zmaga. Popełniamy błędy.

– Może i tak – odparł. – Ale kiedy zobaczyłem, jak pan Jan ledwo żywy po zasłabnięciu walczy o swoją córkę, to był, bez przesady, jeden z ważniejszych momentów w moim życiu.

– O czym ty mówisz? – zaniepokoiła się Helena.

– Na pewno pan Zagórski wszystko opowie – uspokajał ją Ludwik, trochę zły na siebie, że się nieopatrznie wygadał. Był przekonany, że Helena o wszystkim wie. – Pewnie to dla was normalna sprawa – dodał. – Ale na mnie zrobiło wielkie wrażenie. Ja nigdy nie byłem dla rodziców kimś tak wyjątkowym, żeby się im chciało wtrącić w moje sprawy, ryzykować, że będę zły, karmić radami.

– Na dłuższą metę to bywa trudne – na tarasie pojawiła się Anielka. – Ale masz rację. Nasza rodzina to jest moc.

Ludwik pokiwał głową i zabrał się za przesuwanie ciężkich donic z przyschniętymi już nieco kwiatami.

– Można tu włożyć gałęzie świerku – powiedział szybko. Nie miał odwagi, by głośno przyznać się, że i on chciałby być częścią tej rodziny. Okazywanie uczuć nie było jego mocną stroną.

ROZDZIAŁ 50

— Zaproście wujka Alfreda do stołu — poleciła Helena. — Wszystko już gotowe. Julio, proszę cię, odszukaj wszystkich i zwołaj na taras. Zaraz będziemy siadać.

— Gdzie są moje dzieci? — Maryla zdążyła w ostatniej chwili, czwarty raz wysłana do sklepu. Położyła na środku stołu siatkę i rozejrzała się wokół.

— Są z tatą — odpowiedziała jej Helena. — Grali z nim i z Leszkiem w piłkę jakiś czas temu.

— Właśnie dlatego o nich pytam. Widziałam, że w sadzie pełno gości, ale Szymona ani Kuby nie ma.

— Nie denerwuj się — uspokajała ją Helena, przelewając gorący rosół do waz. — Przecież wiesz, że na tacie w tych sprawach można polegać. Ale jeśli chcesz, to zaraz go zapytam.

— Jego też w sadzie nie ma — Maryla wyjrzała przez okno.

– Tutaj jestem. Mnie szukacie? – Jan wszedł do kuchni, ubrany elegancko, gotowy, by usiąść przy stole. – W czym ci pomóc? – zwrócił się do żony.

– Gdzie są chłopcy? – Helena poczuła niepokój. Nie mogła uwierzyć w to, że mąż, którego zadaniem było pilnowanie wnuków i z tego powodu został zwolniony z wszelkich innych obowiązków, mógł się zachować tak nieodpowiedzialnie i w tym zamieszaniu spuścić ich choć na moment z oczu.

– Nie patrzcie tak na mnie – oburzył się Jan. – Przecież wiem, gdzie są.

Maryla zastygła w oczekiwaniu.

Jan rozejrzał się wokół w lekkim popłochu, po czym porwał leżące na kuchennym blacie warzywa z rosołu i włożył sobie do ust spory kawałek selera.

– Co ty robisz? – zapytała Helena rozzłoszczona jego dziwnym zachowaniem.

– Uhm – wymamrotał, wskazując na usta.

– To przełknij wreszcie i mów, co się stało! – Helena była już mocno zdenerwowana. Za chwilę zejdzie się cała rodzina, a tu działo się coś dziwnego. Strach o dzieci ścisnął ją za gardło.

– Gdzie są moi synowie!? – zawołała Maryla. Nie miała ochoty na głupie żarty. W tej kwestii jej poczucie humoru nie istniało.

– Ależ dzieci są bezpieczne – Jan przełknął wreszcie. – Marcin zabrał chłopców na chwilę.

– Jak to? – zawołała Maryla. – Przecież to nie jego dzień. Poza tym skąd się tu wziął. – Maryla widziała same luki w tej historii i wcale jej się to wszystko nie podobało.

– Marcin zadzwonił? – Helena próbowała zrozumieć męża.

– Tak jakby... – wymijająco odpowiedział Jan.

– Co to ma znaczyć? – Maryla miała dość. – Mów, tato, albo naprawdę wyjdę z siebie.

– Ja zadzwoniłem – przyznał się Jan. – Ale telefon po prostu sam wpadł mi w ręce.

– Normalnie się na ciebie rzucił, tak? – podsunęła Maryla. Była zła.

– Nic takiego się nie stało – obruszył się Jan, dość niepewnie czując się pod obstrzałem dwóch nieprzyjaznych spojrzeń. – Poprosiłem tylko Marcina, żeby zabrał chłopców na godzinkę. Co w tym złego? W końcu to ich ojciec. Dzieci są z nim całkowicie bezpieczne. Dobrze o tym wiesz – zwrócił się do córki.

– Czy w tym domu brakuje ludzi? – zawołała Maryla. – Są wszystkie moje siostry i nawet ciocię Martę przywiozłeś. Nie miałeś na kogo zrzucić tego balastu, skoro ci tak bardzo ciążył? – zapytała z rozgoryczeniem.

Jej stosunki z Marcinem były i tak mocno napięte, a temat bolesny. Nie potrzebowała dodatkowych komplikacji.

– Nie o to chodzi – bronił się Jan. – Wiesz, że lubię się nimi zajmować. Ale chłopcy pojechali tylko na chwilkę. Marcin obiecał przywieźć ich przed obiadem, a to bardzo słowny mężczyzna. O! – zawołał z ulgą, pokazując na okno. – Już są.

Maryla na nic już nie czekała. Wybiegła na zewnątrz.

– Zaproś go na obiad! – zawołał jeszcze za nią Jan.

– Jak możesz? – Helena miała ochotę dać mu ścierką po głowie. – Obiecaliśmy sobie, że przestaniemy się wtrącać i to była twoja propozycja. A teraz łamiesz ją bez skrupułów i narażasz dziecko na cierpienie. Nie widzisz, że między nimi się nie układa? Musiałeś Maryli zaserwować dodatkowy stres? Jeśli tak się będziesz zachowywał, to w życiu żadna córka się do nas nie przeprowadzi.

– Przepraszam – Jan podszedł do żony. – Nigdy nie mieliśmy szczęścia z tym wtrącaniem. Mniejsza ilość trafień niż nasza reprezentacja piłkarska w najgorszym okresie. Ale dopóki nie sprawdzisz, nie jesteś pewien, czy nie dało się pomóc.

Z tarasu dochodziły już głosy gromadzącej się przy stole rodziny. Dzieci biegały, ktoś śmiał się głośno. Helena widziała, jak do drzwi tarasu zbliżają się Gabrysia z Anielką. Pewnie chciały się zgłosić do pomocy przy podawaniu.

– Patrz – Jan mocno szarpnął żonę za ramię.

Spojrzała na niego z zaskoczeniem, bo zwykle nie posuwał się do tak gwałtownych czynów, ale on w ogóle jej nie zauważał.

– Patrz – powtórzył, ciągnąc ją do okna jak w jakimś amoku. – Idą tutaj. Razem.

Rzeczywiście.

Maryla szła ścieżką prowadzącą do domu w towarzystwie Marcina. Dzieliła ich spora odległość, jakby oboje chcieli podkreślić, że prócz dzieci nic ich nie łączy.

– To jeszcze nic nie znaczy. – Helena położyła chłodną dłoń na rozpalonym emocjami czole męża. – Uspokój się lepiej.

– Może masz rację… – Jan odsunął się od okna. – Może to rzeczywiście niewiele znaczy. Ale daje nadzieję. A to też nie do pogardzenia. Czuję, że w tym przypadku słusznie się wtrąciłem. Powiem ci, że warto było nawet sto razy wtrącić się niepotrzebnie i dostać po głowie, jeśli dzięki temu tym razem mogłoby się udać. Ja zawsze stałem po stronie Marcina.

– Nieprawda – Helena odwróciła się także. – To ja mu kibicowałam.

– A wy się znowu spieracie? – Maryla weszła do środka. – Prowadzę wam gościa.

– To wspaniale! – zawołał Jan i ledwo tylko były mąż córki pocałował Helenę w dłoń, pociągnął go na taras. – Zapraszamy do stołu, nakrycie już czeka.

– On jest niemożliwy – westchnęła Maryla. Ale na jej policzkach rysowały się rumieńce. A głos był zupełnie inny niż rano. Pełen energii.

– Czy my dostaniemy coś do jedzenia? – zapytała Anielka. – Bo ja naopowiadałam Ludwikowi, jak to u nas dobrze karmią, a tymczasem siedzimy przy pustym stole i wszystkim nam zaczyna w brzuchach burczeć.

– Już, już – Helena się przebudziła. – Widzicie, co jest do wzięcia? – wskazała na stół, kuchenkę i blaty, zastawione półmiskami i wazami. – Zanoście to, ale szybko.

Sama pobiegła do pokoju, umyła się pospiesznie i założyła przygotowaną wcześniej sukienkę. Zapięła korale i spojrzała w lustro. Rozpuściła włosy i przeczesała je szczotką. Było nieźle. Swoją urodę traktowała w kategoriach praktycznych. Cieszyła się, bo dzięki niej nie musiała tracić dużo czasu, żeby dobrze wyglądać.

Wróciła do salonu i stanęła w drzwiach prowadzących na taras.

Wszyscy siedzieli już przy stole. Cała rodzina w komplecie. Córki, zięciowie, byli, obecni, przyszli. Wnuki i wnuczka. Albert. Ciocia Marta i nawet Leszek. Czekano tylko na nią.

Jednak daliśmy radę – pomyślała i uśmiechnęła się serdecznie do wszystkich. – Może rzeczywiście nie udało się ocalić wszystkiego, ale przynajmniej zachowaliśmy to, co najcenniejsze.

PODZIĘKOWANIA

Dziesiąta książka to okazja do podziękowań. Nikt z nas nie jest samotną wyspą i żadne udane przedsięwzięcie nie powstaje w próżni.

Dziękuję wszystkim Czytelniczkom i Czytelnikom za zaufanie i sympatię, komentarze na blogu i Facebooku. Za wspaniałe spotkania, ciepłe słowa, interesujące opinie. Fakt, że mam właśnie takich Czytelników, uważam za największe zawodowe osiągnięcie. Jesteście bowiem niezwykli!

Dziękuję mojej rodzinie.

Mężowi, który w strategicznych momentach zajmuje się dziećmi (żebym mogła skończyć powieść) i nieustająco mnie wspiera. Mamie, od czasu do czasu przybywającej na odsiecz i zdejmującej z moich ramion prozę życia: gotowanie, prasowanie i tym podobne przyjemności... ☺

Dziękuję moim dzieciom. Córkom: Anetce, Moni i Kamilce za wsparcie, uśmiech, wspólne rozmowy, dobre rady i niezachwianą wiarę, że mamie się uda. Synkowi Adasiowi za to, że wnosi tyle radości do naszego domu.

Wujkowi Romanowi Włodarczykowi za ogromną życzliwość i moim Braciom oraz ich rodzinom za wsparcie.

Mojej przyjaciółce Kasi Wojtas za to, że niestrudzenie czyta i recenzuje pierwsze wersje powieści, wspiera rozmową, radą i podnosi na duchu, kiedy trzeba. A trwa ta historia już ponad dwadzieścia lat... ☺

Dziękuję blogerom – autorom celnych, wnikliwych, wspaniałych recenzji, które prowadzą mnie prostą drogą, wspierają i pilnują, żeby kolejne książki były coraz lepsze. Dziękuję całej blogerskiej społeczności.

Pracownikom Wydawnictwa Filia – Oldze, Marysi i Mateuszowi – dziękuję za dobry, wspólny czas. To świetny zespół.

Dziękuję Sylwii Winnik, administratorce fanklubu, za życzliwość i bezinteresowną pracę.

Pracownikom bibliotek jestem wdzięczna za zaproszenia i świetnie przygotowane spotkania.

Dziękuję wspierającym mnie pisarkom, a szczególnie Magdalenie Kordel, Małgorzacie Kalicińskiej, Katarzynie Enerlich, Magdalenie Witkiewicz, Izabelli Frączyk oraz Agnieszce Walczak-Chojeckiej.

Szczęśliwy
dom
KRYSTYNA MIREK

Rodzinne
sekrety
KRYSTYNA MIREK

Spełnione
marzenia
KRYSTYNA MIREK

WSPÓŁCZESNA SAGA
RODZINY ZAGÓRSKICH
Jabłoniowy sad

FILIA

Podarunek

Marta wysłała prośbę do losu.
On podjął wyzwanie.
Jednak odpowiedział zupełnie inaczej,
niż ktokolwiek mógł się spodziewać.

FILIA